目次

まえがき

序にかえて

人類がかつて経験したことがない長寿社会が到来して、私はその尖兵の一人である。公的推計によれば、満八二歳だから、あと七、八年余命があると言うのを喜んでいいのか、悲しんでいいのか。パーキンソン症候群がこのところ、とみに進行している我が身なので、どちらかと問われれば後者の心境かも知れない。見るべきものは見つ、語るべきことは既に語った。

この雑文群もその一つである。大半は七〇歳の坂を超えてからある小雑誌に連載した掌編エッセイで、使ったペンネームは「日比野　孟」。一人娘とフィリピン系米国人の間に生れた日比混血の孫娘二人の心の受け皿になればいいという語呂合わせで作った。敗戦国に生れた凡人もグローバリズムの潮流に洗われて、こんな家族ができたという感慨も籠めた。漢字の「孟」にはとりとめがないという意味もあるそうだから、雑文書き向きでもあった。

口惜しいのは、主題の多くで取り上げた長期政権の首相、安倍晋三が大政治家ではなかったことである。初めから眉に唾付けてはいたものの、これほどチャチな人物とは思わなかった。モリカケのスキャンダルで馬脚を現したと思ったら、最近、ばれたのが「桜を見る会」で公費を乱費しての選挙民の大量招待である。関連する国会答弁でのシッチャカメッチャカぶりは麻生副総理に優るとも劣らない日本語能力のお粗末さだし、安倍内閣の閣僚たちのいい加減さもひどい。こんな男が怪物といわれた祖父・岸信介元首相の膝下で本当に育ったのだろうか。余りにも低劣で、戦後レジームの脱却も憲法改正もあったものではない。

戦後レジームの脱却とは何か。実態的には、落ち目の米国から距離をとることだろうが、安倍首相はトランプ大統領に媚を売って靖国参拝も忘れたようにみえ、まさに親米保守に身を置いたまま。その言い訳に利用したのがいわゆる「価値観外交」で、自由・平等・人道という基本的価値観を同じくする国々との友好親善を深めるという建前で、冷戦時代の理屈を呼び起こした。中身は戦後レジームそのものなのだが、こんなウソ八百を糾弾し、批判する保守系の学者、評論家が極めて少ない。

メディアの代表たる全国紙も長期安定政権に弓を引くのは得策でないと及び腰。大体、定期購読者がどんどん減っているのに、世界で類を見ない休刊日とやらを勝手に増やす感覚では信用を失って当然だ。政府系テレビ局のＮＨＫや雑誌「文藝春秋」「週刊文春」に束になっても敵わないのでは、時代遅れの恐竜でしかない。

現政権を史上最長にしているのは、民主党前政権の無能、無軌道ぶりに懲りた有権者が「自民党しかない」という強迫観念に囚われた結果であれば、その後継政党たる野党各党や共産党が権力の座に就く公算はほぼゼロに近い。野党勢力は問題のありかを本質的に糺すことなく、有権者の意識に迎合する言動ばかりで、それを自覚しながら方法論が煮詰まらないのである。

この国を覆う政治的、社会的停滞と不感症を治癒するには、いわゆる平和憲法という虚構の外殻を打破し、宗教や民族間で存続を賭けた争いが人類史の中で繰り返され、今も生れ続けていることを実感するショック療法以外にないと思うのだが、この試みを担うべき指導者が使命感を持たず、揚げ句の果てに腐敗と夜郎自大に陥ったことはかえすがえす残念でならない。

目を海外に移すならば、米国の一極支配を夢見る帝国主義的野望が脆くも崩れ、目下、「アメリカ・ファースト」のポピュリスト、ドナルド・トランプ大統領が二期目を狙っている。この国は元来、ホッブス、ルソー流の啓蒙主義、その帰結である自由意思の不可侵性を前提とする統治を国是としてきたが、トランプ氏は柄にもない国家主義を称えて、落ち目の白人中下層階級の支持を集めた。いわば啓蒙主義の本拠にうさん臭い歴史ロマン主義の亜種が君臨し、ナショナリズムを鼓舞しているのだから、「ウッソォー」と言いたくなるが、厳然たる事実であってフェイクニューズではなかった。

歴史ロマン主義といえば、中国の習近平国家主席もロシアのウラジーミル・プーチン大統領も奉じているか、もしくは巧妙に利用している。

それには自国の歴史の美化が不可欠で、そのためには粉飾や捏造も意に介しない。ロシアがウクライナ国家の存在にけちをつけ、中国がチベットを故意に抹消したように、民族の独立性すら冒して恥じないし、しかも国民の大半から支持されている。安倍首相はプーチン大統領と直談判で北方領土問題を解決に導こうとしたようだが、スラヴ民族の歴史にどのような理解を示したのか。プーチン大統領が冷戦以後の米国や西欧主要国のやり口に深い憤りを感じて来たことにどのような感想を伝えたのか、全く漏れ聞いたことがない。国粋主義者としての安倍首相の実像がぼやけ放しで、それでは領土問題を解決する道筋は見えてこないし、日本国民も判断のしようがあるまい。ロシアにせよ中国にせよ、日本外交が西側諸国とどのような距離を置くのか注視しているのに。

今世紀に入って早くも二〇年。いつの間にか地球環境は温暖化の進行などで激変し、災害の多発や病疫の流行で生命の脆弱性が増した。情報科学やテクノロジーの進化によって人々の関係性も変わった。つまり、ＡＩや生物工学の成果を利用できるか、できないかに関連する人間の能力格差が深まり、それに付随して貧富格差が深まった。個々の自由意思の過度な尊重によって家族ばかりか学校、企業、行政機関といった組織内の共生・共感範囲も狭まった。二〇一〇年代から「サピエンス」三部作で人類史を再構成し、人類の急速な変容を預言するイスラエルの歴史学者、ユーヴァル・ノア・ハラリ氏は、人類の思考能力をコンピューターに代替可能なアルゴリズム（解決目的を持った電子的計算方式）に還元できるとして、脳の能力をコンピュターに移す手立てを知る人とその集団以外の人間は無用者としてはじき出されてしまうだろうと省察している。

だが、本当にそうだろうか。こうした知能保持者を統制する権力者とその役割が果たして消滅するのだろうか。その行く末は非生命として体験するとしよう。

（二〇二〇年二月記）

第一章　世相つれづれ草
二〇〇九〜二〇一九年

初出　「インテリジェンス・レポート」（一般社団法人総合政策研究所・二〇〇九年二月〜二〇一九年九月）

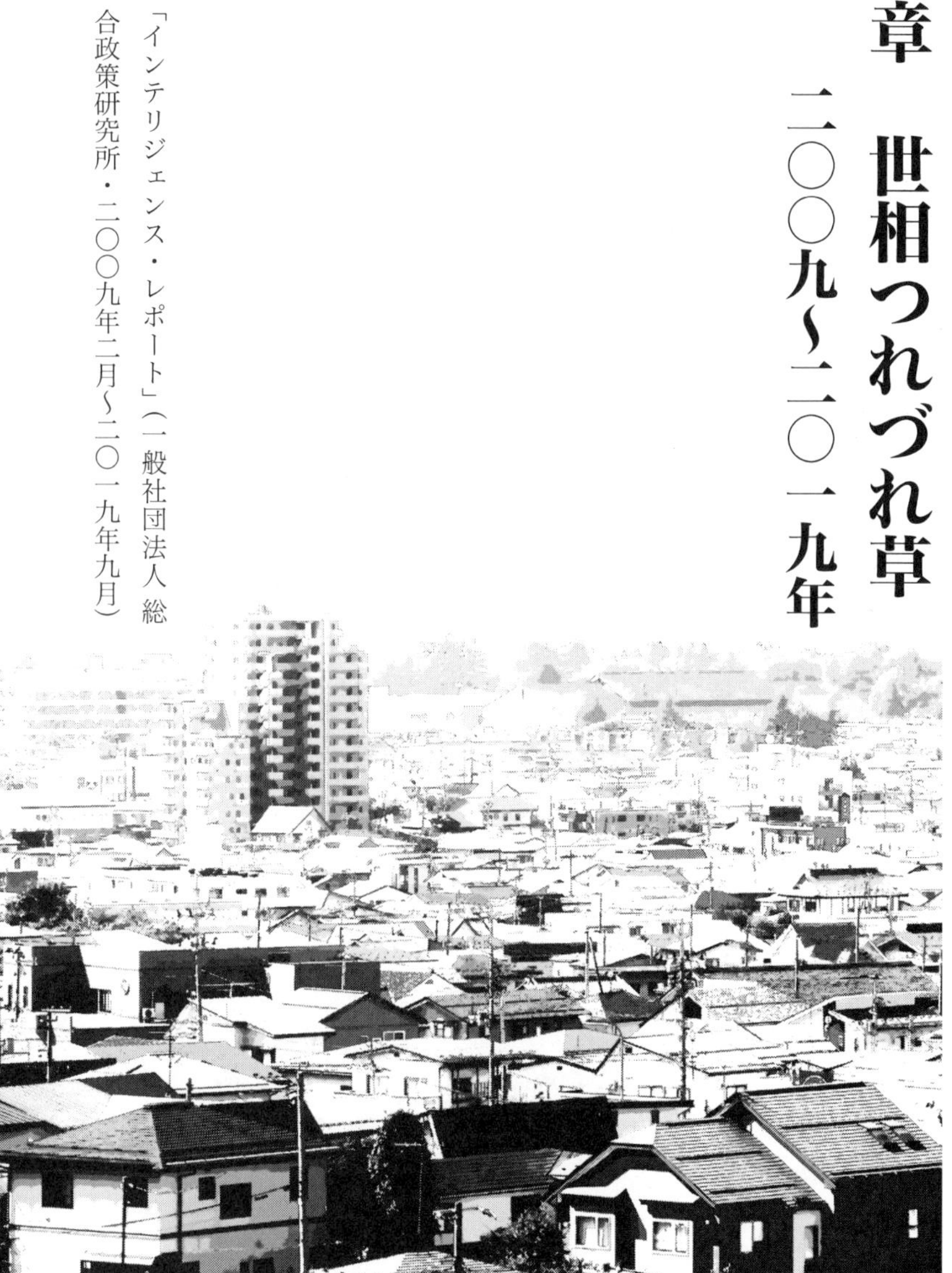

二〇〇九年

中国外交部の応接所

北京を訪れたのは二〇〇六年六月だった。当時はオリンピック前の都市美化事業が進行中で庶民色あふれる名物の胡同（フートン）が姿を消しつつあり、「民工」（農村からの出稼ぎ労働者）の汚れた姿が目についた。

たまたま一般観光客には入れない中国外交部構内をかいま見る機会があった。東南アジア担当のエリート幹部が中国・フィリピン関係について特別レクチャーしてくれたのだ。解放軍兵士が立つ、いかめしい入口に近づき、警備員に氏名を名乗ってアポの要旨を告げると前庭に案内され、待つように言われた。そそり立つような本庁舎前には五星紅旗が翻り、本庁舎はまだ数十メートル奥にある。

ほどなく現れたのは若手のエリート外交官氏。額がやや後退ぎみで年齢は三〇歳後半とみたが、みごとな英語だった。本庁舎ではなく、白亜の前壁に沿った横長の平屋建てに招じ入れられた。どうやら応接所になっているらしいが、外からは、そんな場所があるとはわからない。同行のフィリピン人ジャーナリスト、イグナチオ・ディー氏は苗字が漢字なら李氏と書く華人系二世で、出身地がエリート氏と同じ福建省だったためか、すぐ打ち解けてくれて気持ちが良かった。ただしディー氏は、中国語はしゃべれない。こっちも表現力豊かな英語だ。

応接所の仕立ては、それまでテレビで何度も観たことがあるのとそっくりで、奥に背もたれの大きな椅子が二つ並び、間に花瓶を載せた小さなテーブルが置かれている。ただし部屋の広さが人民大会堂とは比ぶべくもないのは当たり前だ。それでも、ゆったり座るとどこかの政府首脳になったような気分になった。昔、改革・開放路線の祖、鄧小平氏が日本の首相と会談しながらしきりに「ペッペッ」と痰を吐いたのを思い出して足元を探したが、痰壺らしきものは見当たらなかった。あれは定番ではなかったらしい。

お茶が運ばれてレクのはじまり。ちょっと脱線して「法輪功」の弾圧について質問すると、エリート外交官氏はやや言葉を荒げ「日本だってオウム真理教のような悪い宗教は取り締まるじゃないですか」と切り返してきた。「宗教を信じることは自由勝手。しかし、教団や信徒が罪を犯せば法に問われるのです」と応じたのだが、けげんな顔をするばかり。コミュニズムを国是とする国で信仰の自由について説くのは野暮の骨頂とあきらめた。

それにしても応接所に案内すれば外交の現場をのぞかれないですむ。盗聴機や隠しカメラの設置も容易じゃないかと意地悪い観察もした。もちろん監視をされるほどの重要人物でなし、一緒に構内に案内されたアフリカ系の賓客がゆうゆうと本庁舎に案内されて行ったことへの無言の腹いせでもあった。

中国の旅から一年半ばかりたったころ、旅行のホストを務めてくれた国営通信社、新華社の虞家復外事局長が台湾のスパイ容疑で逮捕されたと報道された。虞さんは台湾など海外で手広く事業をしている中国人ビジネスマンとの食事会に招待してくれ、中国の対外活動について外交官氏よりはるかに率直に話をした。なかなか信じられない事件だったが、それと同時に自分たちも時々は監視されていたのではなかったろうかと、後味が悪くなった。彼の消息はその後、聞かない。

（二〇〇九年二月記）

所変われば正義も変わる

海外で日本人が殺される事件が後を絶たない。中でもフィリピンは悪名高く、毎年平均五人以上だが、二〇〇八年は増えて八人が命を奪われた。

日本の悪者が保険金目当てなどで同胞をだまして入国させ、地元の殺し屋を安く雇って射殺するケースもあるが、最近は強盗に狙われるケースが多い。身内や知人が犯行にからんでいる気配がすることもあるが、事件のほとんどが迷宮入りだから浮かばれない。

昔の日本人は飲料水と安全はタダと思い込んでいた節があるが、水はともあれ、警察の力を信じている善男善女はまだ少なくない。しかし、発展途上国には警察官が犯罪者より怖い所だってざらだ。司法制度ほど国柄で異なるものはないと知っておいて損はない。

フィリピンの司法制度は古い慣習法の上にスペイン植民地時代に権威が高かった裁判官のサジ加減が乗っかった。なにしろ植民地権力のトップがアウディエンシア（大審問院）で、司法権力に行政権が付随していたというほどだ。今でも何かというと最高裁が政治問題にも判決を下す。米国は一九九九年にフィリピン全土を現金二〇〇〇万ドルでスペインから買い取ると、憲法制定の前から全国に裁判所を設置した。最下級審は治安裁判所（マジストレート）といって、地方の有力者が任命されたから鬼に金棒であった。今でも裁判官が汚職番付の上位に占める。

英米法の流れを汲むのかどうかわからないが、この国の刑事訴訟は日本人の想像を超えている。殺人でも強盗でも事件として立件されるには被害者の告訴（告発）が前提となる。殺された死人に口無しだから、親族が代わって訴えるわけだが、その前にカネや脅しで告訴しないことも多々ある。被害の告訴が出ないと警察は捜査を開始しない。もちろん死体が見つかれば現場検証するが、あくまで「予備捜査」なのである。警察署長は「告訴が出ないから捜査できない」などと広言して平気。事実、殺された日本人の父親が告訴せずに帰国して一件落着した例もあった。

凶悪事件の容疑者になったら大変だ。まず警察署に連行されても逮捕なのか任意同行なのかわからない。もちろん弁護士を呼ぶことはできる建前だが、普通の日本人は英語が不得手だし、国選弁護人を選ぶ手続きも知らない。スシ詰めの留置場に放り込まれてしまう。ケータイがあれば外と連絡できるのがせめてもの救いだが、実は「地獄の沙汰もカネ次第」で釈放料の相談をさせるのだ。ただし、ハポン（日本人）はリッチと思われているから、要求金額は高い。ハポンは特上のカモだ。

フィリピン女性と結婚して地方に住むような人たちはまず、警察幹部を含めて土地の有力者と顔見知りになっておくべきだ。祭り（フィエスタ）の寄付に応じたり、贈り物をせっせと運んだりして庇護してもらう。選挙ともなれば、警察官の猛者たちがガンマンに変身して撃ち合いするような国柄である。「安全」は絶対にタダではない。外務省も少しは海外渡航者教育をしてほしいものだ。

（二〇〇九年三月記）

タイ王制に忍びよる危機

昭和天皇亡き後、世界で最も長く君主の座にあるのはタイのプミポン国王だが、その王権が再び揺れ始めた。客家（ハッカ）系華人出身で大富豪のタクシン元首相が国外の亡命先から国王の右腕、プレム・ティンスラノン枢密院議長（八八歳）こそ自分を追い落とした二〇〇六年九月クーデターの黒幕と非難を蒸し返したからである。タクシン氏は国民の絶対的な尊崇を集める国王に間接的に弓を引いたのだ。

プレム将軍とは、彼が陸軍第二管区司令官だった一九七〇年代後半に会ったことがある。将軍にほれ込んでいたタイ人記者に会わないかと誘われたのだった。まだ五〇歳代で懐の大きい武人という印象だった。王制護持の固い信念を聞かされたが、めぼしい情報はくれなかった。将軍が管轄していたのは「イサン」と呼ばれる東北タイで、世界最大の産米国の中では貧しい畑作地帯だった。毛沢東主義を奉じるタイ共産党が執拗なゲリラ活動を続けていたが、将軍は粘り強い対話路線で武装闘争をあきらめさせた。この実績が後に将軍を首相の地位に上らせたのである。件の記者が、独身の将軍は一夜のベッドに複数の美女を侍らせると耳打ちしたのを覚えている。

そのころ軍事政権を打倒した民主化勢力の中心は大学生だったが、これに真っ向から挑戦したのが王権派の行動部隊、「カチンデーン（赤い水牛）」だった。大衆デモへの殴り込みや左翼指導者の暗殺で恐怖を振りまいた。組織を操っていたのがプレム直系の国軍情報部幹部、スドサイ大佐という人物だった。当時、頻発したクーデター騒ぎの動きを分刻みで教えてもらったことがある。学生運動と派手に接触していた日本のある新聞社特派員を「けしからん。消してやる」と言ってきたので、とりなしたこともある。

微笑の国といわれるタイの政治の闇は深い。プミポン国王は一九四六年に即位したが、その直前、実兄のアナンダ国王が射殺死体で発見された。当時、太平洋戦争を生き延びたピブン元帥が強大な権力を握り、王権は飾り物に近かった。国王はサリット陸軍大将と手を組んでピブン政権を追い落とし、開発独裁体制を築いた。米フォーブス誌は、国王一族の資産を三五〇億ドルと推算している。

体制改革の嵐が吹き荒れると、巧みに「王制民主主義」の枠組みを作った。プレム将軍を片腕として軍部を掌握しながら、政治のはるか高みに陣取って政局のぎりぎりの土壇場で登場して常に調停に成功した。権力者は何人も変わったが、王制は微動もしなかった。並みの政治家ではない。

国王の真の敵はタクシン元首相などではなく八一歳という年齢だろう。グローバル時代に新体制を演出する時間はあまり残されていない。

（二〇〇九年四月記）

（注）ラーマ九世、プミポン・タイ国王は二〇一六年一〇月、逝去した。

米国の首都はさま変わり

アメリカ合衆国の首都ワシントンの郊外に住む新移民夫婦の家に二週間ほど滞在した。ベルトウェー（首都圏循環道路）の外側にこのところ、急増している住宅団地の一角で、悪名高いサブプライムローンの対象となった所得階層より少し高いクラスの人々が住んでいた。隣近所は近くにフォート・ベルヴォア基地があるせいか、下士官クラスの軍人が多く、他はだいたいホワイトカラーである。

頭では理解していたものの驚くのは人種、民族の雑多さだった。軍人家庭は黒人が多いが、他に東欧移民やインド人、韓国人、ヴェトナム人など。やはり同じ民族が集まりやすく、あちこちにコリアンタウンやモスリムタウンもある。しかし、異人種のペアも結構多く、白と黒、白と茶、黄と茶など肌の色が違うカップルが朝な夕な犬を連れて散歩している。アフリカ出身の父と白人の母を持ち、インドネシアで幼時を過ごしたバラク・オバマ氏が大統領になった背景が納得できた。

移民たちは厳しい学歴闘争に勝った順に社会的地歩を上げており、アジアでは数が多い中国人やフィリピン人の移民は平均して中流階層まで上昇している。インド人も世界銀行など国際金融機関の上級職を数多く占めている。ブルーカラーは圧倒的に中南米、カリブ海地域出身者が多い。落ちこぼれの若者たちは郊外の街にたむろし、違法薬物に手を出す者も多い。地元紙の報道では、中南米系の新移民の子弟はかつての米黒人アウトローを手本にしているというから時代は変わった。

ワシントン地区のスプロール現象は徹底的な車社会だけにやたらに広大である。首都圏から車で二時間以上も離れた田園地帯に新築の二階建てが散在している。聞けば、住んでいるのはほとんどがワシントン地区への通勤者だという。米国でも酒気帯び運転の取り締まりは厳しいから、帰宅途中の赤提灯はまず無理な話。それだけに家庭生活の占める重さが想像される。そんな家庭がもし壊れでもしたら、どうなるのか。二〇〇八年、ヴァージニア州の大学で韓国系移民の学生が学内で大量射殺事件を引き起こしたが、なんらかの理由で絶望した若者の魂を救済するコミュニティが存在しないのだろう。孤独な若者が万一、暴力的な過激思想や世界観に染まったら事は重大である。まして片田舎に遠距離通勤者を装ったテロリストがアジトを構えたら大変だ。州警察やFBIの目が十分に届くとはとても思えない。

CIAはアルカイダとの長い対テロ戦争の末、近ごろ最高指導者、オサマ・ビンラディンの力の衰えに言及するようになったが、その一方で、アルカイダの根本教義を支持する層が世界的に広がっていることに警告を発している。九・一一テロでハイジャックされた旅客機が激突したペンタゴン（米国防総省）の南門には二〇〇八年九月、犠牲者一八四人の名を刻む記念堂が建設されたが、米国政治の心臓部にもテロの温床がひそかに形成されているのではないか。マグノリアの花がのどかに散る春の午後、いやな白昼夢がつかの間襲った。

（二〇〇九年五月記）

テロが革命を捩じ曲げる

イランで大統領選挙の不正をめぐって一騒動あった。再選されたアハマディネジャド大統領は当然、反対派の街頭デモを力で抑え込んだのだが、大統領の上にシーア派イスラムの坊さんが国家元首として乗っかっている体制だからややこしい。日本仏教でいえば、貫主の下に宗務総長が座っているようなものだ。その最高指導者、アリ・ハメネイ師はイスラム革命の指導者、故ホメイニ師の弟子としては傍系で、シーア派教学はあまり得意でなかった。このため、今日にいたるまで聖職者の間ではあまり尊敬されていない。イラン政治のごたごたの遠因である。

ハメネイ師は一九八〇年代に、ペルシャ語で「パスダラン」と呼ばれる革命防衛隊のお目付け役になってから権力の階段をのし上がった、いわば僧兵隊長の出身である。アハマディネジャド大統領はその一の子分といってよい。パスダランは全土に「バシジ」という名の民兵部隊（約九〇万人）を展開している。治安と民生活動を一手に握っているから選挙干渉など朝飯前である。反政府勢力が動けるのは首都テヘランなど大都市部にすぎない。

革命当時、ホメイニ師を引き継ぐべき最大のイスラム政治家はイスラム共和党の幹事長を務めたベヘシュティ師だった。ホメイニ師がフランス亡命中、西独ハンブルクを中心に反王制運動を展開した人物で、英語も堪能だった。当時、約二〇人の内外ジャーナリストを月に一、二度集めて、どんな質問にも自在に応じてくれた。眼光鋭い大男で、ドハクリョクがあった。そのころ、後に大統領になったラフサンジャニ師などはまだ若手のパリパリで、記者会見に臨んだ法衣の下に拳銃をぶち込んでいた。テロで重傷を負ったばかりで肩に大きな包帯をしていた記憶がある。ベヘシュティ師は一九八一年六月、イスラム共和党大会に持ち込まれたスーツケース入りの爆弾で多くの幹部とともに殺された。ホメイニ師の嘆きは深かったと伝えられた。犯人は記者を装って会場に紛れ込んだようだ。

その後、イスラム共和党が割れて、ハメネイ師とハタミ元大統領らの改革派に分裂した。もしベヘシュティ師が存命していれば、党権力が保たれ、米国とはともかく西欧諸国とのパイプがつながって、国際的孤立は深まらなかったかもしれない。タラレバの繰り言である。

ハメネイ師も今は七〇歳で病身ともいわれる。西側報道は次男のモジタバ氏を後継者に仕立てようとしていると伝えるが、イランのイスラム憲法と権力構造ではそんなことは起り得ない。むしろアハマディネジャド大統領がパスダランの実力を背景にして聖職者の統制に乗り出し、事実上の軍政を布く公算が大きい。パスダランは戦略ミサイル戦力と「コッズ部隊」で有名な諜報組織を握っている。王制時代の「サヴァック」を持ち出すまでもなく、イランは今も秘密警察とテロの国である。

（二〇〇九年七月記）

初心を忘れた学者

民間から四人目だった青木保第一八代文化庁長官には正直言って幻滅した。二〇〇九年七月、二年三カ月務め上げて辞めたが、残したのはアニメや漫画の殿堂、「国立メディア芸術総合センター」（仮称）というハコモノ建設計画。大不況対策の予算ばらまきを「百年に一度の好機」とか言って、グリーンスパン前米連邦準備制度理事長の発言に便乗したが、シャレにもなっていなかった。

青木保氏は高名な文化人類学者で、若いころに書いた『タイの僧院にて』という仏教修行体験記は無類に面白い。それで、東南アジア諸国との文化交流に新機軸でも打ち出してくれるのかと期待していたら、憂国の志士を気取って日本文化を世界に売り込もうと意気込んだらしい。そんなことはカネもうけの専門家に任せておけばいいのに。

七〇歳の熟年が若ぶってポップカルチャーの弊害も認識していない。ろくに漢字も読めない前首相といい勝負で、学問が真の人格形成に役立たない見本みたいだった。

日本文化の当面の大問題は、これだけグローバリゼーションが進行したのに、この国が奇妙な鎖国状態に落ち込んでいることではないか。世界中が英語でインターネットを通じて情報交換し、つながっているというのに、大和民族だけが日本語にしがみつく半面、カタカナ略語が氾濫している。これでは国外とのコミュニケートはほとんど広がらず、自家中毒を起こす。だから世界経済を支配する金融、情報の分野で後塵を拝し放し。せっかくの技術力も生きてこない。早晩、中国に追い抜かれるのは必至である。

駅前留学ビジネスに政府が関与せよ、小学校から英語教育をやれなどと主張したいのではない。外国語の日常会話など慣れれば何とか通用する。問題は、相手に伝えたいことが心の中にある人間を育てるかどうかなのだ。腹にたまる思いがある人間が増えること、それこそ文化というものではないか。

自分の国の文化というものは外国人と接すると一番良く自覚される。相手もまたしかり。そうした機会を手っとり早く提供する方法は優秀な外国人留学生を招くことである。「日本を知りたい」というまじめな意思を持つ若者が自分の身辺に多くいれば、相互に鍛えられるはずだ。

戦争前の日本には政治亡命者を助ける美風が存在した。康有為、孫文はじめアジアのエリートたちが日本の財界人や民族主義者の庇護を受けた。中には軍国主義の時代、日本に煮え湯を飲まされた人も多いが、それでも日本を愛した人が少なくない。戴天仇の『日本論』など復刻して広く読み返されるべきであろう。文化を世界に知らしめたいなら、未来の指導者となる外国人留学生や亡命者を受け入れ、処遇するのが最も有効な方法である。まして東南アジアは日本と文化的親近性があるのだ。青木保氏には原点に帰った政策を一つでも実現してほしかった。

（二〇〇九年九月記）

ミャンマー——空疎な民族主義の悲劇

イエスは十字架の上で「父なる神よ、なぜ私を見放すのですか」と叫んだそうだが、現代でそう嘆きたいのはミャンマー（ビルマ）国民だろう。朝な夕なパゴダを訪れ、仏陀に祈りをささげて平安を乞い願うのに、大災害が襲っても軍事政権は外国の人道支援すら受け入れない。愛する父や夫が政治犯として牢獄に繋がれている貧窮家族も珍しくない。神に捨てられた状況が半世紀近く続いているのである。

軍事政権に言論の戦いを挑み続けた老友、ウタウンが米国亡命三一年で二〇〇八年四月、八二年の生涯を閉じた。ミャンマー最大の日刊紙ミラーの社長兼主筆だった彼は独裁者、ネウィンに新聞を国有化された。三年近く投獄され、出所してみると妻は軍人に奪われていた。軍事政権は皮肉にもビルマ屈指のジャーナリストに国営通信社の記事検閲の仕事をあてがった。一九七〇年代、私はヤンゴンを訪れるたびにウタウンと会って情報交換した。壮麗なシェダゴン・パゴダの丘のふもとで落ち合い、国軍情報局の監視の目を逃れた。ウタウンは一九七七年、若い妻と幼い娘を連れて米国に移住した。その妻はバンコクに住んでいた私たち夫婦に細い金のネックレスを差し出し、「これしか売る物はありません」と日用品購入の費用を求めた。

その後、ウタウンはペンの闘いを続け、晩年はインターネットを活用してバンコクでの反体制紙発行の中心になった。持病の結核を抱え、大腿部骨折の老体でタイ・ビルマ国境まで足を運んだこともある。祖国民主化の希望を捨てることなく不敵な微笑を失わなかった。

それにしても、どうして軍事政権はこれほど頑迷なのか。スーチー女史の軟禁は間もなく一四年に及ぶ。国際世論がいかに人権侵害を非難しようが、国連が何を決議しようが馬耳東風である。そこに良心の痛みなどまったく感じられない。

なぜなら将軍たちは自分たちが外敵に囲まれた多民族国家の主権を死守していると信じ込んでいるからなのだ。国内ではビルマ族の優越的地位を支えていると思っている。旧宗主国の英国はカレン、カチン族を傭兵としてビルマ族を支配した。日本軍の特務機関「南機関」は太平洋戦争中、アウンサン将軍ら二〇人の志士を養成して独立軍を創設したが、独立は名ばかり。やがて抗日運動に転じた。下ってネウィン軍政を追い詰めた一九八八年民主化蜂起も軍部にとっては英国育ちのスーチー女史を利用した外国の干渉だった。

かくしてミャンマーは兵営国家となり、社会主義を含めて現代文明と完全に縁を切った。仏陀の化身たる王制支配の疑似体制が蘇えり、軍部権力は生身の国民がいかに苦しもうが、観念としての民族自決が保たれればよしとする集団妄想に取り憑かれている。そして、若者の立身願望が優秀な軍人になることによってのみ満たされるようになり、空疎な民族主義が公認のステレオタイプと化した。老齢の権力者、タンシュエ将軍が去っても、愚かな攘夷の体制はなかなか壊れないだろう。

（二〇〇九年一〇月記）

金大中――冬の時代の思い出

二〇〇九年八月に八五歳の波乱の人生を終え、国葬で送られた金大中元韓国大統領とは彼の冬の時代に三回、会ったことがある。最初はたしか一九七四年九月、陸英修女史が夫君、朴正煕大統領の身代わりに暗殺された事件を取材した直後だった。軟禁中の金氏がオフレコなら懇談してもよいというので自宅訪問した。屋敷の回りには公安刑事がうろうろしていた。かたわらには李姫鎬夫人が座った。木浦の富裕な家庭に育ち、米国に留学した夫人は金大中氏を物心両面で支えた同志だった。金氏は、日本が韓国の民主化を支えることこそ植民地支配を償うことだと厳しく指摘した。

金氏が米国に亡命していた一九八〇年代、ニューヨークでイタリア料理の食材店を経営していた韓国人と知り合った。ソウルの新聞、「中央日報」元編集局長で、言論弾圧されて国外に逃れた。熱烈な金大中支持派で、マジソンスクエア・ガーデンで開かれた在米韓国人の集会に同行した。金氏の演説は聴衆を軍権打倒に奮起させつつ、ユーモアを交えて笑わせていた。人気の秘密が演説の巧みさにあると言われていたのを実感した。私との対話で、金氏は「米国政府は韓国の民主化にあいまいな立場をとっている」と訴えた。亡命先の国を厳しく凝視する硬骨に心打たれた。

ほどなくワシントンで特派員として公式インタビューした。当時、金氏は危険覚悟で帰国を決意していた。フィリピンのアキノ上院議員がマニラ到着直後、暗殺されたころである。あらためて大政治家として非凡なオーラを感じた。決して偉ぶらないが、それでも怖かった。

金大中氏が四度目の挑戦で大統領に就任したのは一九九八年のことだから、最後に会ってから一〇年余の星霜を経てのことだ。あれほどの国事家がなかなか国家元首になれなかった理由はさまざまあるだろうが、ひとつには韓国内の地域的対立がからんでいたように思う。韓国南部を西と東に分ける慶尚道と全羅道の対立で、その象徴的事件が一九八〇年の光州暴動だった。

朴正熙大統領は自分と同じ慶尚道出身者を優遇したといわれる。その最大の政敵、金大中氏は全羅道の生まれだったため、地域対立が政治化したとされているが、それだけではあるまい。金氏は三回目の大統領選で慶尚道出身の金泳三氏に敗れた。

両地域は古代、新羅と百済に分かれ、新羅は唐、百済は倭国とそれぞれ結んで敵対関係が続いた。結局、新羅が勝って百済人の貴族たちは日本に亡命したのだった。以後、全羅道は不当な劣等意識に悩んできたが、金大中大統領の出現でようやく対等意識が芽生えた。今の北朝鮮は当時の高句麗。百済と近しい関係にあったようで、そう見ると金氏の「太陽政策」には長い歴史のロマンが秘められている。最近、韓国の史劇ビデオに人気がある。朝鮮半島の歴史をもっと知れば日韓のきずなもさらに深まるだろう。（二〇〇九年一〇月記）

新聞の落日——アメリカも日本も

二〇〇九年春、米ヴァージニア州に滞在していたころ、首都を代表する新聞、ワシントン・ポストが記者、編集者一〇〇人の希望退職による編集局の規模縮小を進めていた。思い切って株式面などを切り捨てる荒業であった。購読している娘夫婦は「現場の記者の士気が落ちて記事がつまらなくなるのが情けない」と顔をくもらせた。二人ともネット人間だが、朝起きると玄関先に置かれた分厚い新聞を拾うことから日常を始めているのである。

米国ばかりか世界の世論をリードするニューヨーク・タイムズも二〇〇九年一〇月下旬、経営悪化を理由に一〇〇人の人員削減計画を発表した。活字メディアの落日はインターネット・メディアの普及によって近年、つるべ落としの速さになったが、リーマン・ショックによる世界不況が追い討ちをかけた。米国の新聞購読者数はまさに一〇〇年ぶりに急減しているという。全国紙のUSAツデー紙などはホテルや旅客機などへのまとめ売りが減って、ついに公称二〇〇万部の大台を割ってしまった。

過去二〇年以上、米新聞界はあの手この手の挽回作戦を展開したが、うまくいかなかった。まずCNNなどニュース専門の衛星テレビが出現、編集局のど真ん中にライヴァルであるはずのテレビの大スクリーンが据え付けられた。軽視していたネット・メディアはブログ、ユーチューブ、ツィッターなど視聴者参加型のジャーナリズムを育て、報道のスピードや臨場感に活字は太刀打ちできなかった。新聞社も参入を図ったが、所詮は武家の商法で新しい波に乗り切れていない。

昨今、ワシントンでもてているのは「ポリティコ」というニュースサイトである。ホワイトハウスや連邦議会の動きを短く切れ味のいい記事やビデオクリップで人間くさく速報する。一カ月のアクセス数は六七〇万回というからすごい。主な記事は新聞に編集しているが、議会内では無料だという。ネット広告や記事・映像の他メディアへの販売などで採算は十分にとれているそうだ。

編集主幹など中心幹部は元ワシントン・ポストの脱サラ記者たちだが、新聞社のような官僚的な編集体制は持たない。記者たちが独自のソースからニュースをつかむと、どんどん載せてしまう。オバマ大統領の出現で政治のショー化が一段と進み、政治好きの読者たちはアメフトやプロ野球を楽しむように政治情報を面白がって読むという。

日本でもIT革命が情報の受け手の心性を変えてしまった。それぞれの分野に並みの記者に優るとも劣らない知識を持つセミプロが輩出し、官庁の発表記事などには見向きもしない。ネット族はパソコンの中でそうした先輩たちと意見を交換し、時には行動を起こす。新聞はいまだに世論形成力があると信じているようだが、啓蒙の時代はとっくに終わっている。権力・権威に挑戦することを使命としたはずの新聞がいつの間にか自らを権威にしていた。そうした迷妄に気づいた時しか新聞は生まれ変わるまい。(二〇〇九年一一月記)

二〇一〇年

選挙という名の殺し合い

二〇一〇年のフィリピンは大統領選挙を含む国政選挙の年だが、貧しい地方の農民が文字通り、政治を肉体的に体験する季節である。つまり立候補した政治家たちがカネをばら撒き、酒食を派手にふるまうので、普段は空っぽの懐が少しは潤い、胃袋もふくらむ。反面、政敵同士がガンマンを使って派手に銃撃戦を演じたり、政治集会に手榴弾を転がしたりする。巻き添えを食って大けがし、命も落とすというわけである。今回はアロヨ大統領が憲法の規定によって任期切れとなるので与野党入れ替わりの公算大。選挙運動は前回より猛烈でカネも銃弾もふんだんに使われるだろう。

二〇〇九年一一月二三日、南部ミンダナオ地方で選挙がらみで五七人が一挙に射殺される事件が早くも発生した。荒っぽさで知られる同国でもあまりないジェノサイドである。

同地方中部マギンダナオ州知事選挙に出馬するブルアン副町長のエスマエル・マギンダダト氏が中央選挙管理委員会に立候補届けを出すことになり、妻や親類の女性ばかりに手続き代行を頼んだ。ミンダナオのモスリム社会では女子どもに乱暴しないのが不文律。それを読み込んで、女性代表団を隣町に派遣したのが裏目に出てしまった。

現職のアンダル・アンパトゥアン知事はアロヨ大統領と仲良しで、息子が西部ミンダナオを統括するイスラム自治区（ARMM）の総督役という大物だ。与野党対決のゴングを鳴らすも同然の日になったとあって報道陣約三〇人が同行した。午前九時すぎ、一行が車四台を連ねて国道を走っていると、一〇〇人前後の武装集団が停止させて発砲、総勢五七人が死体の山と化した。その死体は近くの山中に運び、重機で掘った墓穴に捨てたというから計画的だ。下手人はアンパトゥアン派の雇い兵だが、実はCVOと呼ばれる政府民兵が主力で、軍兵士や警察官も交じっていた。

中央政府は驚いて一二月初め、マルコス独裁政権以来約二〇年ぶりという戒厳令を同州に発動したが、野党勢力は大統領も「同じ穴のムジナ」と一斉に非難した。一般庶民の方は、司法機関も腐敗しており、「どうせ真の黒幕は罰せられない」とあきらめムード。

フィリピン政治は約二〇〇家族の寡占支配といわれ、とりわけ地方では自治体首長の座についた有力家族が生殺与奪の権を握る。民主的な選挙制度が私党の専制を保証する厄介な仕組みになっている。だから選挙運動は命掛けの小戦争と同じになるのだ。こうした体制の生みの親は旧宗主国のアメリカである。公務員の政治任命制をフィリピンに持ち込み、法治より人治の前近代的体制を温存させた。さらに前大戦中、米軍は日本軍の後方かく乱のため、フィリピン人ゲリラに大量の武器を供給した。それがこの国に銃器を拡散させ、今も野放しのままである。フィリピンはかつて流行ったマカロニウェスタン映画の世界さながらなのだ。

（二〇一〇年一月記）

イエメンの思い出

二〇〇九年末、米国デトロイト空港で起きた旅客機爆破テロ未遂事件は世界中を驚かせ、陰謀集団としてアラビア半島アルカイダ（ＡＱＡＰ）の存在が一躍クローズアップされた。その根拠地とされるのが長靴型の半島のかかと部分にあるイエメン共和国である。

一九八〇年代初め、パレスチナ解放運動組織、ＰＦＬＰの紹介状を持ってイエメンを取材したことがある。当時、イエメンは南北二国に分かれていたが、現在の首都サヌアはアラビアンナイトさながらの中世都市であった。海抜二〇〇〇メートル以上の高地にはステンドグラスをはめ込んだ六階以上もある煉瓦造りの家が立ち並び、幻想的な美しさに満ちていた。別に金持ちの邸宅ではなく、普通の農家がそんな造り。下層部分は家畜小屋になっている。

イエメン人の男はほぼ全員、ターバンを巻き、腹帯にジャンビアという細身の短剣を差している。カートという灌木の葉を枝からむしって食べるのが日常の習慣で、アルカロイドの一種を成分として含み、興奮作用があるので麻薬として禁止している国もある。もぎ立てが特に美味だそうで、朝の野天バザールに集まった人々が品定めに大わらわだった。

イスラム・シーア派の勢力も強く、住民はほとんどすべて部族社会に属している。古代に栄えたシバの女王の国だという誇りが強い。

サヌアで案内されたのがアラブ諸国で最初にトルコ帝国から独立した時の国王、イマム・ヤヒアの宮殿であった。高台の宮殿から見下ろすと野天風呂があり、王様はハーレムの女性たちの水浴姿をのぞくことができる。その下方には斬首刑を執行する広場があり、王様はそれも見下ろしていたらしい。王の寝室の隣にある薬種室には強壮剤のビンが並んでいた。千夜一夜も楽ではなかったようだ。驚いたのは王妃の肖像写真の中に日本人の女性があったことだった。くわしいことは忘れたが一九三〇年代、皇太子が日本を訪問した際に見染めて連れ帰ったという。私は思わず「月の沙漠」の一節を口ずさんでしまった。

イマム・ヤヒアは名君だったが強烈な排外主義者で、「外国人のしっぽについて富むよりも草を食って貧しく生きる方がましだ」と言ってはばからなかった。外国には欧米列強とそれに追随する他の「汚れた」アラブ諸国も入っていたというから、アルカイダの最高指導者、オサマ・ビン=ラディンの教義とそっくりである。ラディン一族もイエメン出身で、サウジアラビアで建設業を営み、巨富を築いた。歴史をたどると、アラビア半島アルカイダのDNAがわかるような気がする。さらにイエメン人は海外への出稼ぎでも有名である。テロ・ネットワークの本拠として打ってつけといえそうだ。

案内人に「イエメンに来る日本人は少ないでしょうね」と聞くと、「先日、森繁久弥夫人の杏子さんが来ましたよ」という返事だった。今ごろ、あの世で夫婦むつまじく物騒な下界の話などしていることだろう。

（二〇一〇年一月記）

密約と天皇制

「核兵器を持たず、造らず、持ち込ませず」の非核三原則、特に米国に核を持ち込ませないという基本姿勢が初めから国民を欺く虚構であったことがようやく明白となった。歴代の自民党政権が主権者である国民に密約の存在を隠し続け、しかも沖縄関連の密約では外務官僚が関係文書を隠滅した疑いすら濃い。もし日本国憲法に米国憲法のような「公務員の反逆罪」規定があれば、当然、訴追の対象になるだろう。

この密約の存在を最初に認めたのはケネディ政権で駐日大使を務めた故ライシャワー・ハーヴァード大学元教授だった。ジャーナリスト、古森義久氏が一九八一年五月、同教授と単独インタヴューし、一九六三年当時の大平正芳外相から「核搭載艦船の日本寄港は事前協議事項としない」という約束を口頭で取り付けていた事実を引き出した。米国政府は「持ち込み」を「イントロダクション」と表現、核兵器の日本への揚陸に限定していたともいう。だが、沖縄などに核兵器が持ち込まれ続けた可能性は高い。日米問題に詳しい友人は「外交上、非公開事項が存在することはしかたがないにせよ、米国が情報の自由に即してすでに関係資料を公開した後もなぜ歴代政権がシラを切り続けたのか。前任者の責めを自分が負うのが嫌だというだけなのか」と憤慨した。

こうした密約に携わった池田勇人、岸信介、佐藤栄作の三首相は「臣茂」と自称した吉田茂首相が育てた戦前からの官僚出身者である。自分たちが国民主権の代行者であるという意識が薄く、天皇の宰相という古い観念を捨て切れなかったのではなかろうか。憲法第一条「天皇は日本国の象徴であり、日本国民統合の象徴であって、この地位は主権の存する日本国民の総意に基く」というあいまいな規定を自分流に解釈し、国民の総意を代表する天皇への忠誠を主権在民のイデオロギーより優先させてよいとごく自然に考えた。突き詰めれば生身の国民より国是が大切という思想である。結局、明治以来のお上意識を象徴天皇制が支えたまま戦後政治が構築された。

天皇・皇后夫妻が皇太子時代の一九八八年に公式訪米した際、ボストン郊外のライシャワー教授邸を訪問した。私は夫妻を迎える同教授を事前インタヴューしたが、教授は駐日大使時代に右翼少年に太ももを刺され、輸血で罹った肝炎がいまだに思わしくないと話した。後にそれが命取りとなった。犯人は精神病院に収容され、犯行理由はいまだに判然としない。ライシャワー夫人は明治の元勲で大正時代末まで生きた松方正義の孫、ハルさんである。昭和天皇とは並々でない因縁がある。そして皇室崇敬の念が人一倍厚かったといわれる佐藤栄作首相も対米交渉の進捗状況をくわしく進講していたはずだ。なぜ皇太子夫妻がわざわざライシャワー教授を訪問したのか、戦後日米関係の背後に昭和天皇の大きな影が映されているような気がしてならない。

（二〇一〇年三月記）

ティーパーティー運動

米国社会に「ティーパーティー運動」という名の妖怪が現れている。オバマ政権の医療改革政策の前に立ちはだかり、二〇一〇年一月、民主党の大立物だったテッド・ケネディ議員死後の補欠選挙で共和党の議席奪取に貢献した。一一月の中間選挙に向けて全米的に陽動して、もしかするとオバマ大統領の命取りになるかも知れないというから恐ろしい。

保守系の新興草の根運動のことだが、名前は北米植民者たちがアメリカ合衆国独立前の一七七六年、英本国から輸入する茶への課税に反対、英国船に乗り込んで茶箱をボストン港内に投げ捨てた「ボストン茶会事件」に由来する。大きな政府と増税は悪だという伝統的な米国人の自由主義思考に立脚して、オバマ政権の財政支出による金融機関支援に反対するばかりか、日本では当たり前の国民健康保険制度にも「社会主義革命だ」と文句をつけた。

それだけなら許容範囲だが、運動参加者は白人層が中心で、心情の奥深いところに黒人ばかりか中南米系やアジア系の新移民に対する激しい反感がある。確認されていないが、二〇〇九年九月に組織された首都ワシントンでの大行進では、黒人議員に対して「ニガー」など人種差別的な言葉が浴びせたという。また、「オバマはインドネシア生れのイスラム教徒で、大統領に選ばれる資格が無い」などというデマ情報も流された。二一世紀のホワイト・バックラッシュ現象でもある。

ティーパーティー運動はインターネットのソーシャルネットワーキング・メディアを使って急速に広がったところに特徴がある。二〇〇八年二月、シカゴのテレビ局商況ニュース解説者、リック・サンテリがオバマ政権のサブプライムローン（低所得者向け住宅ローン）の破綻救済に反対、関係証書類をシカゴ川に投げ捨てるティーパーティー・イベント開催を呼びかけた。このニュースに飛び付いたのは保守系電波メディアのフォックスＦＯＸ・ニュース局で、その報道がネットを通じて連鎖状に伝達され、全米各地でティーパーティーの抗議集会が発生した。ティーパーティーが本当に自然発生的な草の根運動かというと疑問がある。ＦＯＸニュースのみならず、保守派イデオロギー活動に熱心な石油財閥、コーク家がかかわるＮＧＯなどが資金やコンサルタントを送り込んでいる節があるからだ。こうした見せかけの草の根運動は米国では「人工芝（アストロターフ）」と呼ばれている。ワシントン郊外に住む知人は「ネットを通じた組織化や売り込みをヴァイラル・マーケティング（ウイルス商法）って言うけど、ティーパーティはその凄腕っていう評判です」と教えてくれた。最近、ティーパーティーに対抗するオバマ政権支持派の草の根運動も「コーヒーパーティー」という名で始まったが、ティーパーティー側は「悪名高い大富豪、ジョージ・ソロスがカネを出している」と言い触らし、やや押され気味のようである。

（二〇一〇年四月記）

親日政治家の孫

二〇一〇年六月、フィリピンにノイノイ・アキノ新大統領が誕生した。母は三代前の大統領で、父は米国亡命から帰国し、旅客機のタラップを降りた途端に射殺されたニノイ・アキノ上院議員である。自分も極右将校のクーデター未遂事件で撃たれ、今も首筋に銃弾が埋まっている。政治から暴力と腐敗を無くしたいという国民の期待を一身に背負って登場した。

権力者の世襲は問題だが、アロヨ前大統領も第九代マカパガル大統領の娘である。約二〇〇の有力家族が国政を牛耳っている国柄なので国民に違和感はあまりないようだ。

ノイノイは国会議員を長く務めたが、地味な存在だった。母親のコリー元大統領が二〇〇九年八月、亡くなるとにわかに所属する自由党内で大統領候補の呼び声が高まり、ロハス上院議員と正副候補を入れ替わった。アロヨ政権のひどい腐敗と汚職に耐えてきた国民の間で清潔さの代名詞になり、選挙戦終盤では「ノイノイ現象」といわれるほどの人気を集めて圧勝した。しかし副大統領にはエストラーダ元大統領派から出馬したビナイ前マカティ市長が当選、呉越同舟である。自由党は下院、上院とも少数派であり、新政権は旧野党各派との連立工作に取り組まねばならない。

フィリピンは一九五〇年代まで東南アジアの優等生といわれながら、マルコス時代以降、経済成長が鈍ってしまい、今はタイやインドネシアどころかヴェトナムにも遅れをとっている。英語が第二母国語で優秀な人材がどんどん海外に働きに出るので、医師や看護師すら足りない状況である。残った貧困大衆の上に寡占権力層（オリガーキー）が群雄割拠して利権を貪っている。アキノ家は中部ルソンのタルラク州の大地主である。そういえばマルコス家も本拠の北イロコス州でイメルダ夫人が下院議員に返り咲き、娘のエイミーが州知事、息子が上院議員になった。

ノイノイの祖父、ベニグノは五五年前、戦犯を収容した巣鴨拘置所にいた。米国からの独立準備中のコモンウェルス時代、ケソン大統領の下で農商務長官を務めた有力政治家だったが、日本占領下で「大東亜共栄圏に協力すれば独立を与える」という言葉を信じ、翼賛政党カリバピの総裁として国会議長の要職に就いた。一九四四年一二月、ラウレル大統領とともに日本に逃れ、終戦時に捕まったのである。送還されて人民法廷に反逆罪で起訴されたが、保釈中にボクシングの試合を観戦していて急死した。生きていれば「対日協力者」の汚名をはね返し、政界に復帰したかもしれない。同国屈指の文学者、ニック・ホアキンはベニグノに「アメリカに忠誠心を持たなかった世代」に属し、「フィリピン革命の夢に生きた人物」という評価を与えている。

日本は祖国の再建を担う親日政治家の孫に暖かい支援の手を差し伸べるのだろうか。それとも微温的な外交に終始して、結果的に中国寄りにしてしまうのだろうか。歴史を忘れた民族に将来はない。

（二〇一〇年五月記）

忘れられたリカルト将軍

気候温暖化の影響だろう。つゆの雨は以前、じとじとと降ったものだが、近年は集中豪雨型に変わったような気がする。熱帯地方の雨季とよく似てきた。六五年前の夏、雨に煙るルソン島北部山中を民間人子女を含む二〇万人余の日本人がさまよっていた。無謀なレイテ作戦後に着任した山下奉文第一四方面軍総司令官が持久抗戦のため、軍主力をマニラ首都圏からバギオに移して半年以上、優勢な米軍に肉弾戦で抵抗したのである。その陣中に七八歳になる一人のフィリピン人がいた。

独立戦争の英雄、アルテミオ・リカルテ将軍である。一八九八年六月、革命政府がスペインからの独立を宣言したが、米国はマニラ湾海戦の大勝利を背景にフィリピンをスペインから二〇〇〇万ドルで買い取っていた。独立戦争は対米戦争に変わり、やがて軍司令官のリカルテ将軍は捕らわれてグアム島に流刑された。彼は国土をかすめ取った米国を頑として許さず、曲折を経て一九一五年、日本に亡命した。横浜でスペイン語教師をしながら、米国統治下の比政府から愛国者として遇すると誘われても拒み通した。そして日本軍の比島侵攻の直後に帰国を果たした。

日本政府は大東亜共栄圏という構想を振りかざしながら、フィリピン独立を認めたのは敗戦の色濃くなった一九四八年一〇月で、すでに反日ゲリラの跳梁によって支配権を失いつつあった。南彦介という日本名を持ち、武士道に傾倒していた将軍は軍政のお飾りにされただけだった。日本軍に迫害されたフィリピン人の助命や救出に尽くしたのがせめてもの救いである。

将軍は日本軍とともに転戦、米軍の猛攻に倒れた死体の間を逃げ惑い、野草や虫を食べて飢えを凌いだ。一九四五年七月三一日、マウンテンプロビンス州キアンガン付近で病死した。日本再亡命を勧められたが拒んでいた。アゲタ夫人は離れ離れのまま同年四月に亡くなり、親日武装部隊「マカピリ」の仲間もいた。随行の太田兼四郎氏が遺言により指を切り取って日本に持ち帰った。

戦後、「マカピリ」など親日分子は日本軍の悪業の責めを背負って除け者にされ、子孫まで長く日陰暮らしを強いられた。戦前からの日系移民の子どもたちも日本人であることを隠して生き伸び、高齢に達した今も国籍確認の訴えを続けている。戦後の日本は自国の復興に忙殺され、国外の戦争犠牲者を忘れてしまった。ましてリカルテ将軍のような反米主義者は故意に記憶の外に押し出した。政府が遺族の生活補償どころか名誉回復に力を貸したことすらほとんどない。

沖縄基地問題が紛糾し、あらためて日本の独立性のありようが問われているが、フィリピンは米軍基地をすべて返還させた。リカルテ将軍の願いはいくばくか実現したと言えるだろう。だが日本の倫理的戦争責任は沖縄の南に放置されたままである。

（二〇一〇年六月記）

当世カタカナ語考

二〇一〇年七月の参議院選挙は、民主党が菅直人総理のオウンゴールで負けたようなものだが、与野党一致して消費税増税を打ち出したのは興醒めであった。それにしても民族国家の政治指導者たちがマニフェスト（政権公約）だのアジェンダ（政策課題）だのと、よく意味がわからない外国語を振り回すのは少し不愉快。マニフェストは綴りの語尾に「O」が付くイタリア語なのか、そうではなくて英語なのかもはっきりしない。使っているご当人たちもよく分かっていないはずだ。

明治の初期、西洋の学問が洪水のように流れ込んだが、先人たちはこれを漢語文脈で理解しようと智恵を絞った。曰く科学、哲学、経済、階級、左翼、右翼、人民　エトセトラ。今では本家、中国の国号にも使われている。それから約一四〇年後、この国は自国語でも分かる物事を英語文脈で把握するのがカッコイイと思うようになったらしい。

「アジェンダ」という英語は学生時代、議事とか議事日程という意味とだけ教わったが、今や課題とかの広い意味で使われている。元来はラテン語で「なすべきこと」という意味で、教会用語が世俗化した一例だ。日本にも仏教用語から転化した熟語は少なくない。でも一般有権者に理解できるのだろうか。

英語の雑誌を読むと最近、やたらに出て来るのがaddress（アドレス）という動詞である。名詞なら「住所」とか「演説」とかの意味と知っていたが、動詞ではどうやら「対処する」という日本語がぴったり。捕らえどころがなく、いかにも官僚好みの言葉だが、誰が流行らせたのだろうか。以前は欧米でもそれほど多用されていなかったような気がする。米国の力が衰え、何でもずばりと解決できなくなった時代にふさわしく、「成否はともかく努力してみたい」という隠し味を感じる。

オバマ米大統領が年頭教書でキャッチフレーズにしたengagement（エンゲージメント）という英語も分かりにくい。受験勉強で「婚約」という意味と覚え込み、ヴェトナム戦争で「交戦」という使い方も知った。ところがオバマ演説では、敵性勢力とも交渉を持っていく戦略を意味するようだ。「関与」という訳語が今のところ優勢だが、意味を十分表現しきれていないと思う。かつて米国は世界での役割をcommitment（コミットメント）という言葉で表現していたように記憶するが、似て非なり。ニューヨーク・タイムズは外交的にはappeasement（アピーズメント）、つまり妥協的姿勢を感じると皮肉っていた。北朝鮮がいかに横紙破りに振舞おうと我慢して交渉の機会を準備しておくという姿勢もエンゲージメントだからである。

沖縄問題では、米国の安全保障上のコミットメントは信用できるのかという議論が騒がしかった。しかし時代は変わったのだ。エンゲージメントでアジェンダを考えるべきだろう。

（二〇一〇年八月記）

オバマ大統領はCIAの申し子？

米国史上初のアフリカ系大統領、バラク・フセイン・オバマ大統領は世界最大最強の諜報機関、CIAの産物ではないか？

そんな物騒な推論が出現して中間選挙を控える米国の夏をヒートアップさせた。

震源地は、社会現象の裏に策謀を嗅ぎとると定評の調査報道専門家、ウェイン・マッドセン氏が二〇一〇年八月中旬、自分の情報サイトに掲載した特別報告、「オバマの物語」である。オバマ家の家族写真数葉をたよりに情報公開されたCIA部内文書などで推論しただけの粗っぽさだが、とにかく面白い。

かいつまんで紹介すると、ケニア人の父、バラク・オバマ一世は一九五〇年代末、アフリカ新興諸国の将来を担う若者たちを親米にしようとするCIAがらみの選抜留学生事業、「アフリカ空輸」計画の一環でハワイ大学に留学、ロシア語クラスで大統領の母、アン・ダンハムと知り合った。おかしなことに彼のハワイ軍事基地到着を歓迎する記念写真の中央にアンの父親が写っている。父親は一九五〇年代末、妻子を連れてレバノンに滞在したが、諜報任務を持っていたようだ。

当時、ハワイ大学にはCIAの別動機関として名高いイースト・ウエスト・センターが創設されたばかりで、後にアンと結婚して義父となるロロ・ストロ氏も留学した。彼はスハルト将軍を中心とするインドネシア国軍が決行した六五年の共産党武力弾圧作戦に陸軍大佐として参戦、どうやらスハルト将軍の対CIA渉外将校として活躍したらしい。

アンは夫の後を追ってインドネシア入りし、米国際開発局（USAID）の英語教師となったが、やがてCIAとのつながりが強いフォード財団嘱託として地方開発のための小口金融支援計画の普及と育成に献身する。数カ国で事業展開した後、一九八七年から九二年までの五年間、パキスタンで日本政府が大きく関わったアジア開発銀行の同種の支援事業に携わった。マッドセン氏はこうしたアンの行動にもCIAの影を指摘している。

オバマ大統領を高校時代まで育てた祖母のマデリン・ダンハムはバンク・オブ・ハワイに秘書として雇われ、エスクロウ（第三者預託）口座を担当する副社長まで昇進した。同銀行はCIA関連機関の対アジア工作資金を洗浄する役割を果たしていた。

オバマ大統領その人も当然、CIAとは無縁ではない。学生時代の一九八〇年初め、母が働くパキスタンを訪問、インドまで足を伸ばしたが、そのころCIAは対ソ連抵抗運動への支援を強化していた。オバマ青年は普通の学生ではとても無理な北方同盟の指導者、マスード周辺とも接触した節があるという。コロンビア大学卒業後、編集者として働いたビジネス・インターナショナル社がCIAとつながりがあったことは有名だ。

核兵器無き世界の建設を主唱する平和主義者、オバマ大統領という花が冷戦時代の国際謀略の泥沼から咲き出たとすれば、まさに歴史の皮肉というほかはない。大統領以外、全員が故人である。（二〇一〇年九月記）

中国共産党対外連絡部（中連部）

尖閣諸島事件の幕引きを演出したのは劉洪才駐北朝鮮中国大使ではなかったかと思う。二〇一〇年九月一二日から一五日まで訪日して、細野豪志衆議院議員（民主党）の北京密使行をアレンジ、仙谷官房長官と戴秉国国務委員との電話会談を経てブリュッセルでの菅・温家宝日中両首相の手打ちとなった。この間、菅首相に中国語の通訳が随行していなかったのだから外務省は蚊帳の外だったようだ。

劉洪才氏は一九八〇年代に駐日大使館参事官を務めた知日派で日本語も堪能、二〇一〇年三月まで中国共産党対外連絡部（中連部）副部長だった。中連部はかつて外国の革新政党との友好関係をアレンジする部署だったが、今は中国最高指導部の政策決定に関与している。中国版CIAと定義する人もいる。戴国務委員は生粋の外交官だが、二〇〇五年まで中連部長を務めた。王家瑞現部長は郵政官僚の出身だから人事にも謀略機関の匂いがする。

劉氏は二〇〇四年には民主党の招きで来日している。二〇〇九年九月、小沢一郎民主党幹事長（当時）率いる大型訪中団が北京の人民大会堂で胡錦濤国家主席との記念写真をとりまくって顰蹙を買ったが、そのアレンジも劉氏らしい。いわば小沢・仙谷共通の友というわけだからスケールが大きい。

細野密使に同行したのは民主党政調の須川清司氏と企業コンサルタントで著述家の篠原令氏だった。篠原氏は以前、小渕首相が肝煎り役を務めた中国緑化基金の設立に関与したり、警備保障大手、セコムの中国進出を助けたが、韓国とも縁が深いらしい。日中韓を結ぶ新手のフィクサーである。ほとんど無名の人物の介在に日中人脈のやせ細りを嘆く声もあるが、時代の変化であろう。

劉氏で思い出すのはフィリピンのアロヨ前大統領がからんだ大政界スキャンダル事件である。比政府は二〇〇七年、中国の国営通信企業、中興通信（ZTE）に全国広帯域通信網（NBN）の建設を構築する契約を結んだが、大統領一派に推定一億数千万ドルのリベートが提供される約束だったことが明るみに出た。契約のアレンジ役は中国大使館員だったが、いずれも中連部所属だった。大統領の腹心たちは香港の対岸、広東省深圳に招待され、ゴルフ、宴会、時には異性の斡旋までされていた。アロヨ大統領は政権は収賄ばかりか、南沙諸島領有問題でも中国に妥協的な態度をとったと議会で批判され、結局、胡錦濤と会って契約をキャンセルした。中国政府の困惑は甚だしかった。

事態収拾に当たったのが劉洪才氏が率いた中連部代表団であった。二〇〇八年九月にマニラを訪問、野党の有力者らと懇談して事件が中比の両国関係を損なわないという方向でまとめ上げたのである。中連部は国益のためにビジネスの裏方を務め、予期しない事態になれば友好関係を強調して丸く収めるような表舞台での仕事もやってのける。中国は党が国家を支配する体制で二重外交も多々あるようだが、菅内閣も官邸と霞が関の二重外交では困る。

（二〇一〇年一一月記）

（注）劉洪才氏は二〇一〇年から二〇一五年まで北朝鮮大使を務め、二〇二〇年現在は中国全国政治協商会議（全国政協）全国委員。対日問題でも発言を続けている。

中国問題には門外漢だが、そんなことを安閑と自認していられる時代ではない。ナポレオン一世が一九世紀初頭、「竜（中国）は眠らせておけ。もし目覚めたら世界を揺るがすだろう」と予言していたが、二〇〇年後、竜はついに覚醒した。尻尾の一振りで日本など吹っ飛びかねない。世界はこの恐竜をせめて大蛇か大トカゲに進化させようと懸命な努力をしている。つまりマルクス・レーニン主義独裁を維持しつつ国家資本主義に徹する覇権国家をなんとか普通の先進国に馴致しようというのだ。

「影帝」温家宝

進化のキーワードは「政治改革」だが、その頼みの綱は中国政権ナンバー2の温家宝首相のようだ。温は尖閣列島事件での攻撃的発言で日本では悪役になったが実像は違う。党の建て前から一歩踏み出した民主化論者なのである。二〇一〇年八月、温は経済特区三〇周年を祝う広東省深圳市で講話を発表し、政治改革だけが経済成長を保障すると強調、次いで一〇月三日の米CNNインタビューでは自分が政治改革のために「風雨無阻　至死方休（困難にも挫けず、死ぬまで努力する）」と宣言した。

中国の政治改革とは何か。国家指導部の構成を中国共産党最高幹部の談合で決める体制を改め、それによって党エリートによる人脈支配の構造を法の支配に切り換える民主化にほかならない。国家資本主義における官僚と利権の癒着などはたかだか旧来構造の派生物にすぎない。

温家宝首相は江沢民元国家主席につながる上海グループでもなく、胡錦濤国家主席を頂点とする共青団出身でもない。悲運の死が第二次天安門事件の引き金となった胡耀邦、同事件で失脚した趙紫陽の両総書記に党中央弁公庁主任として仕え、江沢民時代にも朱鎔基首相を補佐し続けた。いわば開放路線を推進した政治指導者の薫陶を身近に受けた党官僚である。その人物が政治改革に死を賭する発言を重ねた。首相の任期はあと二年足らず。

次期国家主席は太子党（建国期の党高級幹部の子弟）の中核として保守派に支持され、軍部とも太いパイプを持つ習近平に内定している。ある意味で身辺が危ないことも覚悟せねばできない捨て身の行動を選択したのだ。温は地方農民の声に耳を傾ける平民主義者として人気が高いが、一連の発言をスタンドプレイ視する意見もある。北京在住の作家、余傑は香港で温の評伝を出版、温を人気最高のテレビスターの称号、「影帝」と呼んで揶揄した。四川省大地震などで涙とともに支援を約束したが、その後、政府が何もしていないと批判したのである。しかし「影帝」は陰の帝王の意味にも受け取れ、開放推進派の期待を暗に込めている。ノーベル平和賞問題での中国指導部の取り乱し方が異常だったことも党内の意見分裂と無縁ではあるまい。

米国人の友人が「温は中国のゴルバチョフになろうとしているのかも知れない」と言った。民主主義国家として、温家宝首相を冷眼視するのは得策ではあるまい。

（二〇一〇年一二月記）

若王子事件の闇

カトリックの僧服に身を包んだその人はシーバスリーガルのボトルをつかむと、アイスをぎっしり詰めたグラスになみなみと注ぐ。一杯また一杯、ボトルの中味はあっという間に消えた。「マニラの赤ひげ」と呼ばれた西本至神父ありし日の豪快な飲みっぷりである。

一九七五年から約三五年間、フィリピンの貧しい若者のために日本で募金して、九八〇〇人以上に奨学金を与えた。奨学生の唯一の義務は親代わりの日本人に定期的に手紙を書くこと。日本大使館は事業のごく初期に年間五〇〇ドルを支援しただけといわれる。

マルコス政権を打倒したピープルズ・レヴォリューションの精神的指導者だったシン枢機卿から「マニラを訪れる日本人の魂を救いなさい」と言われて無任所聖職者に甘んじ、トラブルが頻発した日本人男性とフィリピン人女性の相談役を務めた。腎臓を悪くして晩年は人工透析を続け、「血管を流れるのは一〇〇%比人の血だよ」と笑った。二〇一〇年八月二一日、神に召された。享年七六歳。

西本神父は一九八六年に起きた若王子信行三井物産マニラ支店長の営利誘拐事件で捜査機関の通訳を務めた。マニラ近郊のゴルフ場近くで拉致された同支店長は翌年一月中旬、六〇日ぶりに解放されたが、一時は犯人から生指が郵送されるなど当時の日本を騒然とさせた。比最高裁の最終判決によると、三井は身代金三〇〇万ドルを支払ったとされる。だが渡したルートは開示されていない。

事件は比共産党の軍事部門である新人民軍（NPA）の資金稼ぎと噂されたが、若王子氏は解放された翌年に死去、真相は解明されなかった。西本神父は少なくとも一部を知っていたはずだが、いくら頼んでも明かさなかった。カトリック聖職者として告解に立ち会ったと同じと解釈したのだろう。

捕らわれて有罪となった二人はNPAの下級要員だが、比共産党は二〇〇三年、脱党した旧大幹部のロハス・キンタナール氏を欠席人民裁判に掛けて暗殺し、党中央に無断で若王子事件に関与したと非難した。当時、同氏は農村から都市を包囲するという毛沢東主義に反対し、テロを含む都市ゲリラ戦術を唱えたといわれる。

そこに登場するのが日本赤軍である。比最高裁判決では、若王子氏が監禁された場所に複数の日本人がヘリでやって来たという証言が採用されている。また、現在は日本で収監されている泉水博、丸岡修両受刑者がマニラで暗躍したという状況証拠があるともいわれる。このころNPAの一部の幹部が北朝鮮で軍事訓練を受けていた。丸岡受刑者が身代金として使われたと同じ番号のドル札を所持していたという読売新聞の報道は東京高裁が事実認定した。当時は金正日総書記の世襲権力が確立した時期である。嫌な予感がする。

一一月初め、若王子事件で指名手配を受けていた比人容疑者の一人がイタリアから帰国してマニラ空港で逮捕された。もし裁判になれば、西本神父が天国に持って行った事実が明るみに出るかも知れない。

（二〇一〇年一二月記）

二〇一一年

ウィキリークス

二一世紀最大のベストセラーは目下のところ、スウェーデンのミステリー小説、『ミレンニアム』三部作のようだが、それは秘密資料の大量暴露で世界を驚かせたウェブサイト「ウィキリークス」の創始者ジュリアン・アサンジの出現を予告していた。小説のヒロインは超絶のハッカーで、相手コンピューターに侵入して秘密を洗いざらい盗み出してしまう。もちろん暗号解読もこなす。捜査や推理の材料は現場に残された証拠ではなく犯人や事件関係者のデータベースなのだ。

アサンジはオーストラリア出身の元ハッカーで、米国防総省のデータベースに侵入した経験もあるという。その経験と技術を生かして各国政府や大企業の内部資料を入手するネットワークを作り上げた。小説『ミレンニアム』第一部の初版発行は二〇〇五年で、ウィキリークスの発足よりも一年早い。いわばコンピューターによる情報窃取行為がある意味で世のため、人のためになるという発想ではアサンジに先行していたのである。

小説の面白さは北欧諸国の先端的なセックス事情を反映している点にもある。主人公や周辺の女性たちはセックスを結婚ばかりか恋愛関係とも切り離して楽しむ。それでいてストーリーの基軸は男の暴力的な性欲と暗い執念なのだ。アサンジはスウェーデン当局からレイプ容疑で国際手配されており、小説は彼の異性関係も予見している。

ウィキリークスが入手した米国務省公電二五万通余りは米外交にとって致命的な極秘文書を含んではいない模様だが、それでもチュニジアの政権転覆を招き、中東の衛星テレビ局、アルジャジーラの「パレスチナ・ペーパーズ」公表となって波紋を広げている。近代ジャーナリズムは政治権力が隠したがる事実を暴露し、健全な世論形成を支援することを使命として発展してきたとはいえ、政府の秘密事項が大量かつ同時的に漏出してしまうような事態は想定していなかった。これほどのネタを従来の取材の仕方で集めるには敏腕記者が束になって何年もかかる。今後、報道機関がこうした内部からの漏出情報・資料を受け入れ、安全に保存するシステムを開発、整備するかも知れない。

ともあれ、すべての政府情報が公表されて良いわけではあるまい。交渉事にはほとんど必ず裏があるし、それを明るみに出していたら交渉は壊れてしまう。また、公共善のために一定期間、秘匿を要する行政事項もあるだろう。ジャーナリズムはこれまで権力の介入を避けるため、ニュースの取捨判断を自主的にしてきたが、インターネットに氾濫する情報はプロの手に収まりきれない。より客観性、妥当性のある規範が必要になるだろう。

その場合、参考になるのは個人の人権とプライバシーではないか。関係者の命や生活を脅かす情報は公表されてはならない。関係者者が外部に漏れないと信じてしゃべった感想や意見も公表すべきではない。個人と同様、権力機構にも人には言えない〝下世話〟な事情はあるものだ。

（二〇一一年二月記）

ディアスポラ

二〇一〇年の夏休み、米国に住む娘一家四人が日本で二週間過ごした。むこと孫娘二人はアメリカ人である。猛暑に音を上げたものの「清潔で安全、買い物も楽しい。またすぐ来たい」と日本が大好きになって帰った。

そこで気が付いたことがある。今どきの若者たちは留学を含めて海外志向が弱いといわれてきたが、それが当たり前だということ。そこそこの収入さえ確保できれば日本ほど暮らしやすい国はない。欲しい物はネットで探して注文すれば、世界の果てからでも届く。どこの国の料理でも、多少味付けが日本風を問題にしなければ十分楽しめる。デフレ不況のお陰で、かつては悪名高かった日本の物価高も解消した。公共交通機関の運行は秒刻みの正確さだから自家用車にこだわることもない。英語下手はさておき、とかく不自由な外国暮らしをする意味が無いのである。

政治の荒廃と愚劣などたばたを見て見ぬふりをしておけば、日本が非常に住みやすい国であることに間違いない。何より平和である。先の大戦で敗北の悲惨を経験して以来、他国の生命財産を奪ったこともなければ、脅しや恫喝を加えたこともない。その代わりに高品質の製品を世界中に売りまくって繁栄を手入れた。

しかし世代が変わり、江戸川柳の「売家と唐様で書く三代目」型の人間が増え、カネを稼ぐよりも使う方に才能を発揮するようになった。悪いことではないが、いかにも覇気に乏しく器量が足りない。

歴史の類比で現代日本を「鎖国」状況と呼ぶのが流行り、菅首相は「平成の開国」などと意気がっているが、「コクーン国家」という定義が適切ではあるまいか。コクーン=繭のような被膜に覆われ、政府も国民も世界が見えていない。一〇年前の九・一一テロ事件後、米ブッシュ前政権は単一超大国と威張ってアフガン、イラク両国に戦争を仕掛けたが、混乱を広げて急速に無極化した国際社会では戦国時代のように資源、市場の切り取り合戦や下剋上が頻発している。

ところが家運が傾いている「日本屋」の若旦那も番頭も趣味の世界に逃げ込んだまま。落ち目の新聞業界も緊張感に欠け、いくら紙面を凝視しても動乱の全体像など浮かんでこない。

今、世界を動かしているのはコクーン人間と対極にあるディアスポラ（定住障害集団）であろう。政治的、経済的理由から父祖の地を追われ、移住先にもなじめない放浪の民である。国際移住機関（ＩＯＭ）によると、世界中に移住労働者とその家族が二億一四〇〇万人、うち帰国不能（ディスプレースド）が二七〇〇万人いるそうだ。故国を夢に見て民族意識が高く、定住国での差別に不満を膨らませる。家族を養うために必死でカネを稼ごうとしてタフな人間になる。そんな人間の怒りがインターネットで繋がって、故国の独裁政権を打倒しているのだ。中東騒乱のシーンを見ていても真の主役は登場しない。

残念なことだが、偽りの住みやすさが失われて初めて、この国の若者たちはグローバルな激流に飛び込むのかも知れない。コクーンが破れなければ、中のカイコは死ぬだけだ。

（二〇一一年三月記）

草食系メディア

石原東京都知事が「天罰」と口を滑らせて総すかんになったのを含め、今回の巨大地震津波でしばらく一億総反省のモードになったのは確かだ。「誰も悪くない。しかし……」という感じ。国際社会は日本人が天災を甘受してとり乱さず、物資不足や光熱供給の制限に耐える姿を称賛した。市街や港が瞬時に流失し、無一物になった被災民の姿を見て、先の大戦後の焦土をイメージした日本人は少なくない。惰性と奢りを捨てて原点に立ち返るべきだという緊張感が国民に蘇ったからではなかろうか。

とはいえ、政府の対応は迅速果断とは言えなかった。一〇〇年に一度といわれる大災害なのに野党も反応せず、挙国一致の体制など生まれなかった。メディアは情緒的報道に走って事態の本質を見極めず、防災上の怠慢を鋭く追及することがなかった。息を呑むほどの大津波の映像を見れば、被災地の悲惨と苦しみはほとんど説明無しでわかる。それなのにテレビのリポーターたちはわざとらしく声を湿らせて「辛いでしょうね」「何が必要ですか」と大げさなインテビューを繰り返した。新聞もお涙頂戴に紙面を割き、複合災害の規模と特徴を分析する情報は貧弱だった。

とりわけ福島原発事故の重大性に対する認識は甘かった。枝野官房長官らの政府発表は民心の動揺を懸念してか、価値判断がぼやけがちだったが、記者会見で鋭い質問も耳にしなかった。自衛隊ヘリがバケツで海水を汲み、原子炉にぶち撒ける。そんな愚策に批判すら無かった。外国メディアが、決死隊による現場突入以外に手段なしと主張したが、結局、その通りになった。

何かあるとお詫びの最敬礼をするのが日本企業の習性なのに、東京電力の社長は事故後、なぜかほとんど姿を見せなかった。想定外の天災を理由に責任逃れしたいのだろうが、米議会で証言した「憂慮する科学者同盟」（UCS）のエドウィン・ライマン博士は「事故の直接的な引き金は電源の損壊だった」と指摘した。原子炉運用の生命線である電力確保に失敗したのは人災以外の何物でもあるまい。

オーストリアの気象庁に当たる気象学・地殻変動学中央研究所（ZAMG）は二〇一〇年三月二二日、フランス政府や包括的核拡散防止条約事務局のデータを基に、福島事故による放射性物質の漏出がチェルノブイリ事故（一九八六年四月）当時の二〇〜五〇％に達していると発表した。それが正しければやがて東北・関東に無人地帯が発生する。チェルノブイリの死の灰の六〇％はベラルーシに降ったといわれるが、同国の人口密度は一平方キロに四人。日本は同八〇〇人なのだ。

世界中の専門家がもっと信頼できるデータの公表を求めているのに、政府も東電もメディアも応えられない。振り返ると二〇〇六年、金沢地裁は耐震性の弱さを指摘して北陸電力志賀原発の運転停止命令を出していた。政府も電力会社も、最高裁すらこの判断を謙虚に受け止めなかった。いつのまにか草食系と化したメ

ディアは傍観していた。今もそうである。　　　　（二〇一一年四月記）

他山の石

東日本大震災・津波は自然の力の巨大さをいやというほど見せつけたが、復興への足取りは政治を除けば速い。道路や鉄道は復旧し、被災者に日常生活をとり戻させる仮設住宅の建設も進んでいる。二〇〇四年一二月、インド洋沿岸一四国を襲い、二三万の命を奪ったスマトラ沖大震災・津波では未だにライフラインが復活していない地域が少なくない。二〇〇八年五月の中国・四川省地震の傷跡はなお生々しいが、現地の状況ははっきりしない。二〇一〇年一月、首都ポルトープランスが地震に直撃されたカリブ海の国、ハイチでは自衛隊の救援部隊が復旧作業を手伝っている。日本人の底力を感じずにはいられない。

それにしても、もしも福島第一原発が無事だったら、日本の名声が一気に広がっただろうに。東京電力のお偉方は天災の規模が想定外だったとうそぶくが、七年前のスマトラ沖大津波は高さ三〇メートルに及んでいた。しかもロイター通信によれば、東電の専門家チームは二〇〇七年、米国で開かれた専門家会議で福島原発に高さ一三メートル以上の津波が襲来する確率を〇・一％と報告していたというのだ。「想定外」は言い逃れでしかない。

当時、インド南部のカルパカムにあるマドラス原発にも津波が押し寄せ、冷却用ポンプが水没したが、放射性物質の漏出は防がれた。政府、東電は当然、こうした津波リスクを再検討すべきだったはずなのに事態は逆だった。二〇〇六年三月、衆議院経済産業委員会で吉井英勝議員（共産党）は小泉自民党政権に対して、福島第一原発の沸騰加圧型軽水炉（ＢＷＲ）の老朽化が進行しているのに耐震設計審査基準が緩和されていると指摘した。質疑の中で原子炉の耐震構造をテストする世界最大級の大型振動台（愛媛県多度津工学試験場）が前年、廃棄されたことが明るみに出た。総工費三〇〇億円をかけた同装置はわずか三億円で民間に払い下げられていた。広瀬原子力安全・保安院長は「（耐震試験は）コンピューターの発達によってシミュレーションで事足りる」と答弁したのだが、本当にそうだったろうか。

老朽化した核施設の耐震脆弱性は中国・四川省の大地震でも問題になっていた。同省は中国核兵器生産のメッカといわれ、この大規模地震が地下核施設の爆発事故ではないかという噂すら当時、流れた。中国当局は古い耐震基準で建設された核施設に軽度の損傷が発生したと認めたが、詳細は秘匿された。放射性物質三〇個以上が瓦礫に埋もれたが、回収されたという発表があっただけだった。この時も日本政府は何ら危機感を示さなかった。

今世紀に入って大地震が世界中で起き、原発への影響が懸念されていた。日本は海外での事故を他山の石として防災対策を強化すべきだった。歴代政権はまさにノーテンキで、自民党も菅内閣を批判する資格に欠けていると言わざるを得ない。民主党内で菅降ろしを画策しているといわれる鳩山由紀夫元首相もスマトラ沖大津波を視察してながら、防災に何の実績も残していない。日本は諸外国にとって、他山の石（悪い見本）に堕してしまった。

（二〇一一年四月記）

大国の危険な火遊び

世界一のお尋ね者、アルカイダの首領、オサマ・ビン=ラディンの死が呼び醒ましたのはテロの恐怖からの解放どころか、福島第一原発の悪夢再来だった。

米軍ヘリボーン部隊は簡単にパキスタンの対空警戒網を突破、首都イスラマバード近郊の国軍士官学校所在地、アボッタバードに侵入してラディンを殺害した。外敵の侵攻にこれほど脆弱では、もしもインド軍がこの国の核兵器貯蔵庫を空爆、または強襲したらどうなるのか。パキスタン軍部とイスラム過激派の隠微な関係は公然たる秘密だが、そんな脇の甘さを利用してテロリスト集団が核兵器を盗み出す危険があるのではないか。最悪の事態は核施設の損壊と放射性物質の飛散、つまりはフクシマ原発惨事、あるいはヒロシマ・ナガサキの再現である。

不安を一気に増幅させたのはパキスタン海軍司令部があるカラチ近郊のメーラン基地占拠事件だった。二〇一一年五月二二日夜、一〇人足らずの過激派戦士が警戒厳重なはずの基地に潜入、オライオン対潜警戒機二機を爆破した後、一八時間にわたって交戦したのである。しかも少なくとも二人が生き延びて逃げた可能性がある。パキスタンの核兵器の大半が備蓄されているといわれるマスルール空軍基地は同基地からわずか二五キロしか離れていない。

ウィキリークスが公表した米国務省公電によると、米国政府は数年前からパキスタンの核兵器管理体制に懸念を強めていた。アンダーソン駐パキスタン大使(当時)は二〇〇九年二月、核施設勤務者が素材を外部に持ち出し、核兵器を組み立ててしまう恐れがあると報告していた。パキスタン原子力関連事業に雇用されているのは一二〜一三万人だが、すでに過激派による拉致事件も発生していたというのだ。

そのパキスタンが二〇一一年四月、射程約六〇キロの戦術核ミサイルの発射実験に成功したというビデオを公表した。仮想敵国であるインドは「コールド・スタート」という名の対パキスタン有事侵攻計画を持っているとされるが、パキスタン側にとっては、相手の圧倒的な兵力を抑止するには核兵器使用の脅ししか無いという訳である。

パキスタンはまた、原子力発電にも意欲的である。計画停電が日常的なほど電力が不足しているから当然の話でもあるが、東日本大震災のわずか四日後、チャシュマ原発の二号基（出力約三〇〇メガワット）が操業開始した。この加圧水型炉は中国国営の核工業集団公司がターンキー契約（完成後一括引き渡し）で国産の「泰山一号炉」を改良して建設した。中国はさらに二〇一六年ごろまでに発電炉二基（出力約三二五メガワット）をパキスタンに納入する契約である。

それにしてもパキスタンの背後に中国の影が大きくなっている。原発から核を含む兵器開発まで、米国に替って支援体制を強化している。メーラン基地には襲撃当時、米国人六人と中国人一一人が働いていたのが象徴的だ。中国のパキスタン関与が危険な火遊びにならないよう祈りたい。

（二〇一一年七月記）

老テロリストの夢

アルカイダは二〇一一年六月一六日、米軍に殺害された首領、オサマ・ビン・ラディンの後継アミール（最高司令官）としてエジプト人の元外科医、アイマン・アル・ザワヒリを選出したと公表した。ナンバー2として知られた人物だから順当といえようが、ラディンの死から六週間近く遅れたのには複合的な理由があったはずだ。チュニジアに端を発したアラブ諸国で起きた専制政権非難の大衆決起、「アラブの春」をどう評価するかが最高決定機関である「シューラ」で激論になったに違いない。

就任前の六月五日、ザワヒリがインターネット上で発表した声明は同志に対して、「市場などで同じイスラム教徒を殺さないように」と呼び掛けた。アルカイダがアラブ諸国で支持を減らしたのは無差別テロの巻き添えで市民の死傷が耐え難いほど増えたためだが、ザワヒリは米国人など敵の追随者はイスラム教徒といえども異端者だという理屈を作った本人だった。重要な転向と言わざるを得ない。

次いでザワヒリは就任声明の中で、アフガニスタン・タリバンの最高指導者、オマール師を「信徒の最高司令官」と呼び、アフガニスタンから米軍を駆逐するまでオマール師のリーダーシップの下で戦うと述べた。彼はテロの国際化を演出した男で、土着的なタリバンと折り合いが悪いという風評だった。しかもカルザイ政権や米国と水面下で交渉しているらしいタリバンの指導に従うのでは首尾一貫しない。ザワヒリにとっては苦渋の路線転換だったはずだ。

第三に、アフガン戦争の情報サイトとして定評のある「ロング・ウォー・ジャーナル」はザワヒリ就任声明から七つの行動原則を析出、その中に「アラブの春」の支持が含まれていると指摘している。全部を紹介すると、

①ジハドの遂行をイスラム教徒各人の義務と位置づける
②汎イスラム運動として存続する
③同志を牢獄から解放する
④中東、マグレブで「アラブの春」を支持する。ただし西側の介入には反対
⑤いかなるイスラム勢力とも協力する
⑥被抑圧者を支援する
⑦団結とコンセンサスを旨とする

である。

ザワヒリは『預言者の旗の下の騎士たち』などの著作、論文を通じて反米ジハド主義の理論家として認められてきたが、これまで米国に追随するイスラム諸国政権ばかりか、エジプトのモスリム同胞団、パレスチナのハマス、さらにはイラン政権まで軟弱かつ妥協的だとして呵責のない批判を重ねてきた。その結果、孤立してアラブ世界の外側でテロを展開せざるを得なくなったのだが、「アラブの春」を見て覚るところがあった

のだろう。もし改革運動が民主化をもたらさねば、失望した若者たちの間から新たなテロリストの卵が大量発生するかも知れない。しかもアフガニスタン、イエメン、ソマリアなどが新たなアルカイダ（基地）を提供する可能性がある。老テロリスト最後の夢、いやあがきかも知れない。

（二〇一一年七月記）

ウォール街は占拠されたが

「アラブの春」がアメリカに飛び火したかのようである。一〇年前、アルカイダ一味が米金融・経済中枢の象徴だったニューヨークの巨大高層ビル、ワールドトレード・センターを崩落させる大規模テロ事件を起こしたが、今回は不況の中で政府の救済を受けつつ大金を稼ぐ金融中心地、ウォール街に対する抗議行動の大波である。二〇一一年九月一七日、インターネットの呼び掛けで約一〇〇〇人の市民がマンハッタン地区南部の小公園、ズコッティ・パークに集まり、失業と減収が広がる中で、リーマン・ブラザース社の破綻など一連の金融危機を起こしながら、依然として天文学的な高給を食む銀行や証券会社の幹部たちを非難した。

運動は「オキュパイ・ウォールストリート」（ＯＷＳ）と呼ばれ、当初、ほとんどのメディアが無視したが、「アラブの春」と同じようにブログやツイッターで情報が急速に広がった。公園は運動参加者でごったがえし、寝袋を持ち込んで徹底抗議の構えを示す人たちも増えた。そこから二ブロックほど離れたウォール街などにデモを掛け、警官隊との小競り合いが起きた。逮捕者も増えている。

ＯＷＳはカナダの消費文明反対団体、アドバスターズ・メディア財団の発案で始まったが、指導部のような機関は存在せず、全てを大衆参加の総会（ゼネラル・アセンブリー）で決定する。いわば直接民主主義を採用し、しかも垂直・求心型の組織を否定し、リゾーム（地下茎）のように賛同の輪を広げていく。まさにインターネットなど情報の共有が迅速かつ広範に可能になったIT時代の運動形態である。あっと言う間に全米七〇都市、六〇〇自治体に同種の組織が誕生、欧州を中心に世界八〇カ国以上で同調する動きが出た。

メインスローガンは「われわれは九九％の側だ」で、国の富を人口のわずか一％の富裕層に独り占めされていると抗議し、所得の不平等をもたらしているのは腐敗した政治システムだと非難する。暴力は否定しているが、ゼネスト（全面罷業）を呼び掛ける動きも出ている。政治的には民主党に近く、再選を控えたオバマ大統領も慎重に共感を表明した。しかし、こうした大衆運動が起きたのはオバマ政権が不況脱出に失敗したまま、金融界の刷新にも手を出せない不満が噴出したためで、政府は痛しかゆしである。

米国の識者が指摘しているのは、OWSの活動様式が自由経済を支持して、連邦政府の介入に反対する共和党寄りの草の根運動、「ティーパーティー」によく似ていることだ。インターネットのソーシャルネットワークが小さな集まりを短期間で結合させ、政治勢力として作用する。しかし理性的な政治方針を欠くため、結局は共和、民主両党に対する圧力団体になってしまう。

OWSで要注意なのは、ウィキリークスを支援したハッカー攻撃の集団、「アノニマス」が支援の態度を表明していることだ。銀行や金融機関の情報システムがDDOS（分散型サービス阻止の協調攻撃）の標的になったりすると、国際的な混乱があり得る。

（二〇一一年八月記）

マードック王国瓦解の瀬戸際

長年にわたって英政界を操縦し、時に汚染したルパート・マードックのメディア帝国が瓦解の瀬戸際に追い詰められた。傘下の英大衆紙、「ニューズ・オブ・ザ・ワールド」（NOW）が英王室や有名人の携帯電話やEメールどころか、日常的、組織的に庶民のヴォイスメールにまで侵入していたことが命取りになった。彼の腹心たちは相次いで辞職し、あるいは違法盗聴容疑などで逮捕された。黒い関係が噂されたロンドン警視庁のトップも辞任した。キャメロン首相が官邸広報主任官に任命していたNOW元編集主幹幹部も逮捕され、保守党政権は窮地に立っている。

マードックはグローバルに広がる英語圏の衛星テレビ業界を制覇しようとした。オーストラリアの地方新聞経営者から身を起こした彼は一九六〇年代、英新聞界を牛耳る労組勢力を駆逐してNOWを最盛時の発行部数六〇〇万部の大衆紙トップに育て上げ、シティ（英金融界）改革とフォークランド戦争を支持してサッチャー首相の信頼を得た。当時、世界の世論をリードしていた高級紙、タイムズの買収も同首相のお墨付きがあって成功した。

イエロージャーナリズムの成功要因はどこでも、いつでも戦争、暴力、スキャンダルである。極め付けのリバータリアン（自由市場主義者）として、マードックは民営化、自由化を推進したニュー労働党のブレア首相とも親密な関係となり、以降、歴代政権でダウニング街十番地（首相官邸）の裏口から出入り自由を許されていた。イラク戦争では傘下メディアが一糸乱れず支持論調に徹して、米ブッシュ政権の強い味方になった。

それにしてもNOW紙の盗聴は取材手法として徹底していた。英国民を最も憤慨させたのは二〇〇二年に起きた女子中学生拉致、殺害事件で被害者のヴォイスメールに侵入したばかりか、交信容量を確保するため一部メールを削除したことである。このため家族は被害者が生きているとヌカ喜びした。そればかりではない。同紙はイラク、アフガニスタンで戦死した兵士やロンドン地下鉄テロ犠牲者の遺族も盗聴の対象にしていた。買収された警察官が携帯電話を使っている人物の現在位置まで探知して教えていた節もある。メディアと警察の癒着がとことん進んでいた。これでは人権どころか報道の自由も偽善である。

マードック最大の功罪は大衆紙づくりの定番手法であるセンセーショナリズムとスキャンダルをテレビ

ニュース報道に導入したことにある。一九九六年に買収した米フォックス・ニューズ・チャンネルはどぎつい画面構成とキャスターたちの挑発的なコメントで人気を博して視聴率トップとなり、やがて超保守的な市民運動、ティーパーティーの育ての親となった。英国が生んだ近代ジャーナリズムの鉄則は「コメント（解釈）はフリー（自由）、ファクツ（事実）は神聖なり」だが、マードック王国が信奉したのはまさに英風刺誌、プライヴェート・アイズの語呂合わせ、「コメントはフリー（ただ）、ファクツはカネがかかる」のカネ儲け主義だった。

（二〇一一年八月記）

（注）マードックはその後も生き延び、二〇一六年にはフォックスニュースなどをディズニー社に巨額で売却した。トランプ政権の強力な後ろ盾であり、英国のEU離脱も支持している。高齢のマードックは家族支配の形で実権を手放していない。

カダフィと金正日

「アラブの春」第三幕はリビアの偏屈男ムアンマル・カダフィの失脚と死だった。汎アラブ民族主義華やかだった一九六九年、無血クーデターで権力を掌握、イスラム法に名を借りた政党禁止の直接民主制を唱えたが、その内実は草の根レベルまで張りめぐらせた相互監視制度と公開処刑による恐怖政治で、反体制派は地の果てまで追跡して暗殺しようとした。一族はアフリカ最大の石油資源から得た莫大な富を独り占めし、平均年齢二四歳という国民約六〇〇万人の三〇％以上は定職がなく、多くの若者たちが外国に出稼ぎせざるを得なかった。そのくせ石油産業は外国労働者の手に委ねられていたのである。

私がカダフィをかいま見たのは一九七六年にスリランカの首都、コロンボで開催された非同盟諸国会議だった。ぴっちりした戦闘服を着たかっこいい若者だったが、尊大なくせに落ち着きがなく、その後、四二年間にわたって権力の座に就くようなカリスマは感じられなかった。当時、公刊したばかりの自著『グリーンブック』を大量に持ち込んだが、中国文化大革命で有名になった『レッドブック』（毛沢東語録）にあやかったといわれた。人を食った独裁者が持ち込んだ本のほとんどはアラビア語版で読めなかった。後で知った中身はカダフィ独特の警句や独断的説教のごた混ぜ。こんな本を四〇年近くも学校で勉強させられた国民はたまったものではない。

この会議には北朝鮮が一〇〇人近い代表団を送り込んで、反米・反韓キャンペーンを繰り広げたが、成功しなかったことが記憶に残っている。その後、両国は第三世界の中でも浮き上がってしまい、国際テロ陰謀に走って悪名をとどろかせるようになった。両国とも国際線の旅客機を爆破するテロを実行した。

あまり知られていないが、リビアはフィリピン南部ミンダナオの分離・独立運動、モロ・イスラム解放戦線（MILF）のスポンサーで、同時に人質誘拐・殺害で知られる海賊集団、アブサヤーフとも関係があった。カダフィの失権で最も恩恵を受けるのはフィリピン政府かも知れない。

カダフィ大佐と北朝鮮の独裁者、金正日に共通するのは国家元首としての公式の肩書を持たないことで、法に全く縛られずに権力を濫用する仕掛けを作った点だろう。イスラムやマルクス・レーニン主義というイデオロギーを看板にしながら、結局は古臭い同族支配に頼るしかなくなった点もそっくり。

二人はそろって核を含む大量破壊兵器の保有によって国際的な圧力を跳ね返そうとした。しかし、カダフィはイラク戦争でサダム・フセイン政権が打倒されるのをみて態度を軟化させ、国際機関のチェックを受け入れた。金正日はリビアの事態を横目に見て、ロシアのメドヴェージェフ大統領との会談で六カ国会議への復帰を示唆した。しかし対外姿勢を軟化させると、抑圧された国内の不満が噴出してくる。「アラブの春」

が朝鮮半島のなだれを呼び起こすかも知れない。

（二〇一一年九月記）

中国とかけて何と解く？

エコノミストの浜矩子さんが同志社大学ビジネススクールの学生たちに「中国とかけて〇〇経済と解く」という謎かけ問題を出したら、うがった解答がいくつか集まった。彼女が季刊誌「コトバ」二〇一一年秋号（集英社刊）に載せたエッセイで紹介されたが、なかなか面白い。学生の中には現役のビジネスマンもいるようで眼識と知見に富んでいる。以下、ニュアンス抜きで孫引きする。興味を持たれた方はぜひ原文を読んでいただきたい。

答え①「白鳥」と解く。心は「水面上は美しいが、水面下では水かきに必死」。中国の内情は相当大変だ。

同②「蕎麦屋の出前」と解く。心は二つあって、「出前の自転車が転倒すれば目も当てられない」。不満あり、苦情あり、糾弾あり、デモあり。もう一つは「いくら電話で催促しても『もう出ました』と言うばかり」。実情がさっぱりわからず不信が増す。

同③「東大入試」と解く。心は「難問が多すぎて解いているうちに時間切れ」。落とされる危険が迫っているのかも。

同④「KY（空気読めない）」と解く。心は中国の一人っ子政策に引っかけて、「わがまま育ちの一人っ子には（世界経済の）空気が読めない」。中国のKYぶりは果たして本性か、高等戦術かは議論の分かれるところだそうだ。

同⑤「京都」と解く。京都人の性格は「閉鎖的で自己中心的な一方、気骨にあふれる天邪鬼」。中国経済のありようもそっくり。

同⑥「どんぶりの中」と解く。言い換えれば「井の中の蛙」。中国という名のどんぶりは巨大で底が深く、中にいると外のことが見えないそうだ。

同⑦「竜宮城」と解く。心は「夢見心地に酔いしれていると世の中がすっかり変わってしまう」。ユーロの老衰ぶりを見よ。

同⑧「ストラディバリウス」と解く。心は「いずれもゲン（絃と元）が大切」。中国は人民元のレート高を容認するだろうが、若干の余裕も残したい。しかし中途半端な絃の張り方では名器本来の音色は出ない。

中国は長く発展途上国を名乗って自国中心主義の勝手気ままを目こぼしされているうちに、世界中の資源を支配しようとする覇権国家に変貌している。そろそろ、いい加減にしろと言いたいのが日本人の本音だろう。しかし「中国共産党」の大著を出した豪州のジャーナリスト、リチャード・マクレガー氏は最近、毎日新聞のインタビューでこう発言している。「日本は軍隊の役割について憲法上で明確にしない限り、中国に関して成熟した議論は無理だ。中国の軍拡への対応にどうコンセンサスを得るのか、私にはわからない」。九条問題をすり抜けて謎かけ遊びをしている余裕は無くなりつつある。

（二〇一一年一一月記）

二〇一二年

徒弟制度を見直そう

今冬、原発の稼働停止を背景として電力不足がささやかれる中、省エネ暖房器具として懐かしい湯たんぽを思い出した。インターネットで調べてみると、なんと世界で最も人気のある湯たんぽはドイツのファシー社の特殊樹脂製で、セ氏九〇度の熱湯をほぼ一〇時間保熱するスグレモノなのだそうだ。サンダルやクロッグでは世界一流のビルケンシュトック社はさらに規模が大きい。欧州連合（EU）では一人勝ちのドイツ経済を支えるミッテルシュタント（家族主義経営の中小製造業）の裾野は資本財、技術財を超えて広く消費財に及び、世界市場で活躍している。

中世ドイツでシュタントは江戸時代の士農工商のような職業的身分を表す言葉だったが、ミッテルシュタントはやがて企業経営者やブルジョワ階級を示すようになり、現在はドイツ固有の中小企業のことになった。統計的には従業員五〇〇人以下、年間連結売上高五〇〇〇万ユーロ（約五〇億円）以下の企業とされるが、多くは独自の製造技術を持って海外市場を目指す輸出志向型だ。グローバリゼーションの流れの中で、ミッテルシュタントも安い労働力を求めて東欧諸国などに生産拠点を移動させたが、製品の質を維持するために頼れるのは結局、職人気質のドイツ人従業員だったという。その上、ミッテルシュタントは家族を中心に地域コミュニティとの関係が強く、大企業のように利潤の極大化を追求して、従業員たちを敵に回すようなことはしない。

ミッテルシュタントの存在基盤は日本では封建時代の悪徳のように思われている徒弟制度である。若者たちがギルドの親方について仕事の腕を磨く伝統が受け継がれ、国が社会にとって必要不可欠と認定する三五〇の職能について資格認定を与えている。その技能教育を引き受けているのがミッテルシュタントなのだ。研修生は企業から手当てをもらって技能を習得するが、資格を取ってから最低三年間、その企業で働くことが義務になっているそうだ。有能な働き手を育てて確保する一石二鳥の妙案である。

人間にはさまざまな才能が秘められている。たとえ知識詰め込み型の受験勉強は不得手でも、工作や製図の上手な子がいる。観察力の優れた子がいる。こうした多彩な才能を発見し、伸ばしてやる職業教育の充実がドイツ経済を支えているのである。自分の天分を見出した若者は将来に希望を持てないフリーター仕事に甘んじたり、引きこもりになったりしなくなるだろう。とりわけ格差社会を作り出す原因になっている高卒組の将来設計には職業技能教育がどうしても必要だ。

日本にも若者の就職と自立を支援する「ジョブカフェ」という奇妙な名前の施設があるらしいが、ほとんど利用されていないのが実情なのに、改善策すらきちんと論じられていない。大体、労働省が厚生省と合併したのがおかしい。この省は英国のように文部省と合併して「教育・技能省」となるべきだったのではないか。数少なくなった子どもたちをもっと大切に育てたいものだ。


（二〇一二年一月記）

高率所得税の国

知人の孫娘が高校を一年間休学し、ノルウェーの古都トロンハイムでホームステイして勉強している。現地の学校生活はきわめて順調らしいが、唯一の不満は外食ができないことだそうだ。なにしろ好物のマクドナルドのバーガーもハーゲンダッツのアイスクリームも日本の倍近い値段だという。東京では昼休みにコンビニに行ってハムサンドやおにぎりをドリンクと一緒に買って友達とぱくつくのが楽しみだったが、ステイ先の主婦はパンにおかずを添えた弁当を持たせる。ノルウェーの一般家庭では外食はとんでもない贅沢の部類に入るのだという。

世界各地の生計費速報で知られるセルビアのウェブサイト「NUMBEO」をのぞくと、トロンハイムは二〇一二年一月現在、物価高世界一であることがわかった。ニューヨークを一〇〇とする指数で比べると、トロンハイムは一八五・九、三位がスイスのチューリッヒ一五二・四、東京は一〇位で一三五・四となっている。ちなみにベストテンにはノルウェーのスタバンゲルが二位、首都オスロが四位、ベルゲンが九位と四都市が名を連ねる。トロンハイムの物価を探すと、確かにマクドナルドでバーガーとドリンクを注文すると日本円換算で約一一九〇円、カプチーノを飲めば一杯三三〇円、コークなら一九〇円ということだ。ついでにタクシー代だが、初乗りが八六〇円、一キロ増すごとに三一〇円ずつメーターが上がる（NUMBEROの物価は好きな主要通貨を選んで表示でき便利だ）。

こんな数字を並べたのは他でもない。北欧諸国は共通して「高福祉・高負担」政策を採用し、中でもノルウェーは日本の消費税と類似する付加価値税（VAT）の税率が世界最高の二五％。それが物価高の大きな原因になっている。ただし税率は一律ではなく、食品、飲料は一四％、観光客招致のため運送・ホテルなどは八％と抑えている。半面、福祉対策は「胎児から死後まで」至れり尽くせり。高齢者や障害者のケアはもちろん育児支援も十分な上に高等教育も学費ゼロだ。コンビニで弁当やスナックを選り取り見取りできなくても、授業料を払わないで大学で行ける方が良いではないか。

だが、トロンハイムで生活する日本人少女のようにマクドナルドやコンビニに入るにも財布と相談しなければならない事態が日本で日常化したらどうなるか。若者たちのフラストレーションが高まり、生活が荒まないだろうか。とりわけ日本では核家族化どころか、親子の縁すら薄くなっている。弁当を持たせてくれる専業主婦がいない家庭も少なくない。

産油国として失業率も少なく豊かなノルウェーで二〇一一年七月、イスラムを憎悪する極右主義者の男が首相府に爆弾を仕掛けた後、近郊のウトヤ島で銃乱射事件を起こし、計九三人の死者を出した。社会との絆が絶たれると孤立した若者たちは妄想の中で憎悪の刃を尖らせる。税率一〇％の消費税アップでも経済構造は大きく変わり、新たな不安が醸成されることを忘れるべきではない。

（二〇一二年二月記）

ミャンマーのミニペレストロイカ

半世紀の間、事実上の鎖国体制を布いていたミャンマーが大変貌した。高齢のタン・シュエ上級大将から軍部政権トップの座を禅譲されたテイン・セイン大統領がメディアの検閲体制を大幅に緩める情報公開政策を手始めに、反政府勢力の象徴であるノーベル平和賞受賞者、アウン・サン・スー・チー女史の軟禁をやめ、さらに多数の政治犯を釈放した。この雪どけを好感した米国は長年の経済制裁を解除する準備に入った。相変わらず追随する日本は二〇一二年四月、同大統領を招く予定だ。

テイン・セイン大将は二〇一一年三月、軍部お手盛りの新憲法で誕生した民選大統領に就任した。首相からの昇格当初はタン・シュエ将軍の操り人形という専らの評価だったが大違い。権力を掌握すると大胆な改革政策を次々と打ち出した。九月には中国との合弁事業でイラワジ川上流に建設するミットソン水力発電ダム（最大出力六〇〇〇メガワット）の巨大工事を中止した。完成後、電力の大半が中国に送られるのに、数万の住民が水没で土地を追われると評判が悪かった。中国政府は不快感を示したが手の打ちようがなかった。

テイン・セイン大統領は以前から軍部独裁政権の腐敗と無能力に絶望していたようだが、これほどの大方向転換は支持勢力がなければ断行できない。中国やインド、韓国の投資が押し寄せて小型の開発景気が発生、一部の企業家が軍幹部と手を組んで急速に富裕化する。半面、モノ不足でインフレが進行し、庶民の暮らしは苦しくなるばかり。とりわけ国軍兵士たちは給料では家族も養えない。軍内にこうした不満が蓄積し、変化を望む声が高まっていたのではないだろうか。

体制のトップが体制破壊者になった例といえばペレストロイカ（改革）を推進した結果、共産党独裁体制を解体してしまったゴルバチョフ旧ソ連大統領を思い出す。彼も党内で次世代の最高指導者と認められながら、受け継いだ体制の腐敗と非能率に我慢できずに民主化路線を打ち出した。改革のキモとして国民を熱狂させたのがグラスノスチ（情報の公開と自由化）だったが、テイン・セイン大統領はどうやら真似したのだ。

二人を取り囲む環境はよく似ている。旧ソ連はロシアを中核とする多民族国家であり、ペレストロイカで中央集権のタガがゆるむと民族国家の分離、独立の動きが激化した。ミャンマーも多数派のビルマ族とシャン、カレン、ラカインなど数多い少数民族との関係がうまくゆかず、内戦を繰り返している。ゴルバチョフ氏は結局、国家の崩壊を危ぶんだ保守派勢力によって幽閉され、その動きに対抗した民主改革派のエリツィン・ロシア共和国大統領に実権を奪われた。テイン・セイン政権の命運も少数民族との停戦の成否だろう。ミャンマーの場合、旧ソ連の保守派に当たるのは国軍内のタカ派だが、エリツィン氏になるのは国軍総参謀長から下院議員に転じたシュエ・マン氏かも知れない。彼は公務員の給与アップを要求して財政難でしり込みする政府と対決色を強めている。

（二〇一二年三月記）

人が人を食う教え

北京でオリンピックの準備たけなわだった二〇〇六年に中南海の周辺をうろついたことがある。緑間のあちこちに無造作に欧州の高級車が駐車して、身なりのいい若者たちがたむろしていたのが印象に残っている。中共幹部の子弟たち、いわゆる太子党の第七、八世代だろう。重慶市書記を解任された薄熙来政治局員の息子、薄瓜瓜が真っ赤なフェラーリに女友だちを乗せて北京市内を走り回っていたというスキャンダルで思い出した。

今秋に迫った政権交代をめぐって中国指導部における共産主義青年団派と太子党の権力闘争が繰り広げられているという。しかし、一説によると中国の億万長者の九〇％が太子党、つまり中国共産党上級幹部の子弟だというから政治勢力としては巨大すぎる。太子党を意識的に登用して勢力を扶植した江沢民元国家主席を中心とする上海派と団派の争いと言った方が正確ではないか。同じ太子党でも次期の最高指導者になる習近平副国家主席と薄熙来政治局員とは違うような気がする。

薄氏の長年の懐刀だった王立軍重慶市公安局長が成都の米総領事館に逃げ込んだ際、携えていた薄氏と側近の会話テープなるものが在外華人のネットメディア「博訊」にすっぱ抜かれた。その中で、薄氏は中国実力者の面々を歴史上の人物になぞらえて散々けなしているのが面白い。曰く、江沢民氏は清朝末期、皇帝をしのぐ実権を握った西太后、胡錦濤現国家主席は漢朝滅亡期の皇帝、献帝、習近平氏は三国時代に蜀を建国した劉備玄徳の息子で暗愚といわれた劉禅。同僚である政治局員たちは「無能で馬鹿」と言いたい放題である。マルクス・レーニン主義はどこへやら、まるで歴史漫談の世界だが、古来変わらない中国人の精神構造を如実に示している。

さらに薄熙来氏は妻の谷開来女史と一緒に六〇億人民元（約七八〇億円）も蓄財し、すでに欧州諸国に移したと威張っている。中国では不正蓄財がばれない前に家族と資産を外国に移し、自分はハダカ一貫の清貧を装う役人を「裸官」というそうだが、その数およそ四〇〇〇人、持ち出されたカネは総計すると数十兆円というから驚く。薄氏は重慶市民に毛沢東時代の革命歌を歌わせ、他方ではマフィアを撲滅する「唱紅打黒」政策を推進した硬派民族主義者とされたが、裏に回れば利権太りの資本主義者だった。

中国人は儒教の伝統で忠孝を尊ぶと言われるが、一族内の長幼の序を大切にする「孝」の方が国家に忠節を尽くす「忠」よりずっと重んじられている。だから役人や政治家として出世すれば役得や賄賂で私腹を肥やし、一族を栄えさせるのが当たり前のことである。つまり公共善の意識が希薄なのだ。近代中国最高の文学者、魯迅は「孝は人が人を食う教えだ」と批判した。現代中国では庶民の頭痛のタネは住宅、医療、教育費と言われているのに、薄瓜瓜は英国の私立高校からオクスフォード大学、さらに米ハーバードの政治大学院に留学していた。それで奨学金をもらっていたというから呆れてしまう。

（二〇一二年四月記）

中国外交の「君子豹変」

南シナ海波高し。フィリピンと中国、台湾が共に領有権を主張している小島をめぐって中比両国間の緊張が激化した。二〇一二年四月一〇日、ルソン島の西方約二五〇キロの比経済専管水域にあるスカーボロ砂州（中国名は黄岩島）付近で比コーストガードが中国漁船八隻を密猟と絶滅危険水生物捕獲の容疑で拿捕しようとしたところ、中国農業省所属の新鋭漁業監視船、「漁政三一〇」（二五八〇トン）が妨害、海上でにらみ合い状態が発生した。在比中国大使館は一週間後、船舶の撤退を発表したが、比国軍の偵察では監視船が交代しただけ。そこへ毎年恒例の米比合同軍事演習「バリカタン」が始まり、パラワン島で上陸作戦の訓練が実施されたから中国側は硬化した。

同月二五日付け中国政府紙、「環球時報」が小規模海戦でフィリピンに灸をすえることも辞さないという強硬な評論を発表、両国ツィッター族が敵がい心丸出しの非難合戦をエスカレートさせた。同紙はさらに、日本政府が軍事演習に自衛隊幹部を派遣したことや海上保安庁が比コーストガードに巡視艇のお古を供与する方針にも噛みつき、「釣魚台（尖閣諸島）の領有権紛争から注意を逸らす意図がある」と批判した。

中国政府が南シナ海全体の海図に「九段線」を引いてU字型に囲い込み、主権防衛の「核心的利益」水域として教科書にも載せていることはよく知られている。しかし、アセアン諸国の中でも貧弱な海、空軍力しかないフィリピンに脅しをかけたのは、これまでの微笑外交を思うと「君子豹変」が過ぎる。どうも薄熙来政治局員の事件で明るみに出た国家指導部内の権力闘争の影響ではないかという感じがする。支配体制が動揺した時、対外強硬策で民族意識を高揚させて求心力を高めるのは専制権力の常套手段である。

加えて政権交代期を控えてレームダック化した胡錦濤国家主席がタカ派の火遊びを抑えきれなくなっている懸念もある。海洋覇権の主役は人民解放海軍だが、いわゆる「核心的利益」水域の治安担当は軍ではなく、農業省漁政局、公安省辺防海洋警備隊（海警）、交通運輸省海事局（海事）、政府直轄機関の国家海洋局所属の海洋環境監測船隊（海監）、海関総署密輸取締局の五機関で、それぞれが独立して活動している。これに海軍、外務省、環境保護省、中国海洋石油総公司（CNOOC）などの国営石油企業がからんでおり、一括して「竜生九子」（竜の九人の息子）と呼ぶのだそうだ。安全保障問題の分析で知られる国際NGO、インターナショナル・クライシス・グループは、これらの機関に党派が絡んで統制がとれず、それぞれが予算分捕りのため功名争いを演じていると心配している。胡政権は一時、タカ派の言論を抑制していたが、最近は「環球時報」のような激論が勢いを盛り返しているのもおかしい。

タツノオトシゴたちの暴走が思わぬ騒動に発展する事態も予想しておかねばなるまい。ことは対岸の火事ではない。

（二〇一二年五月記）

シンクタンクの表と裏

在日中国大使館の李春光一等書記官が公務のかたわら、対中農産物輸出のフィクサーとして金を稼いだり、農水省副大臣室に出入りしていた事件はわが国の政界、経済界のインテリジェンス音痴ぶりをあらためて露呈したが、この人物は中国随一の政府系シンクタンク、中国社会科学院の研究員出身だった。前後して陸忠偉国家安全部副部長の秘書官がCIAのハニーポット（色仕掛け）工作に引っ掛かって脅され、秘密情報が米国に筒抜けになっていたことが明るみに出た。

陸氏は二〇一一年、副部長になるまで、同部系シンクタンク、現代国際関係研究院（CICIR）切っての日本専門家だったから、インテリジェンスに甘い国と付き合ううちに自分も同類になってしまったのかも知れない。噂によると、本人の潔白は証明されたが、秘書官を採用する時の身辺調査をきちんとしなかった責任を問われて停職処分になったとか。それにしても陸氏はＣＩＣＩＲ日本研究所長として「新日中友好二一世紀委員会」の中国側メンバーを務めたことがある。対して、この委員会の日本側メンバーは財界、学界、メディアの代表ばかり。バランスがとれていない。

どこの国のインテリジェンス要員も素性を隠すために外交官やジャーナリストなどの肩書で任地に入り込むが、近年、重宝されているのがシンクタンクだろう。学問・研究の自由を錦の御旗にすれば、誠意を疑われずに相手から本音の話が聞け、人脈も作りやすい。中国は元々、政府と党の二元外交だが、最近では政府系シンクタンクもＮＧＯルートで重要な役割を演じるようになった。胡錦濤指導部は理工系出身者が多く、国際問題の処理ではシンクタンクの提言が重用されたからだとも言われる。

中国の政府系シンクタンクは中国社会科学院を別格とすれば、外交部系の中国国際問題研究所（ＣＩＩＳ）、人民解放軍系の中国戦略研究所（ＣＩＩＳＳ）、国家安全部系のＣＩＣＩＲだが、近年、国際的な認知度が高まっているのはＣＩＣＩＲだ。権威ある米ペンシルヴェニア大学の世界シンクタンク番付（二〇一一年）で「安全保障・国際問題部門」の上位は欧米系が独占しているが、アジア太平洋地域ではトップがＣＩＣＩＲ＝世界二三位、続いて韓国の東アジア研（ＩＥＡ）＝二四位、インドネシア国際戦略研（ＣＳＩＳ）＝同二七位、オーストラリア戦略政策研究所（ＡＳＰＩ）＝三〇位、日本の国際問題研究所＝四三位、上海国際研究所（ＳＩＩＳ）＝四七位と続く。

ＣＩＣＩＲの活動で目立つのは世界各国の要人の訪問を積極的に受け入れて情報交換することで、丹羽宇一郎大使はじめ駐中国大使館幹部や須川清司民主党政策調査会副部長らが訪れている。一番親しそうなのは

ＣＩＣＩＲ客員研究員だったこともある「アジア・フォーラム」（ＡＦＪ）の吉原欽一理事長だ。ＡＦＪはペンシルヴェニア大番付けでアジアの一二位という高い評価を受けている。民間独立系ながら防衛研究所よりも一ランク上なのだから驚く。

（二〇一二年七月記）

（注）陸忠偉副部長は二〇一八年七月、中国・西南航空ＣＥＯの王健がフランス・プロヴァンス地方で不審死を遂げた時、現場近くに姿を現していた。謀略任務に従事していたと推定される。

シリア危機の真因

日本人が平和の祭典、ロンドン五輪の感動に浸っている間に中東では内戦と謀略が新たな破壊と血の海を広げた。シリアの首都、ダマスカスの国家安全司令部ビル内に爆弾テロが発生、バシャール・アサド大統領の義弟、アセフ・ショウカットやラジハ国防相ら軍・治安機関首脳部四人が死に、多数の重傷者を出した。アリ一匹通さない独裁政権の奥の院にテロの魔手が届いたのである。

その数日後、サウジアラビアの首都リヤドでも国家情報機関本部が爆弾テロに襲われ、長官に新任されたばかりのバンダル王子が死亡したという未確認情報が広がった。同王子は長年、駐米大使を務め、ブッシュ元大統領親子の親友なのだから、シリアによって素早く報復テロの標的に選ばれたという観測はあながち的はずれではない。サウジはカタールとともに「自由シリア軍」など反アサド政権武装勢力の公然たる後ろ盾だったからである。

それにしても欧米諸国によるシリア非難の高まりは異常だ。確かにアサド大統領は二〇一一年三月、「アラブの春」が国内に及ぶと反体制派を仮借なく弾圧し、人権を侵害したが、アラブ連盟諸国を巻き込んだ退陣要求の大合唱が政権の危機感を増幅させた。大統領一族はイスラム・シーア派に近いアラウィ教徒の少数派出自で、「ムスリム同胞団」などスンニ派原理主義者の台頭を強く警戒していた。

ところがイランが核武装路線をひた走り始めると、欧米諸国はシリアを親イラン勢力の一角と見なして、いじめに転じたのである。

実は、シリアは父親のハーフェズ・アサド前大統領の時代からレバノンの大部分を呑み込む「大シリア」の国粋主義、あけすけに言えばアサド政権至上主義の国柄で、最大の敵はイスラエルではなくスンニ派系の国外勢力だった。レバノン内戦では同じシーア派系のドルーズ教徒に勢力を扶植した。一九八二年、砲爆撃で推定二万人を殺害したとされる国内第五の都市、ハマの内乱鎮圧もムスリム同胞団の蜂起に過剰反応したものだった。

レバノンからのパレスチナ解放機構（PLO）追放に見て見ぬふりし、西側やイスラエルの同意を得てベイルートを長年、軍事支配して「パクス・シシリアーナ」を実現した。シリアが二〇〇五年、「杉の木革命」でレバノン撤退を強いられたのは、親米・親サウジのハリリ首相が暗殺されたためである。

米ブッシュ政権が二〇〇一年の九・一一テロ以降、対テロ先制戦争をふりかざすと、シリアはCIAに協力、スンニ派原理主義の流れを汲むアルカイダの組織解明に貢献した。CIAの悪名高い「レンディション」（国外移送）作戦にも一役買った。外国で捕らえたアルカイダ容疑者を受け入れ、拷問や取り調べで口を割らせていたのである。

シリアの独裁政権を支持するつもりはない。しかし、核武装問題でイランを説得できないからといって、アラブ諸国に解放の春どころかスンニ派対シーア派の熱い内戦の夏を呼び込むのでは平和に貢献するとは言い難い。

（二〇一二年八月記）

（注）バンダル王子死亡説は誤報だった。後にＩＳＩＬの黒幕説もあった。

領土問題と聞いただけで分別を失い、頭に血がのぼるのはどうしてなのか。前から奇妙に思っていた。一生懸命の語源は「一所懸命」で、鎌倉時代の武士が所領を守るために死に物狂いになったのを言うそうだが、現代のまっとうな市民も隣家との境界争いでは深刻にいがみ合う。まして国家主権が及ぶ範囲を規定する領土の争いなら、大衆が激高すればドンパチが起きかねない。

愛憎ホルモンの作用

オランダの科学者が最近、脳下垂体から分泌されるホルモンの一つ、オキシトシンが人種や民族に対する差別意識を発生させることを実験的に確認したことを知った。オキシトシンは母子の絆を強めたり、信頼関係を深めるので「愛情ホルモン」と呼ばれたが、異なる集団や人間に対する反発や忌避の感情を刺激する。「愛憎ホルモン」というわけである。この説が正しいなら、領土紛争は人類の生物学的構造に直結していることになり、理性の歯止めがききにくいことが納得できる。

暴力や戦争につながる過激な愛国主義をフランスではショービニズムと言う。ナポレオン一世に心酔した兵士、ニコラス・ショーヴァンの奇行から生まれた言葉だが、この人物はどうやらパリの大衆演劇作家の想像の所産らしい。英国のジンゴイズムは一八七〇年代のロシア・トルコ戦争で対ロシア開戦を呼号する歌曲の中の掛け声「バイ・ジンゴ」から造語された。いずれも庶民の好戦的な気分を鼓舞したメディアの産物という共通点がある。

現代も似たようなものだ。韓国ネチズンや中国の憤青たちが「独島（竹島）」とか「釣魚島（尖閣諸島）」という言葉を聞くと、脳内に多量のオキシトシンが分泌され、「猿」とか「小日本」という人種差別の悪態をつきたくなる。日本のネトウヨも戦前のアジア植民地政策をとことん正当化する。違うのは、ソーシャル・ネットワーキング・メディアが同類を集めるだけで、説得して勢力を広げる戦略的姿勢が弱い点。その意味では、島々の帰属をめぐる対立が直ちに軍事抗争にエスカレートする可能性は低いはずだ。ネット族はバトル・ゲームは好きだが、生身の戦場には行きたがらないだろう。

恐ろしいのは政治が素朴な大衆の自民族中心主義（エスノセントリズム）と野合する傾向である。韓国の李明博大統領は任期の終わり近くになって国家元首として竹島に初上陸し、日程表にない天皇訪韓に注文を付け、慰安婦問題を政府間の懸案に戻そうとした。この国の歴代大統領は引退すると徹底的ないじめに遭うのが伝統だが、それを嫌ってオキシトシンの愛憎作用に期待したのかも知れない。しかし、反日感情が暴発すれば政府も抑えようがない。隣の中国も一〇年に一度の国家指導部交代期に尖閣諸島含め広大な周辺海域の領有権を主張し、強国意識を煽っている。翻って日本の政治家たちも人気取り一辺倒のポピュリズム路線に惹かれている。理性を捨てた愛国主義の危険性を思い出すには、昭和史をひもとくのが一番である。

（二〇一二年九月記）

いつか来た道

陸上自衛隊出身の茅原郁生拓殖大学名誉教授の白鳥の歌ともいうべき著作、「中国軍事大国の原点　鄧小平軍事改革の研究」（蒼蒼社刊）を読んだ。鄧小平の軍事改革をフォローしながら中国人民解放軍の力量ならびに問題点を的確に分析している。尖閣諸島に関わる日中関係の紛糾と「愛国無罪」の反日デモ以降、中国共産党の専制支配を罵る感情的な議論が無責任に広がる中、茅原元将補は事実の検証を重んじつつ隣国の危険な進路を見抜こうとしている。武人の嗜みと節度ある愛国心に感銘を受けた。

勝手読みの感想を記したい。鄧小平の軍事改革は毛沢東体制のヘソの緒として統帥権の問題を残した。中央軍事委員会は最高権力機関である党政治局常務委員会の埒外にあり、最高実力者ご一人と軍部の談合だけで軍を動かせる。だが、最高実力者にカリスマが無ければ軍の暴走を抑えられない。もし、党人として無冠となる胡錦濤氏が委員長に留任すれば統帥権の正統性が再び怪しくなる。人民解放軍は中国共産党に忠節を誓う軍事装置であって厳密には国軍ではない。

胡錦濤政権は支配領域空間を国境線を超えて拡張して「核心的利益」の防衛を強調するようになった。「国益にかかわり、国家軍事力が実効支配する空間の範囲」を「戦略的国境」とし、その範囲は「変動かつ不安定」とするコンセプトで、海洋に適用すれば、第一列島線内のアクセス拒否（A2）、第二列島線で米国とその同盟国の軍事行動の自由の制約（AD）を狙う。

どこかで似たような話を聞いたことがある。山縣有朋首相が明治二三年（一八九〇）の第一回帝国議会で同じような趣旨を述べているのだ。曰く「国家独立自営の道は一に主権線を防禦し、二に利益線を防衛するにある。利益線は主権線（国境）の安全と密接に関係しあう区域であり、今日列強の間にあっては主権線を守るを以て足れりとせず、必ずや利益線を防護せねばならない」。当時「利益線」とは朝鮮半島で、やがてそれは日清・日露戦争を経て満蒙から中国本土に延伸した。中国が帝国日本の道を辿らないと誰が保証できるだろう。

鄧小平は一九七九年に中越戦争を起こした。ヴェトナム軍主力がカンボジアに出兵して留守にもかかわらず、中国の侵攻部隊は苦戦を重ねて要衝ランソンを攻略、辛うじて戦勝の体裁をつけた。しかし、鄧は毛の人民戦争論に凝り固まっていた軍部に現実を見せつけて軍事改革のきっかけをつかんだ。この限定戦争には国内政治的な意味合いがあった。

彼はヴェトナム侵攻に当時のソ連が介入しないことを確かめてから軍を動かした。この先例を習近平次期政権が忘れるはずもあるまい。尖閣諸島で同じような軍事的冒険に走らないという保証は全くない。パネッタ米国防長官は北京で領土問題での中立を約束している。つまり米国は実効支配している方の肩を持つだけなのだ。茅原氏の著作は静かにそう訴えているように思えた。

（二〇一二年一〇月記）

世界で最も好かれている国

もっと知られて良いと思うのだが、英BBC放送が二〇一一年から一二年初めにかけて世界二二カ国で実施した「国別評価」の世論調査で最も評判が良かった国は日本だった。この調査で、日本嫌いが優勢だったのは中国と韓国だけであったことは記憶しておくべきだ。

調査は、各国で無差別抽出の計二万四〇九〇人に米、中、英、露、日、韓、イスラエル、イラン、北朝鮮など一六国と欧州連合（EU）の「世界への影響は肯定的か、否定的か」と尋ねた。すると日本を「肯定的」とした回答が全体の五八％を占め、ここ数年、首位だったドイツを二ポイント上回ったのである。ただし「好悪度」と言い換えてもよい「肯定的」と「否定的」のパーセンテージの差ではドイツがプラス四〇、日本が同三七で、わずかに及ばなかった。日独両国とも製品、サービスを含む経済分野での貢献が高く評価されたが、日本は外交政策の印象が悪いらしく、数字に中国、韓国の低評価が反映したようだ。

日本びいきのトップはインドネシア（好悪度プラス七二）、ナイジェリア（七〇）、米国（五六）、英国（五三）で、日本嫌いは中国（マイナス二二）、韓国（マイナス二〇）の二国だけ。韓国は前年の調査ではプラス四八だったから急激な落ち込みは従軍慰安婦問題が原因かも。

昇竜の勢いに乗る中国の評判番付は五位（好悪度一九）で、米国（一四）より二つ上だが、隣国の日本で好悪度マイナス四〇、韓国同三一と芳しくない。波高い東アジア情勢を反映しているが、どうした訳か欧州でも人気が無い。フランス（マイナス一六）、スペイン（同九）、ドイツ（同五）。韓国は番付一二位（同一〇）だが、欧州、南米で好かれていない。日本での韓国好悪度はプラス一八だったが、来年下がるのは必至だろう。

東南アジア諸国の中でBBC調査の対象になったのはインドネシアだけだったが、他の諸国では中国の評判は芳しくない。東シナ海のほとんどを事実上、中国から領海と見なされた沿岸のヴェトナム、フィリピン、マレーシアでは反中感情が高まっている。華人国家のシンガポールですら国外逃避してくる中国人たちの傍若無人な行動が嫌われ、政権独占の人民行動党（PAP）の地位を揺るがすほどである。アフリカでも資源目当ての中国企業の進出には反感が広がっている。なにしろ中国人労働者を大挙連れて来て、現地の雇用に益しない。大産銅国、ザンビアのサタ大統領が中国を寄生虫呼ばわりして当選したのも記憶に新しい。

中国の楊潔篪外相は国連総会で、日本が尖閣諸島を清国から窃取したと決めつけた。その論理を延長すれば、チベットどころかインドシナ半島も南シナ海も盗まれた中国領土ということになってしまう。こんな暴論が国連の場で披歴された理由は、野田首相が正々堂々と尖閣紛争と南シナ海問題が同根であることを指摘せずに舐められたからである。日本は国際関係において長く発言を慎んで来たが、そろそろ正論を吐く義務が出て来たと思う。

（二〇一二年一〇月記）

（注）二〇一九年では、トップがスイス、以下、日本、カナダ、ドイツ、英国、スウェーデン、オーストラリア、米国、ノルウェー、フランスの順。

二〇一三年

米国版・大学は出たけれど

二〇一三年一月早々、一時帰国していた在米三〇余年の女性フォトグラファーと会食した。マンハッタンのど真ん中、タイムズスクエアで東日本大震災の義援金集めを二年続けてやった肝っ玉ママである。話が教育問題に及んでぶったまげた。アメリカ人に子どもを大学に進学させる気が無くなったと言うのだ。秀才や金持ちの子は別として、大方の高校生は州立の大学か短大に進むのだが、近年、州財政が軒並み悪化して大学への補助金支出が大幅に減り、大学当局は授業料を上げざるを得ない。しかも他州出身の学生からは授業料を約三倍高く徴収できるので州民の子弟を受け入れたがらないという地元軽視の傾向も出て、その分入試の関門が難しくなった。

連邦政府の伝統的な学生支援政策は学生ローンの供与だが、近年、四年制大学の卒業生の平均ローン残高は二万ドル以上、四万ドルを超える人もいるという。そうなると元利含めて完済するのは大変な負担だ。彼女は「大学卒の肩書だけではろくな就職先が見つからない。と言って大学院まで行かせるのは大変だから」と説明してくれた。今年に入って大卒の若者の半数以上が期待していた仕事に就けないか、もしくは未就業という調査結果が公にされた。タクシー運転手の一五%が大卒だという。オバマ大統領が最近、二〇二〇年までに大卒者を六〇%（約八〇〇〇万人）増やす方針を発表したのに対し、保守派から教育過剰の批判が出たのには根拠があった。

アメリカ人は子どもを大学にやるのを一種の投資と考える。大卒の学歴で比較的高い給与が見込めるうちは良いが、学費が高騰すれば投資は割が合わなくなる。「今や高等教育という名のバブルははじけた」という学説も生まれているという。加えて最近はアイビーリーグの一流私立大学が相次いでインターネットで開放講座を始め、学業修了証書まで発行するようになった。学費ばかり高くてハクのつかない地方大学の人気は下がる一方だ。

長い間、充実した高等教育はアメリカン・ドリームを実現する仕掛けの一つで、民主主義を支える中流階級を充実させてきた。しかし社会システムが高度化すると、平凡な大卒程度の学識水準では役に立たない。グローバリゼーションが進んで、発展途上国の優秀な若者たちが発展途上国から押し寄せ、カッコいい仕事は奪ってしまう。社会格差はどんどん広がり、社会に対するやり場のない怒りが市民や子どもを巻き添えにした無差別乱射事件などの形で噴出する。

公立大学の授業料ゼロという国が少なくない欧州でも、英国など国家財政難から大学への支援を減らす国が出始めている。これではますます大学教育の質が低下する。アベノミクスで浮かれているが、日本の教育は大丈夫だろうか。若者をプロフェッショナルに育てなければ持続的成長を保証する実体経済の再建は望めない。職能教育を重視する抜本的な教育改革が待ったなしではないか。

（二〇一三年一月記）

東電首脳部のウソ

東日本大震災から丸二年過ぎ、安倍晋三首相は施政方針演説で原発維持を宣言した。第一次政権当時の二〇〇六年一二月、共産党の吉井英勝衆院議員が巨大地震に対する原発の安全性について提出した質問書に「万全を期している」と木で鼻をくくったような答弁書を出した人物だから至極危うい。原発は使用済み核燃料の安全な廃棄法が存在しない点だけとっても不完全なシステムであり、先進諸国の趨勢は現用原子炉の老廃停止を待つ「脱原発」だと思う。それまでは、いずれの国もノーモア・フクシマが至上命令だろう。

四つの福島原発事故調査報告書は東京電力版を含め、核事故が想定外ではなく「人災」であったことを強く示唆している。そうであれば、過ちを繰り返さないために事故の責任を厳しく問うのが筋。なかんずく当時の勝俣恒久東電会長、清水正孝社長の二人は私の知る限り責任があったことをほとんど認めていない。清水氏は社長在任中、「公益事業体における人材には高い倫理観と社会的使命感が求められる」と公言していたが、自ら顧みて恥じないのか。沈黙は卑怯ではないか。

国会事故調委員長を務めた黒川清東大医学部名誉教授は英文報告書の中で、人災の背景には無意識的な服従性、権威に対する疑問提起へのためらい、所定事項にこだわる性癖、集団志向、島国根性など日本文化に染み込んだ習性があると指摘、外国メディアから文化還元主義の不毛性を批判された。しかし日本文化は恥の文化とも言われ、言行不一致を自ら許さない潔癖さを良しとする。日本人にとっての高い倫理観とは究極において、この情念ではないのか。

同じ「一一」の日付ながら米国は未曾有の九・一一テロ事件後、原発へのテロ攻撃にどう対処するかを徹底的に考え抜いた。その所産が「B5b」という略称で知られる米原子力規制委員会の行政命令（二〇〇二年二月）である。テロ攻撃で原発に火災もしくは爆発が起きた時の安全対策を原発運用者に指示、全電源停止時の炉心冷却、使用後燃料の処理など万全の準備を「多重防御」方式で命じているが、全容は改定を重ねて現在も秘密である。

実は旧原子力保安院は二〇〇六年、米国政府から詳しい説明を受けており、当然、東電首脳部にも情報が入っていたはず。ところが、勝俣氏は二〇一二年六月の産経新聞インタビューで「米国のB5bのような考え方があらためて足りなかったのが反省材料です」と語った。米国政府の対策すら事件後であったとほのめかそうとする嫌味な言い方である。東電は同年一二月、「B5bはどうしたら知り得たのか」という弁解じみた資料を公開している。

日本の原発が受けている脅威はテロ集団の比では無い。北朝鮮は今や日本全土を射程に入れるミサイルを所有している。起きてはならない暴挙とは言え、想定外と安閑としてはいられまい。Ｂ５ｂに学びたい。

（二〇一三年二月記）

不可解な安倍論文の扱い

日本の首相としては稀有なことだが、安倍晋三氏の英語小論文が二〇一二年末、世界最大のオピニオン配信国際ＮＧＯとされる「プロジェクト・シンジケート」（本部プラハ）のウェブサイトに掲載された。なぜか、大手メディアは、東京新聞が特集面で扱っただけで、ほとんど問題にしなかった。

論文の題名は「アジアズ・デモクラティック・セキュリティ・ダイアモンド」で、内容は東シナ海、南シナ海で覇権主義的行動を強化している中国に対処するため、価値観を共有する日、米、インド、オーストラリアの四国が手を組んで、ダイアモンド型の中国包囲態勢を築き、さらに英、仏両国にも呼び掛けようという壮大な集団安全保障論のデッサンである。

骨子部分を抜き出して仮訳すると、「私はオーストラリア、インド、日本、そして米国ハワイ州がダイアモンド隊形を組み、インド洋地域から西太平洋までの海洋公共財の安全を守る戦略を心に描いている。私はこの安全保障ダイアモンドに日本の持てる力を最大限に傾注する用意がある」である。安倍氏の執筆は首相就任前と推定されるが、この集団安全保障への参加論はこれまでの政府の憲法九条解釈を踏み出しているのではないか。もし大手メディアが忖度（そんたく）して最高指導者になる人物の発言を記事にしなかったのなら報道機関として自殺行為である。

安倍論文の尖閣紛争への姿勢にも問題がある。南シナ海は旧ソ連時代のロシアにとってオホーツク海がそうであったように「北京湖」になってしまう恐れがあるとして、もし日本が（尖閣諸島問題で）屈するようなことがあれば、南シナ海はさらに要塞化されてしまうだろうという論旨を展開している。これでは尖閣諸島をめぐる中国との対峙がまるで南シナ海を取り巻くアセアン（東南アジア諸国連合）諸国のための代理行為のように読めなくもない。日本経済の死命を制するシーレーンが通っているとはいえ、南シナ海の現状維持が日本の自衛権の範囲に収まるとは到底考えられない。

安倍氏は最後に、日中関係は「日本国民の幸福にとって死活的に重要」だが、「日中関係を改善するためには、日本はまず太平洋の彼岸に錨を下ろさねばならない。なぜなら、結局のところ、日本外交は常に民主主義、法の支配、人権尊重を根本にしなければならないからである」と述べている。これはまさに福沢諭吉の脱亜入欧論と同じ発想であり、中国は反発せざるを得まい。たとえ中国が現実に人類社会の普遍的価値を実現していないからと言って、建前としての価値観自体を否定してはいないのである。

山口二郎北海道大学教授（現代政治論）はかつて、ナショナリズムが高まれば高まるほど日本はアメリカに頼るしか道がないという隘路に追い込まれるという矛盾を指摘した。安倍首相が祖父、岸信介元首相と同じようにこの奇妙なねじれ現象の犠牲にならないよう祈りたい。

（二〇一三年四月記）

自業自得の慰安婦問題

従軍慰安婦問題ほど、手前勝手な日本人が跡を絶たないことを示しているケースはあるまい。そもそも「従軍慰安婦」は千田夏光なる戦争物作家の造語で、オーストラリア人ジャーナリストが著書で「コンフォートウイメン」と訳して国際的になった代物である。千田は後に旧軍参謀や軍医のインタビューをでっち上げていたことを告白した。

次いで吉田清治なる旧軍人が登場、済州島で慰安婦狩りに従事したと暴露、韓国の大手紙、朝鮮日報が取り上げたことで、日本軍の強制連行説が定着した。しかし吉田の体験談はフィクションだったことが日韓の学者の調査で判明している。さらに朝日新聞が吉見義明中央大学教授（近代史）によって旧軍の組織的関与を示す文書が発見されたと大々的に報道、国連人権委員会が調査活動に入ると、日弁連代表の戸塚悦朗弁護士が国連の場で国辱的な性奴隷説を鼓吹した。これを鵜呑みにしたような「クマラスワミ報告」や「マクドゥーガル報告」が出て、とうとう被侵略国の女性二〇万人余を兵隊の性のオモチャに供したことになってしまった。

戦前の日本には江戸時代以来の公娼制度、遊郭があった事を知っている世代の人たち、千田や吉田が兵隊相手の売春が軍直営でなかったことを知らないはずがない。それなのに軍国主義批判がカネになるとにらんで事実をねつ造し、誇張し、一部のメディアが迎合したのである。

降って湧いたような日本維新の会共同代表の橋下徹大阪市長の「慰安婦必要論」も、本人がどんな言い訳を重ねようとも、手前勝手という点で先人たちと同じ穴のムジナであろう。橋下市長が真に政治家たらんとするのであれば、二〇〇七年、米下院が慰安婦問題で日本政府に謝罪を求める決議を可決していたことを知らないでは済まされない。この決議は多くの事実誤認を含みつつ、要は日本国民の人権意識の浅さを強く批判した。その論理や背景に濁りが無いとは言わないが、人権尊重という土俵からはみ出して議論することは国際的に是認されまい。

それればかりではない。軍の性慾処理システムは旧日本軍だけではなく、ナチドイツ、ベトナム戦争期の米軍、韓国軍その他にも存在したと主張することで「他者がやったことなら自分も許される」という甘ったれた姿勢を日本人固有の欠陥として印象付けてしまった。日本人の倫理観は欧米やイスラム世界の一神教社会とは異なり、神の戒律を守ることではなく、自発的にコミュニティの掟に従うことである。他者がどうあれ厳しく己を貫くという日本人の美徳を橋下市長は忘れてしまったのだろうか。

日米の政治・外交関係に大きな影響力を持つリチャード・アーミテジ元米国務副長官の「有害かつ無分別」という批評が当たっている。日本は過去七〇年近く人権の模範生だったのに、これでは過去の戦争の歴史としっかり向き合っていないことになる。喜ぶのは中国だけと言うのが彼の慨嘆である。（二〇一三年五月記）

野生の世界にも中国の脅威

世界中のダイバーたちが一度は潜りたいと憧れるフィリピン南西スルー海のトゥバタハ岩礁だが、アジアの新旧シーパワー、米国の軍艦が二〇一三年一月、中国の漁船が四月に相次いで座礁、世界遺産の貴重なサンゴ礁を無残に破壊してしまった。米国はフィリピン領海の海図が不正確だったと文句を言いながらも、一〇〇万ドル超の賠償金を支払う用意ありと意思表明したが、中国政府は遺憾の意すら示さない。中国外交部の洪磊報道官は自国船の領海侵犯は棚に上げて、「フィリピンは遭難漁民の合法的権利を尊重せよ」と威嚇した。

南シナ海沿岸諸国が中国漁民の領海侵犯や密漁行為を取り締まると、中国はそれを好機に「海監」や「漁政局」という海洋治安機関の武装船舶を繰り出して小島や岩礁を実効支配してしまう。

欧米の海洋安全保障専門家はこの手法を反撃強引策（reactive asser-tiveness）と命名した。最近の好例は両国やベトナムが領有権を主張するスカボロー礁をめぐる紛争だ。中国はこの岩礁を中沙（マクスフィールド）諸島に属する黄岩島と呼ぶ。二〇一二年四月、複数の中国漁船が同礁付近でウミガメやサメ、大型エビを漁獲したのをフィリピン沿岸警備隊が発見したが、中国の武装船舶が検挙活動を妨害した上、礁湖の入口に綱を張ってしまったのである。

結局、フィリピン政府は中国の同意がないまま、国際司法裁判所の仲裁を求めた。毒舌で知られるサンチャゴ比上院議員は中国をドラゴン、自国を「カネも無く、兵器も足りない」と蚊に譬えるたが、弱いものいじめが度を越している。

それにしてもトゥバタハ岩礁は細長いパラワン島で南シナ海と切り離された海洋生物保護区であり、中国漁民でも密漁するには危険過ぎる。どうして入り込んだのか、海底油ガス田がらみのスパイ船説から物見遊山説まで出たが、フィリピン沿岸警備隊が中国船の臨検で見つけたのは海の生物ではなく、絶滅危惧種に指定されている密林の珍獣、センザンコウだった。アリクイの仲間で、全身を厚いよろい状の角質で覆われている。皮を剥がれた姿の珍獣が一箱におよそ六匹ずつ、計四百箱も押収された。違法運搬船だった。

センザンコウは中国では角質が漢方薬の原料になり、肉が珍重され、剥製にすれば室内装飾品にもなる。科学的根拠は皆無だが、中国人はセンザンコウのよろいには催乳作用があり、肉には媚薬の効果があると信じていて高値で売れる。ネットで探すと、センザンコウの幼獣の姿煮の写真を見ることもできる。中国にも生息しているが、ほぼ獲り尽くし、近隣のベトナムやタイでも激減した。養殖できない事情でもあるのか、仲買人たちはインドネシア、マレーシアまで足を延ばして買い付けているらしい。

センザンコウ保護運動をしているＮＰＯの推定によると、東南アジアで殺されるセンザンコウは年間六万匹に及ぶ。野生の世界でも中国脅威論が流行っているかも。

（二〇一三年五月記）

幻の島国

海洋は今も切り取り勝手の無法地帯と思った方がよい。野心と実力があれば領有権の理屈など後からついてくる。中国の指導部はそう考えて「海洋領土」の主張を振り回しているのである。そのミニ先覚者として南シナ海のスプラトリー諸島を「発見」したと称し、建国してしまった男がいた。

その名はトマス・クローマ。一九〇四年、フィリピン中部ボホール島でスペイン人の入植者を父として生まれた出自から大航海時代に憧れていたかも知れない。一五歳で首都マニラに上り、港湾業界誌のニュース編集者を経験して海運業界に入った。故郷ビサヤ地方の島々を結ぶフェリーや首都の動脈であるパシッグ川のタグボート事業を成功させ、後に同国で最も有名な船員学校となったＰＭＩカレッジを創立した。

一九四七年ごろから、南シナ海の豊かな漁場に目を付け、実弟に船団を組ませて探険に乗り出した。スプラトリー諸島は一九三八年、日本が領有宣言して「新南諸島」と名付けて台湾総督府の管轄下に入れ、戦争中はイツアバ島（中国名、太平島、当時の日本名は長島）に潜水艦基地を置いた。クローマは同島に缶詰工場を建設したり、リン酸肥料の原料となるグアノ（鳥糞石）を採掘する事業計画を胸に抱いていた。

クローマは、同諸島が一九五一年のサンフランシスコ対日講和条約によって無主地（res nullius）になったと判断、一九五六年に島々をまとめて「フリーダムランド（フィリピノ語でカラヤーン）」として建国宣言した。当時のマグサイサイ政権は表向き静観していたが、カルロス・ガルシア副大統領兼外相（後に第八代大統領）はクローマと同郷の縁で後援者の一人だった。

クローマは意気揚々と国家元首に就任、憲法まで制定したが、一九七四年、マルコス大統領の戒厳令政権は、クローマが提督（アドミラル）と名乗り、官名を僭称したという理由で監禁して、国の明け渡しを迫った。結局、抵抗し切れず、フィリピン政府にわずか一ペソで譲渡する文書に署名してしまった。かくてフリーダムランドは七六年、パラワン州に編入され、現在のカラヤーン地区となった。

クローマの建国宣言は比国内では茶番扱いされたが、この動きに驚いた台湾政府がイツアバ島を軍事占領、ベトナムもパラセル諸島の一部を確保した。彼の突飛な行動が南シナ海領有問題に火を点けたのである。ラモス大統領は一九九五年、クローマに提督の称号を贈って名誉回復した。彼の無鉄砲な建国の壮挙が無かったなら、フィリピンのスプラトリー諸島の一部（カラヤーン島嶼グループと呼ぶ）に対する領有権の主張も弱かったに違いないのだ。彼は一九九六年、九二歳で世を去った。

フリーダムランドは現在も「カロリア・セント・ジョン王国」として形だけ存続している。同王国のウェブサイトによると、中国政府が二〇〇四年に接触してきたそうだ。

（二〇一三年七月記）

道教――ミッシングリンク

二〇一三年、伊勢神宮は二〇年に一度の式年遷宮を挙行する。全神殿を建て替えるという日本の木の文化を象徴する重要な行事で、総経費は五五〇億円の巨額である。江戸時代には、俗人神職者、「御師」が全国で神明講を組織し、お蔭参り流行の下地を作った。「お伊勢さん」は明治の世に国家神道のパルテノンに仕立て上げられるまで、素朴な庶民信仰の対象だった。日本は観光旅行ビジネスで世界に先駆けていたとも言える。

それにしても天皇制はよく分からないことだらけである。伊勢神宮には天照大神のご神体として八咫鏡が安置されているが、天皇も実見は許されていない。遷宮の際は「御樋代」という容器を新調して移すそうだが、担当の神官は目隠しして運ぶという。歴代皇族の陵墓公開は宮内庁のよって厳しく制限されており、学問的研究を阻んでいる。天皇制が現存する最古の王権であることは確かなのに、神話と歴史の間が曖昧なまま。日本人が非合理的な神がかり民族だという国際的な誤解を野放しにしている。

問題は古代以来、日本の政治・社会に大きな影響を残している中国の民俗宗教、道教が不当に軽視され続けていることだ。特に道教は天皇家の王権確立に利用され、神道に多大な痕跡を残している。高松塚古墳やキトラ古墳の壁画がそれをまざまざと示している。

天皇という呼称自体、ヤマト言葉ではなく、中国の古代暦学を背景として北極星を神格化した道教の「天皇大帝」に由来している。銅鏡や剣が神体になったのも道教の感化によるもの。民衆レベルでは八幡、稲荷、白山の神々も異国由来で、道教神の仲間だ。

日本文化における道教の重要性を説いてやまなかったのは中国思想史の福永光司京都大学教授（一九一八〜二〇〇一）だった。大学を卒業した一九四二年、熊本の野砲兵第六連隊補充隊に陸軍少尉として入営、中国南部を三年間、転戦した。戦場で見たのは故郷、大分県中津市郊外とそっくりの中国の農村であった。彼は「子供の背負い方から田植えの仕方、祭りの笛の吹き方、太鼓の鳴らし方、神楽の舞い方までよく似ている」と驚きを記している。

復員して大学に戻った福永は日本文化の中に道教の痕跡を探り当てることに専念した。福永道教学の到達点は浄土真宗の開祖、親鸞の「自然法璽」の哲理に道教の無為自然の考え方が反映していることを発見したことだ。中国では人間の根本条件は飲食と男女関係だとして身体を重視する。親鸞は道教を取り入れた浄土信仰の根本聖典、無量寿経を読み抜いて遂に肉食妻帯に踏み切ったのである。

福永は一九六〇年代、中国の有名な学者に「国立大学教授がなぜ迷信だらけの道教など勉強するのか」と言われた。戦争中には、中国各地の道観（道教寺院）がハンセン病者の隔離施設や娼窟になっているのを目撃していた。道教への偏見と無理解を日中の知識人は今も共有していないだろうか。

（二〇一三年八月記）

落ちた偶像――オバマ

米シギント（通信諜報）の総本山、国家安全保障局（ＮＳＡ）がインターネット情報の収集を実施、グーグルやヤフー、フェースブック、スカイプ、YouTube、ＡＯＬなどのＩＴ大企業が顧客関連情報を流していたことが明るみに出て三カ月。この間、アメリカが友好諸国の外交情報まで傍受していたことがばれて大騒ぎになった。しかし、諜報活動は主権国家にとって必要悪であり、各国とも対米情報提携という裏の事情もあっていつの間にか国家レベルの非難、追及の動きは下火になった。

残ったのはノーベル平和賞までもらったオバマ米大統領の薄汚れた印象である。非核と人権の使徒のようなメッセージを発して世界中のハートをつかんだ人物だが、テロ対策を錦の御旗に、ＩＴ用語で「メタデータ」と呼ばれるデータ検索用情報を大量に集める秘密システム「ＰＲＩＳＭ」の構築と運用を容認していた。電子メールの作成者、作成日時、データ形式、タイトルなどを大規模に集める仕組みで、この情報があれば対象者の住所など簡単に割り出せる。

同大統領は記者会見で、「セキュリティーのためにはプライバシーの多少の制限もやむなし」と居直ったが、これでは戦争屋だった前任のブッシュ氏と変わらないどころか、さらに悪質という声も広がった。

ハワイのＮＳＡ地域シギント拠点から大量の秘密資料を持ち出した告発者、エドワード・スノーデン氏は香港からロシア入り。米国が複数の国による亡命受け入れを妨害したもののロシアから一年間の滞在を認められた。自由の国の市民が旧ＫＧＢ（ソ連国家保安委員会）の人脈を権力基盤とする強権政治家の懐に飛び込んだのは歴史の皮肉である。

スノーデン氏の資料を元に米政府の悪質な情報収集政策をすっぱ抜いた主役は英ガーディアン紙のコラムニスト、グレン・グリーンウォルド氏だった。米国人で憲法と民事関連の弁護士として鳴らしたが、法廷活動にあき足りず、オンライン・ジャーナリストとして人気を集め、二〇一二年、ガーディアンに入社した。『A Tragic Legacy』(二〇〇二)、『How Would a Patriot Act』(二〇〇六)などの著書は出ればベストセラーという才人で、同性のパートナーとブラジルに住んでいる。そのパートナーが二〇一三年八月、ロンドンのヒースロー空港で英国警察に一時拘束され、所持していた機密ファイルなどが押収された。グリーンウォルド氏は暴露活動への脅しだと反発した。

米国内の反体制派から「九九%のカリスマ」と呼ばれているそうだが、米二大政党制は支配階級との癒着で、民意を全く代表する機能を失ったと主張している。ジャーナリスト活動でも中立の立場をとらず、信念実現の場と捉えているというが、良心的とみなす議員を積極支援する柔軟性も持つ。ユダヤ系だが、イスラエルには批判的である。アメリカはこういう型破りの人材を生み出し、生れ変わってゆく国だと思う。

(二〇一三年九月記)

メルケル時代の到来

二〇一三年九月のドイツ総選挙でアンゲラ・メルケル首相率いるキリスト教民主同盟(CDU)が大勝した。ドイツ各紙は筆をそろえて、有権者たちが政見、政策云々よりも地味で律義な女性宰相の人柄を信頼した結果の表われだと書いていた。質実を尊ぶドイツ人気質が放漫財政で経済破綻した一部の欧州連合(EU)加盟国に対して甘い顔をみせなかったメルケル女史を支持したのだと思う。対照的に新自由主義を旗印にしてきた連立相手の自由民主党(FDP)は連邦議会から姿を消した。

ドイツ国民の選択であらためて思うのは日本もそろそろグローバリズム一辺倒のアメリカ追随を止めるべ

き時ということだ。なぜならドイツや北欧諸国というＥＵの優等生たちは国内経済の持続的発展を実現させることによって国際市場で活躍する競争力を築いているからだ。ドイツと日本の違いをまざまざと示すのがエネルギー政策である。

メルケル首相といえば、福島第一原発事故を機に一気に卒原発路線に舵を切ったエネルギー政策大転換の鮮やかさである。これに対して、安倍政権は安全対策の立て直しも十分果たさないまま原発依存に逆戻りしようとしている。それどころか、日本企業は危ない原発プラントを海外に売り込もうという姿勢を捨てようとしない。万一、外国で福島と同じ悲惨をまき散らしたらどうなるのか。浅慮と軽挙が日本人を再び極悪人にしてしまう。ことは従軍慰安婦問題の比ではない。

ドイツがエネルギー大転換の王道を歩めるのは「気候温暖化対策なくして経済発展なし」という原則で国内が一致団結、二〇〇〇年に再生可能エネルギー法を制定したからである。つまり、地球は人類の際限のない欲望を賄え切れず、急速な環境悪化を招いているという世界史的認識を国家政策に反映させてから一〇年以上の実績がある。太陽光、風力、バイオマスなどの再生可能エネルギーは国内総電力消費量の約二三％に達している。

しかもエネルギー供給システムの分散化、ローカル化を担っているのは国でも企業でもなく、個人が自発的に立ち上げる「エネルギー協同組合」組織なのである。ドイツ語で協同組合はゲノッセンシャフト（Genossenschaft）だが、ゲノッセンは仲間、友人、同士という意味。出資額は平均五〇〇〇ユーロ（約六五万円）だが、総会での投票権は株式会社と違って一人一票。組合員は投資者、運営者であるとともに電力供給の受益者でもある。

協同組合の活動を保証するのが日本でも二〇一二年、模倣導入した固定価格買取制度（ＦＩＴ）で、電力販売収入の長期安定化させる。ただし、日本には農協、生協など業種別はあるが、協同組合活動一般を認める法律がない。ドイツと違って会社以外の営利業態が抑圧されてきた。
ドイツの再生エネルギー政策にも問題が出ている。ＦＩＴ支出のツケを消費者に回す上乗せ料金（サーチャージ）が増えて、同国の電力料金はＥＵ内で二番目の高額。悲鳴を上げた企業が海外逃避を言い出しているからである。

（二〇一三年一〇月記）

秘密保護法審議に思う

特定秘密保護法案が国会に上程されることになると、にわかに反対論が盛り上がってきた。政治家や官僚たちが入手した情報を勝手に「秘」扱いにしてしまうのを防げず、行政の透明性が著しく損なわれるというのが理由である。確かに国民の知る権利が狭められない保証はされていない。

安倍政権の提案理由も国民の支持を得にくい。米国が北朝鮮の核武装を含めて情報交換したくても、日本からすぐ漏れてしまうから現状で情報共有は無理とされると言うのだ。しかし日本政府あるいは自衛隊から機密情報が外部に伝わって大問題になったケースはあまり聞かない。警察庁からイスラム関連のテロ情報が大量に漏れたのは確かだが、犯人は割り出せなかった。だからと言って罰則を強化するというのは安易にすぎる。まず事件を解明し、責任の所在をはっきりさせるのが筋というものだ。

そうではあるが、国家、国民の安全に関わる情報が盗まれたら、損害は想像を絶するだろう。日本は現在、世界にまれな独裁国家の核ミサイルを前門の虎、長年、友好関係を育んできたはずの近隣二国の敵意と意趣返しを後門の群狼として、領土の保全すら危なくなっている。戦争の突発を防ぐには片時も油断できない状況下にあるのだ。

孫子は約二三〇〇年以上前に「彼を知り、己を知れば百戦して殆うからず」「戦わずして人の兵を屈するは善の善なるものなり」と述べている。もし日本が憲法九条の非戦条項を守り抜こうとするなら、国際情勢を的確に把握し、戦争を未然に防止するためにインテリジェンス、カウンターインテリジェンスの手段を駆使する以外にない。そのためには人権と自由にある程度の制限を蒙るのはやむを得ない。護憲派にもその程度の覚悟は必要なのではあるまいか。

特定秘密保護法案は今後、衆議院の特別委員会で審議されると言う。国会議員諸侯はまず東アジアにおける日本の立ち位置について共通の理解を築き、そこから将来に禍根を残さない法的規制のあり方を討議して欲しい。

討議の焦点は二つあるはずだ。まず、警察庁長官を含む行政の長が恣意的に秘密指定を乱発しないよう監視（オーバーサイト）機能を法的に設定すべきである。国内での大小の権力闘争で「彼を知り、己を知る」官僚たちが百戦百勝になっては政治家も困るだろう。できれば立法府に統制機能を付与することが望ましい。

次に、秘密指定情報を扱う要員の適格性審査である。スパイを含め外部に情報を流す動機は金銭（M）、イデオロギー（I）、籠絡＝コンプロミス（C）、自己主張＝エゴ（E）の四つというのが定説である。ウィキリークス関連やスノーデン、あるいは海上保安庁職員の尖閣ビデオ漏洩はE＋Iのケースである。これらの人々の身辺調査をいくらやっても心の闇までは発見できまい。むしろ有効な忠誠宣誓の形式を整えることが重要と思う。

（二〇一三年一一月記）

二〇一四年

アメリカでの「靖国」論議

安倍首相が二〇一三年末、突発的に靖国神社を参拝したことに米国政府は「失望」の意を表明した。歴史問題でねじれた中韓両国との関係を一層悪化させることはオバマ政権にとって困った話である。国内メディアの多くはまるで有力な味方を得たように安倍バッシングに走ったが、普通のアメリカ人らはどう見ているのだろうか。

ジェームズ・ファローズ氏といえば一九八〇年代、日本異質論で鳴らした米国の一流ジャーナリストだが、首相の参拝直後から評論誌「アトランティック」電子版で五回にわたって感想を発表し、これに対する約二〇人の読者の投稿による是非論を紹介した。http://www.theatlantic.com/james-fallows

ファローズ氏を含めて、「安倍にはA級戦犯を顕彰する意図がある」とか「ドイツの指導者のように改悛の意をきちんと表明していない」という批判が多い。そうした中で日本人には口に出しにくい欧米諸国の汚れた戦争の姿を率直に反省する声もあったことに注目したい。

曰く、米国の教科書は西部開拓のフロンティア精神を称揚しているが、先住民の土地を奪い、殺戮したのが真相である。奴隷制度維持のために戦った南軍の将兵を埋葬しているアーリントン国立墓地を大統領が訪問しても異論が出ない。英国では第二次世界大戦中、ドレスデンなど都市無差別爆撃を主張、指揮したアーサー・ハリス将軍は戦後、叙爵され空軍元帥に昇格した。レーガン大統領が訪独した際、ナチの武装親衛隊員を埋葬したビットブルグ国防軍墓地を訪れた——等々。もし北ベトナムが米国を占領していたら、当時の米大統領と軍の領袖たちはベトナム戦争裁判で罪に問われないだろうかという問いもあった。なにしろこの国は無人機による攻撃を他国で実施して、血のにおいがプンプンしているのが現実なのだ。

日本と中韓両国の間でますます和解の糸口がなくなっている歴史問題では、東アジアの人々は面子を重視するので、中国や韓国が居丈高になるほど日本は硬化すると観測し、「靖国参拝は（北朝鮮のように）ミサイルを弄んだり、軍艦を沈めるほど好戦的ではないはずだ」と諌める意見があった。また、日本の戦争で酷い目にあった東南アジア諸国が強く反発しないのは、日本の再軍国化より中国の軍事的膨張の方がよほど心配だからだ、という醒めた見方もあった。

逆に、日本で大学教授をしている米国人女性は、教え子たちが戦争の歴史をほとんど知らないまま中韓両国への反感を募らせている姿を嘆いた。広島、長崎の原爆体験があまりに悲惨だったため、日本人は自分たちを被害者と思い込み、他国を植民地化し、あるいは侵略した記憶を薄れさせているという指摘は思い当たることである。

ファローズ氏と読者たちは靖国境内の史料館、「遊就館」の展示内容に触れ、先の大戦を強いられた戦いとして美化する趣旨は日本国民大多数の認識と食い違っていると批判していた。靖国が右翼イデオロギーの牙城になっているなら、国家指導者の参拝は不可というコメントに、安倍さんはどう答えるだろうか。

（二〇一四年一月記）

増える「眼」の数

米通信諜報（シギント）の総本山、国家安全保障局（ＮＳＡ）が同盟国ドイツのメルケル首相の携帯電話を野党党首時代から一〇年間も盗聴していた問題は両国関係を混迷に陥れたまま、いまだに出口が見えない。二〇一三年一〇月、週刊誌「デル・シュピーゲル」がＣＩＡ元契約職員、エドワード・スノーデンが持ち出した膨大な米政府機密文書を解析して、在ベルリン米大使館が大掛かりな通信傍受活動を実施する中で、メルケル首相の携帯電話も盗聴対象にしていたことを暴露した。仰天したメルケル首相はオバマ米大統領に猛抗議し、政府間で「スパイ禁止協定」の締結を模索したが、米国側は渋り続けている。

ドイツ人の感情をさらに害したのは、二〇一四年一月一七日にオバマ大統領が行ったNSA改革演説だった。大統領は「情報コミュニティに指示したが、我々は今後、差し迫った国家安全保障上の目的が無い限り、極めて近しい国々や同盟国の元首や政府首脳の通信をモニターしない」と言明した。盗聴自粛の公約に受け取れるものの、国家安全保障上の差し迫った目的があるかどうかは米国政府の恣意で決まる。要は今後も状況次第で盗聴することもあると婉曲に居直ったに等しかった。

メルケル首相は同月二九日、議会演説で「目的が全てを正当化し、技術的に可能なら何でも実行してしまうような方策は信頼を壊し、不信を広げる。その結果、安全保障は強化されるどころか損なわれる」と厳しく批判した。また、検事総長は違法な盗聴事件として立件できる条件が整ったと述べた。

とはいえ、メルケル首相はオバマ大統領の招請を受けて年内に訪米する意向を示すなど、厳しい口調の割に反撃の動きが鈍い。左翼党のギシ委員長は「自国法制への敬意よりアメリカ政府を怖がる気持ちの方が大きいからだ」とくやしがって非難した。

なぜか。シュピーゲル誌の分析によると、どうやらドイツ政府や情報機関は米国政府がイスラム過激派などについての情報共有の蛇口を閉めてしまうことを懸念しているらしい。スノーデン文書によると、通信情報収集では、かつてエシュロンと呼ばれた米、英、カナダ、オーストラリア、ニュージーランド五カ国のネットワーク「5アイズ(眼)」が圧倒的な優位に立っているが、九・一一テロ後、国際的な連携関係を広げるようになった。基本的にはNSAと情報交換協定を結んだ欧州諸国で「サード・パーティ」と呼ばれる。国の数で「9アイズ」や「14アイズ」と命名されるグループだが、ドイツはそこから仲間はずれになることを恐れている訳だ。この情報交換ネットワークは、自国民対象の通信傍受が法で禁じられている場合、外国機関による自国情報の収集に期待することもあるというから、この世界の闇は深い。アジアには「10アイズ」ネットワークが存在するという説がある。5アイズとNATO、日本、韓国、タイ、シンガポールという構成だ。ドイツから眼が離せない。

（二〇一四年二月記）

小野田寛郎氏に共感する若い世代

名実ともに最後の日本帝国軍人だった小野田寛郎氏が二〇一四年一月一九日、世を去った。フィリピンのルバング島で戦い続け、六〇歳になったら敵に身をさらして討ち死にするつもりだったそうだが、九一歳の大往生だった。晩年、日本の国権が侵害されているにもかかわらず愛国心が高まらないことに悲憤慷慨していたものの、ぼろぼろの軍装で日本刀を引っ提げてジャングルから現れた一九七四年当時の精悍さと狂熱の視線はもはや失われていた。

なぜ小野田陸軍少尉が日本の敗戦を知りつつ二九年間も無益としか思えない戦闘態勢を捨てなかったのか。ニューヨーク・タイムズのロバート・マクファッデン記者は「彼の孤立無援という苦難は世界中の多くの人にとって無意味な消耗に映ったかも知れないが、日本においては義務と不撓不屈という酬われるべき美質を思い出し、心を揺すぶられるよすがになった」と書いたが、けだし最良の弔辞だった。日本のジャーナリストになぜ書けないのか。残念である。

四〇年前、すでに理解し難かった小野田さんの心情を忖度するには今や時代が変わりすぎたようにみえる。

ところが、インターネット上には若い世代の共感の発言があふれている。先般の都知事選で田母神元航空自衛隊幕僚長が予想以上の善戦を演じた基盤がここでも露呈している。戦争を知らない世代の好戦的ナショナリズムが中韓両国の露骨な敵対感情に反発して高まっているのである。和歌山県の良家に育った小野田寛郎氏は軍国主義青年というより海外雄飛を夢見るビジネスマン・タイプだった。十代から零細商社の中国・漢口（現武漢市）支店員として、じかに植民地主義の弱肉強食の世界に触れ、勃興する日本のアジア覇権を実現させる夢を結んだ。コーカサス人種中心の世界支配体制への反発が募ったはずだ。経理将校だった兄、拓郎が石原莞爾将軍のアジア主義心酔者であったことも影響した。しかし時代は交易から戦争へと激変し、小野田青年は応召兵士から予備士官学校への入学、さらに陸軍中野学校二俣分校への編入というコースをたどる。小野田青年はまさに大東亜戦争の大義に洗脳されつつ、軍事的に破綻したフィリピン戦線に送り込まれたのである。

確かに中野学校の教官、あるいはフィリピン駐留の第一四方面軍情報幹部は、祖国と戦争の大義のため、ゲリラ指導者となって戦い続けよと教えた。しかし、軍部は大東亜共栄圏を構成する東南アジア諸国の文化と民族を侮蔑し、日本のために利用できる道具と見なしていた。小野田陸軍少尉はこの愚かな偏見から逃れられず、戦闘と称してルバング島民を殺傷し、牛や日常品を奪って生きながらえた。彼は帰国後もフィリピン人を「ドンコウ」（土民野郎の意味か）と呼び続けていた。これでは、罪への悔恨が加わってジャングルを出る決断がつかなかったのは当然である。若い世代は彼の取り返しのつかない過ちを見落としてはなるまい。

（二〇一四年四月記）

二〇一五年

台湾のヒマワリ学生運動

台湾の大学生たちが二〇一四年三月中旬、突如として立法院（国会）、次いで行政院（内閣府）を占拠したのは寝耳に水の出来事だったが、最も驚いたのは中国の政治指導部だろう。学生たちは前年六月に中台間で調印されたサービス貿易協定が台湾の中小企業や労働者に死活的な不利益をもたらすと反対、国会批准を遮二無二成立させようとする馬英九政権に身体を張って待ったをかけた。同文同種である台湾の若い世代に対中警戒心が強いことが露呈して、「祖国統一」の夢の実現どころか、近隣諸国への影響も心配されるからだ。

中国国務院台湾事務弁公室が学生たちを批判し、タカ派の環球時報も「民主主義を路上に投げ捨てる」愚か者と罵った。一党独裁の国が民主主義を講釈するのだからその狼狽ぶりが分かる。「アラブの春」に通じるムードが台湾海峡を渡って国内に伝染したら二五年前の天安門事件の再現すらあり得る。

実は、台湾は学生運動が盛んな土地である。李登輝総統が一九九〇年、中国の正統政権という虚構を捨てて台湾化と民主化の道に踏み出すきっかけを作ったのは後に「野百合学運（三月学運）」と呼ばれた学生六〇〇〇人の座り込みだった。馬英九政権が発足した二〇〇八年、中国の陳雲林両岸関係協会会長が来台すると抗議行動を起こしたのが「野イチゴ学運」、そして今回が「ヒマワリ（太陽花）学運」である。学生たちは強引なロシアのクリミア自治共和国併合にも危機感を募らせたはずだ。

立法院占拠は警備の不意を衝いてごく平穏に実行され、報道陣も出入り自由。若者たちはスマホやタブレットを駆使して動員や支援態勢を構築した。しかし、行政院への侵入行動には警察が放水銃を動員し、警棒を使ったのでけが人が続出、血まみれの若者たちの映像が市民の共感と同情を集めた。三月三一日、台北市の中心で行われた集会は警察調べでも一一万六〇〇〇人が参加して大成功だった。

立役者は「黒色島国青年陣線」という団体の代表である国立台湾大学政治系大学院修士課程、林飛帆君（二五）と同志の精華大学院生、陳為廷君（二三）の二人。林君は二〇〇八年総統選で民進党の蔡英文女性党首（当時）の運動員を務め、「野イチゴ学運」でも活躍した。出身地の台南市では二〇一四年二月、中華民国初代総統、孫文の銅像を引き倒す事件が起きたほどだから中国本土への反発は元々強いのかも知れないし、与野党間の権力闘争も透けて見える。一方、陳君は日本のネットメディアに「一九七〇年代の日本の学生運動に魅力を感じる。今回は東大安田講堂占拠事件をイメージした」と語った。二人が演壇に立つと女子学生の黄色い声援が盛り上がり、イデオロギーの硬さは感じられない。

中国は世界第二の経済大国として世界中にビジネスがらみの援助と愛想を振りまいているが、いかんせんインターネット上の対話やつぶやきすら監視し、介入する国柄である。個人の自由と人権を無視して、若者になつかれるはずがない。

（二〇一四年四月記）

比に舞い戻った米軍

オバマ米大統領のアジア四カ国歴訪最大の成果は、見え見えの演出とはいえ、フィリピンとの防衛協力強化協定（ＥＤＣＡ）の調印だった。米軍がスービック海軍基地、クラーク空軍基地から撤退してから、ほぼ二二年ぶりにルソン島に舞い戻ることになったのである。これまで米軍は一九九九年の訪問軍協定によって小規模の対テロ要員の派遣と米比合同軍事演習「バリカタン」の実施を確保してきたが、新協定では数千人規模の部隊をいつでも派遣可能となるだろう。

フィリピンは非核条項を持つ一九九二年憲法で外国軍の基地、部隊駐留を禁じているため、協定内容は米軍部隊がローテーション方式でフィリピン軍の基地を使用し、同時に作戦用物資（核兵器を除く）を備蓄することを骨子としている。なにしろ憲法違反すれすれだから、両国は議会の批准を必要としない行政協定（エグゼクティヴ・アグリーメント）として締結し、立法府の批准行為を避けてしまった。エグゼクティブの実質的意味は大統領の対外交渉権のことで、その約束は政権が変われば、破棄も可能。つまり米国は東アジア外交での最大の相手国である中国の出方を観測しつつ、フィリピンを戦略拠点として使えるというわけである。

オバマ政権はアジアに再び軸足（ピヴォット）を置く安全保障の重点政策として、中国のA2／AD戦略（接近阻止・領域拒否）に対抗する空海戦力を展開させ、①ミサイル奇襲に対して安全なオーストラリアへの海兵隊の長期寄留②マラッカ海峡防衛のための沿海域戦闘艦（LCS）のシンガポール定期的寄港を実現させたが、戦術的重点地域の迅速制圧に投入する海兵空地任務部隊（MAGTP）の作戦基地としてはオーストラリアのダーウィンではいかにも遠すぎた。その点、フィリピンは不沈空母ともいうべき地の理で、現在と近未来での米中海洋戦力の優劣を考えると、中国が南シナ海を軍事制圧する夢は実現不能になったに等しい。

使用する基地はどうやら五カ所ほどで、最有力候補は比中両国がにらみ合うスプラトリー諸島に近いルソン中部ヌエヴァエシハ州のフォートマグサイサイ基地とされている。

それにしても、中国の強圧的な対ASEAN外交施策は米産軍共同体を喜ばせるばかりで得策とは思えない。オバマ大統領が帰国したばかりの二〇一四年五月三日、ベトナムと紛争が続くパラセル（西沙）諸島海域で中国海洋石油（CNOOC）が深海用リグを使って石油探査を実施すると発表、半径約四・六キロの立ち入りを禁止した。フィリピンに続いて領海線問題で穏健に話し合っていたベトナムへの明らかな挑発行為である。中国外交当局は同大統領のアジア歴訪に対して慎重な対応に終始したものの、指導部は強烈なしっぺ返しを準備していたのかも。しかし習近平主席の来訪に焦点を合わせたウイグルの爆弾テロから国民の目を逸らすためという一部の推測が当たっていればきわめて危険である。

（二〇一四年五月記）

二〇一四年は、国際安全保障の歴史の分水嶺を築いた年として記憶されるのではないだろうか。長年、多くの外交・軍事専門家が大戦争勃発の最も危険な火だねと看做してきたウクライナ、台湾を中心とする南シナ海の緊張が一気に高まった年だからである。

無い袖を振る愚劣な論議

両地域は、文明の衝突を預言した故サミュエル・ハンティントンが諸文明間の狭間に設定したフォルトライン（断層線）に所在する。そして、近年最も多産な業績を持つ国際政治学者、米ジョンズ・ホプキンス大学のマイケル・マンデルバウム教授が「非好戦化」の世界的傾向を覆す可能性をもつ大国として挙げたロシアと中国がからんでいる。その両国が遂に天然ガスの長期需給協定を結んでパートナーシップの度合いを一挙に高めた。シリアへの軍事介入をためらって弱腰批判を浴びていたオバマ米大統領が五月末、ウエストポイント（陸軍士官学校）卒業式で、「米国は孤立を選ばず、（軍事的）干渉も辞さない」と叫んだのは当然の帰結であり、ヘーゲル米国防長官がシャングリラ対話の場で中国を厳しく牽制したのは示威の第一弾であった。

マンデルバウム教授は早くも一九九八年に発表した論文「大戦争は時代遅れか?」で、中露両大国が好戦的になる要因として周辺地域で発生する分離独立運動と民族国家としての失地回復願望の二つを指摘していた。二つとも複雑な人種対立、民族文化を背景としており、理屈で話し合いがつくような問題ではない。だからこそ事態は深刻なのだ。

にもかかわらず、我が国では集団的自衛権の範囲をめぐって悲惨なほど空虚な論争が続いている。現実に主権国家の存亡を脅かす武力紛争が発生すれば、非核武装の日本は米国との同盟関係に頼って一緒に行動する以外の選択はない。もちろん戦局次第で武力行使の範囲は政治の思惑を飛び越えて拡大せざるを得ない。その時、真の問題になるのは文民の最高政治指導者が軍事機構の暴走を抑え切れるかどうかなのである。

なぜ空虚な論争が続かざるを得ないのか、誰でも知っている。憲法第九条第二項、「陸海空軍その他の戦力はこれを保持しない。国の交戦権はこれを認めない」で縛られる限り、まともな政治家は安全保障問題でリアルポリティクス（現実主義外交）の立場を公にできないからである。条文をいかに解釈して自衛隊の存在を肯定しようとも、この国には交戦権が無い。その無い袖を振らねばイクサはできない。憲法に従うべき立憲政治家が有事になれば真っ先に憲法を破る宿命を背負う。

日本国憲法の淵源をたどればドイツの大哲学者、イマヌエル・カントの論述、「恒久平和に向けて」に遭遇する。だが、それは国際平和の前提条件として共和制国家体制の確立を挙げ、共和国が常備軍を廃止するステップを踏む構図である。人類社会は未だそんな条件を実現していない。カントが論文の題名を墓碑の文句から採用した苦いユーモアを噛みしめて思いを巡らすべきである。

（二〇一四年六月記）

イスラム国（IS）の登場

シリアの泥沼の中から宗教戦争という怪獣が浮上してきた。シリア、イラク・シリア・イスラム両国に支配地域を広げるジハディスト集団、イスラム・スンニ派支配の「イスラム国」樹立を宣言、カリフ（預言者の代理人としての国家最高指導者）に首領のアブー・バカル・バクダーディ（四三歳）を戴いたと声明したのだ。ISは元来、シリア反政府勢力に属していたアルカイダ分派。シリア北東部の拠点を占領して急速に力をつけ、六月に入ってイラク北部のモスル（人口二〇〇万人）とかつての独裁者、サダム・フセインの生地、タクリットを電撃攻略、首都バグダッド近郊まで進出している。真っ先に製油所、水力発電所、穀物倉庫を確保するというから、戦闘集団としての能力は並みではない。

ドイツのシュピーゲル誌電子版によれば、ＩＳＩＳはアラブの若者たちにビン・ラディンを失ったアルカイダを超える人気を誇る。現有兵力は推定七〇〇〇人から一万五〇〇〇人の間で、うちマグレブ諸国、チェチェンなどの外国人が三〇〇〇人という。

敵対勢力には斬首を含め容赦ない大量処刑で酬い、モスル攻防戦ではイラク政府軍部隊がパニックに陥って制服を脱ぎ棄てて逃走した。典型的なサイバー・テロリスト集団で、ブログやツイッターに残虐な写真、ビデオを流して恐怖と支持者の熱狂をあおっている。ネット上に年次作戦報告書を掲載し、昨年の作戦数は一万件で、標的殺害一〇〇〇件、爆弾攻撃四〇〇〇件、政治犯の解放などが含まれるとか。資金を提供する湾岸諸国のスンニ派富裕層を株主に見立てた経営報告らしい。その一方、モスル攻略では銀行の金庫などから四億五〇〇〇万ドルを強奪したとも。アサド政権と裏で取引し、支配下の油田で産する石油を売ったりしているというからしたたかだ。

イラクのマリキ政権はシーア派偏重でスンニ派の信頼を失った。イラク北部ではサダムの残党やスンニ派部族がＩＳに合流、空軍力の微弱な政府軍を圧倒した。結局、オバマ大統領は軍事顧問団約三百人を派遣、無人機がイラク上空で情報収集を開始している。

シーア派の最高指導者、シスターニ師はＩＳが聖地カルバラ、ナジャブ、サマーラの破壊を目論んでいるとして、シーア派住民に「武器を取れ」というファトワ（指令）を発した。ここまで至ると、中東情勢のねじれは極端となり、米国がマリキ政権の後ろ盾であるシーア派大国、イランと手を結ぶという奇妙な構図すら透けて見えてくる。

内実はイスラム宗派戦争の色が濃くなり、第一次大戦後、英、仏、露三国で勝手にオスマン帝国を分割したサイクス・ピコ協定を基本とするアラブの国境線が百年ぶりに変わる可能性すら出てきた。IS支配の「スンニスタン」、バグダッド以南の「シーアスタン」、クルド人独立国家の樹立による「クルディスタン」、アラウィー派、アサド政権が残るシリア地中海沿岸部の「アラウィスタン」である。

（二〇一四年七月記）

インドネシアのオバマ

スラム育ちの男が世界最大のイスラム国家であるインドネシア国家元首の座に登りつめた。愛称ジョコウィで知られるジョコ・ウィドド・ジャカルタ特別州知事で、二〇一四年七月二二日、選挙管理委員会が大統領選挙での当選を発表した。史上まれな大激戦で得票率は五三・一五％、相手の元陸軍特殊部隊司令官、プラヴォオ将軍が四六・八五％という僅差だった。予想されたようにプラヴォオ陣営は不正による選挙無効を選挙裁判所に提訴。判決はまだだが、紆余曲折はあれジョコウィ第七代大統領が一〇月下旬に就任するだろう。

ジョコウィは五三歳。中部ジャワ・スラカルタ（ソロ）市の家具職人の息子として生まれ、幼時、一家は三回も家の立ち退きを迫られる貧しさだった。一二歳から働き始め、苦学して国立大学林学科を卒業。家具販売と不動産ビジネスで成功した。二〇〇五年に生まれ育ったソロの市長となり、欧州を模範としながらIT技術を行政に活用、二期八年で同市の再生と美化に成功した。一二年から首都圏知事に就任して全住民を対象とする医療保険制度を発足させ、「インドネシアのオバマ」という呼ぶ方も生まれた。

インドネシアは建国以来、軍と知的エリート層出身者が権力を握り、三〇年近く続いたスハルト独裁体制の崩壊以降も汚職腐敗の支配構造は変わらなかった。アジア金融危機の影響を受けて経済成長が鈍化する中で所得格差が広がった。とりわけ農漁村部の不振が長引き、都市部の急速な膨張がイスラム過激派の温床となり、それが国軍、警察の人権無視を助長した。

自治体首長としてのジョコウィは市民との対話を重ねながら行政の能率化を進める一方、全公的活動をユーチューブで流し、収入も公開するガラス張り行政で全国的な人気を獲得した。野党連合を束ねるメガワティ闘争民主党党首が大統領選候補者として白羽の矢を立て、副大統領候補に非ジャワ地方の代表としてスラウェシ出身のユスフ・カラ元大統領を配した。カラ氏は旧スハルト派の牙城、ゴルカル党の党首を務めたベテラン政治家で、ゴルカルの内紛が今回選挙戦の激烈度を増した点は否めないだろう。

ブラヴォオ陣営は選挙運動中、猛烈なネガティヴキャンペーンを展開、ジャコウィを「シーア派の支持候補」「中国人のキリスト教徒」、さらには「コミュニスト」と呼んだ。この罵倒の文句がインドネシアが抱える社会矛盾であるイスラム世界の深刻な内部対立、華僑・華人への偏見、所得格差による社会分裂を反映していることは間違いない。舵取りを少しでも誤まれば、タイと同様、流血の暴動やクーデターが起きかねない危うさを克服せねば外国投資も望めないのだ。

ジャコウィは与党が議会内少数派というねじれを抱える点でもオバマ米大統領と似ている。さらに財政赤字の元凶である燃料補助金の削減は自家用車を持つ層、持たない層の利害を反映してきわめて難しい。

（二〇一四年八月記）

（注）ジョコウィ政権は二〇一九年、二期目に入り、闘争民主党、ゴルカル党を中心とする与党連合が議会内に安定勢力を確保、首都移転や人材育成制度に挑戦している。何と言っても、燃料補助金撤廃の問題を乗り切った大統領の手腕が大きい。

一九六九年当時、カナダのピエール・トルドー首相は米国との関係について、「言ってみれば、ゾウと添い寝をしているようなもの。この動物が仲良し、あるいは、おとなしい気質だとしても、体をびくっとさせたり、低く寝言を言うたびに気を遣う」と感想を述べて話題になった。超大国と長大な国境で接する国の指導者にとって、それは逃れられない宿命だが、日本の政治家もカナダから学ぶことが沢山ありそうだ。

ゾウに添い寝の宿命

カナダは北大西洋条約機構（NATO）原加盟国の一つであり、米国と共同で北米宇宙防衛司令部（NORAD）を運営している。いわば集団自衛体制の大先輩だが、ベトナム戦争とイラク戦争ではあえて参戦を断わった。対米関係の重圧の下で歴代の首相は国連中心主義の原則を守り、世論を弁えて苦渋の決断を重ねてきたのである。これに対しホワイトハウスの対応は横暴を極めている。

ディーフェンベーカー一三代首相（進歩保守党）は一九六〇年代、地対空ミサイル「ボマーク」の核弾頭装備を嫌ってケネディ大統領と対立、六三年のキューバ危機ではカナダ軍の緊急態勢強化を渋った。ケネディ大統領はカナダの国政選挙に腹心の選挙コンサルタントを派遣、野党側を支援した。

ピアソン一四代首相（自由党）はベトナム戦争への派兵を避け、一九六五年四月、フィラデルフィアのテンプル大学で行った講演で米政府政権に北爆停止を勧告した。翌日、ジョンソン大統領はキャンプデーヴィッドで会談すると、ピアソン首相の背広の襟をつかんでつるし上げ、「この野郎。おれの部屋の敷物に小便を引っかけやがって」(俺のシマで勝手なことをしたなという意味）と罵ったという。公式記録は残っていないが、同首相は後で会談が刺々しいものだったと認めた。

一九七〇年、ニクソン大統領はカナダ下院で演説した中で、「両国は警備なき国境線を共有している。その意味は、両国が意見の相違を戦争せずに友好的に議論する方法を発見してきたからだ」と述べた。戦争も辞さないぞと脅したに等しい発言だ。同大統領は米国を出し抜いて中国と外交関係を結んだトルドー一五代首相（自由党）が大嫌いだった。

クレティエン二〇代首相（自由党）は二〇〇三年、国連が関与しない英米両国のイラク戦争に反対して派兵しなかった。その代償にアフガニスタン戦争には深入りし、兵力約六万余のカナダ軍が今年までに死者一二八人、負傷者一八〇〇人余の犠牲を払っている。

相次ぐ戦争で国力を疲弊させた米国といえども、戦争を知らない国粋主義者が鼓吹する反米主義は非常に危なかしい。安倍首相の靖国訪問も例外ではなかった。戦後の米国・カナダ関係を振り返れば、カナダがいかに米国に妥協を重ねつつ、国連主義や機能主義外交を盾に取って米国の圧力を交わしてきたかがわかるだろう。日本外交はカナダを範として非対称性を乗り越え、集団自衛権問題での主体性を失ってはならない。

（二〇一四年九月記）

（注）二九代目のジャスティン・トルドー現首相は、ピエール・トルドー首相の長男。

朝日新聞のスキャンダル

釈明すればするほどボロが出る。天下の朝日新聞がそんな無限地獄に落ちてしまった。二〇年余りも垂れ流しのままにしていた韓国人従軍慰安婦に関する意図的な虚報と吉田福島第一原発所長の証言記録に関するスクープの誤報性を検証結果として認めながら、当初、謝罪の意思を表明しなかったのだから批判の嵐に見舞われて当然。原発のメルトダウンを想定外の天災のせいにしたまま、未だまともな反省の弁がない東京電力の元会長や元社長と酷似した心理構造だが、敗戦責任を国民に謝罪しようともしなかった、かつての軍部領袖の精神的末裔という気もする。

右からの朝日バッシングは取材における確認作業の重要性など内在的批判ではなく、この新聞の偽善的なリベラル体質への嫌悪と意趣返しの趣が強い。一方、朝日新聞の編集幹部が八月の検証記事掲載前に政府省庁などの取材先を回って事情説明しながらライバル紙の動きを牽制したという週刊誌情報は本当なのか。双方に胸がむかつく。

情報氾濫時代にあって、新聞の存在意義は的確なニュースヴァリュー判断と正確な事実の伝達にあるといわれる。しかし、個人的な体験では新聞社の編集機構内で平素、時代動向について自由活発な意見交換が行われることは滅多にない。普段の編集会議ではその日の当番の幹部がニュースのメニューと主な記事の内容説明を聞いて了承するだけである。結局、出稿部のデスク（編集担当者）が社是、社風と呼ばれる伝統的価値観を体した上で、社内の力関係を読み抜いて自分のカン（ニュースのヴァリュー判断）によって記事の方向性を決める。時代を読む知性や理性が働く余地などほとんどない。

編集現場のデスクたちが拠り所にするのは各新聞社が掲げる編集綱領のはずだが、中身は民主主義や人権の擁護と言論の自由の堅持とかの抽象的な建前であって、ニュース採用の決断には役立たない。デスクは社内の空気を読むだけの話で、読み違えれば己の保身が危うい。とりわけ朝日の場合、読売のような強烈なリーダーがいないし、有力地方紙のような独裁的オーナーもいない。つまり権力や権威の中枢は空っぽで、心理学者、故河合隼雄が唱えた日本文化の深層である「中空構造」そのものである。リベラルが嫌ったり、無視したがる天皇制のありようにも通底し、実は日本的、あまりに日本的なのである。

結局、日本の新聞社が頼るのは理屈抜きで森羅万象の中からニュースを作り出す職人的資質、才能であり、その意味で信条のバックボーンなど欠いている。ジャーナリズムの営為とはひとりぼっちの作業で、巨大な組織といえども突き詰めると支援システムに過ぎない。欧米の新聞社はそこを十分認識して、古くから記事の署名制を採用していた。

大切なことを忘れていた。組織の上に立つ者の究極の役割は代表して責任をとることである。できれば結果責任ではなく心情責任であってほしい。引き際の美学でもある。


（二〇一四年九月記）

二〇一五年

シーア派イランの台頭

世界的イスラム学者、井筒俊彦氏（一九九三年死去）によると、イスラムと政治社会の関わり方には三つの流れがある。第一はシャリア（イスラム法）を奉じる共同体（ウンマ）の完全実現を目指すスンニ派、シャリアが内包する神の啓示解釈を高位のイスラム学者に委ね、政治と宗教の間に立たせるシーア派（正確には同派の十二イマム派）、イスラムを個人の内面的な信仰に限定してひたすら神との一体化を目指すイスラム神秘主義（スーフィズム）である。現代のイスラム神秘主義はスンニ派の原理主義（サラフィズム）とも親近性があり、欧米流の近代化を図る世俗的支配者を異端として排撃するジハド主義者の殉教精神の拠り所にもなっている。

最も正統的でイスラム世界の多数派であるスンニは歴史的に他の二潮流を厳しく抑圧してきたが、イランのシーア派は一九七九年、ルホラ・ホメイニ師を最高指導者として王制を打倒、「イスラム共和国」を建国して以来、イスラム革命の宗主として勢力を築いてきた。米ブッシュ政権が起こしたイラク侵攻作戦はスンニ派主体の世俗政権であるサダム・フセイン政権を崩壊させ、シーア派勢力の強大化に手を貸すという想定外の結果を招いた。シリアのアサド政権いじめも同政権がシーア派に近いアラウィ派中心だけにイランに活動の余地を与えた。一連の流れからあらためて浮かび上がったのは米国のイスラム理解の底の浅さである。

その中で、キッシンジャー元米国務長官がイスラム国（ＩＳ）への軍事対応に関連して、イランがイスラム国とは比較にならない勢力基盤を築いているので、地域帝国化する可能性があると警告したのは鋭い。イランはイラク・シーア派に加えて、国内クルド族、レバノン・シーア派集団のヒズボラ、シリアのアサド政権、イエメン北部のシーア・ザイド派、さらにはスンニ派ながらパレスチナのハマスやイランの経済援助に期待するオマーンを連携させ、資金や武器援助を行っている。昨年六月ごろから本格化したイスラム国への反撃作戦は、これらシーア派武装民兵集団が米国を中心とする空爆活動に支援された形で地上作戦の実質的な主役になっている。

その中心人物として脚光を浴びているのがイラン革命防衛隊の対外作戦機関、クッズ部隊司令官のカセム・スレイマニ少将である。イラン・イラク戦争で軍功を立て、一九九八年にクッズ部隊の統率者になってから中東各地で隠密に軍事作戦、謀略行動、民兵訓練に当たり、アラブ世界に分厚い人脈を築いてきた。アフガニスタンのタリバン対策では敵対する米国とも水面下で話し合いをしたというしたたかな一面もある。イランの最高指導者、アリ・ハメネイ師の信頼も厚い。

米国は同司令官をテロリストとして制裁の対象としつつ、イスラム国対応では無視できなくなっている。中東地域は敵の敵は味方という冷徹な現実主義しか通用しない場所なのである。一九五七年生まれ。


（二〇一五年一月記）

（注）スレイマニ将軍はイラン・イラク戦争で頭角を表したイラン革命防衛隊領袖。二〇二〇年、一月三日米無人機からのミサイル攻撃で死亡。在バグダッド米大使館攻撃に激怒したトランプ大統領の指令による。

フラターニティ（友愛）の裏表

二〇一五年のドアを押し開いてテロの銃弾を撒き散らしたパリの風刺雑誌社、シャルリ・エブド襲撃事件。その直後、オランド仏大統領に招かれたサルコジ前大統領は事件について、民主主義ではなく文明の問題であると評したという。その治政下、学校を含む公共の場でイスラム女性に顔を覆うニカブやブルカの着用を禁止し、さらには人口統計調査に「出身地別」の項目を加えた人物としては当然の見解だ。そしてフランスでホームグロウン・テロリストの増大を呼び込んだのは無為無策で若者を失業させたままのは、後継のオランド政権なのである。

サルコジ氏が元ハンガリー貴族とギリシャ系改宗ユダヤ人の間に生まれた移民二世であるように、フランスは国民の人種、信仰、民族を問わない開かれた共和国であることに誇りを持ってきた。その国是が近代市民社会の礎を築くフランス革命時代に生まれた「自由（リベルテ）・平等（エガリテ）・友愛（フラテルニテ）」であり、政教分離（ライシテ）が社会構成原理となった。ところが、旧植民地アルジェリアなどイスラム圏からの移民とその子供たちはイスラムの戒律と日常生活の分離を受け入れず、フランス社会の異分子となった。半世紀の間にイスラム嫌いの風潮が広がって、イスラム系の人々は郊外に集住し、貧困が教育と就業の不平等を生み、孤立を深めるままとなったのである。

「自由・平等・友愛」という成句が最初に政治的に用いたのは恐怖政治（テロル）の代名詞とされるフランス革命指導者、ロベスピエールで、国民軍創設を求める演説の中だったと言うのは因縁じみている。本来、独立した個人の自由と平等とは矛盾する規範だが、両立の根拠を与えるのが英語ではフラターニティ、信条を共有する者の連帯感なのだ。闘争の中で生まれる同志の感情であって、日本の訳語が想像させるような甘いものではない。

そのフラターニティが自由や平等よりも重い意味を与えられているのがイスラム共同体（ウンマ）である。コーランの中で力説されているのは唯一神に無条件で帰依する信者間の兄弟愛で、孤立する若者たちは神に媒介された信者、特にジハド従事者（ムジャヒディン）間の同志愛に救いを求めていくのである。

フラターニティは国連人権宣言などでは人類愛のように使われているが、どうもそうではない。源流をたどると一六世紀ごろに成立した秘密結社、フリーメーソンに行きつき、米国では優秀性を認め合った学生同志の助け合い組織が「フラターニティ」と呼ばれる。

ドイツの著名週刊誌「シュピーゲル」のオンライン記事はパリ・テロ事件の犯人の一人、アメディ・クーリバリの生い立ちをたどって「平等と友愛を実証するものはほとんどなく、幼いうちに自由すら失った可能性がある」と報じた。イスラム移民の子らは祖国喪失の絶望の中でイスラム過激派としてのフラターニティにたどり着くようだが、その経過が他の国々で起きても不思議はない。

（二〇一五年二月記）

おもてなしの主人公

首都圏のはずれの我が家近くで横断歩道を渡っていた学童を小型ダンプカーがはねて死なすといういたましい事故があった。現場には花束やドリンクなどを供える人がひきも切らず、ささくれた世相にも日本人の優しい心根は変わらないことが救いに思われた。

事故の一週間後、警察がひき逃げ被疑者を連れて大がかりな実況見分に来た。そばで見物していて私服警察官に現場を離れるよう指導されたのだが、その言葉が想定外であっけにとられた。どこから見ても日本人の男の口から「センシティブなマターなのでギャラリーはしないでください」と、英単語がメチャ多い警告だった。「さしさわりのある状況なので、見物（野次馬）は控えてください」という意味と思うが、ゴルフなどの観衆をさすギャラリーは誤用とはいえなくても場違いである。オンルッカーとかスペクテーターが適当なはず。

ともあれ、グローバル化が警察機構の中まで浸透したのだという体験は強烈だった。今時の警察官が取り調べ中も被疑者や参考人にこんな言葉で訊問しているとしたら、調書の文章はいったい、どんな具合なのだろう。想定不能である。

ポップスの世界にカタカナ言葉が氾濫するようになって久しく、作家や言語学者たちが百年以上かけて整えてきた近代日本語が英語文脈に乗っ取られてしまった事実にはあきらめの境地だ。おそらく中学校や高校の先生たちもこの警察官なみの言語感覚であろうし、そうであれば、もう矯正は困難なはずだからである。

しかし、言葉が国籍不明になるとコミュニティ意識もますます希薄になる。「オレはオレだ」というエゴイズムを制御する心の機能が衰え、やがて社会を制御する規範や倫理観も失われていく。心理学者、岸田秀はかつて「人間とは本能が壊れた動物である」と喝破したが、産んだ赤ちゃんの世話が面倒になって飢え死にさせるとなればまさに動物以下。高齢者介護施設の職員が手のかかる入居者を階下に投げ落として死なせたり、年金受給を継続するために親の遺体を押し入れに隠したり。ブラック企業の経営者は長く続ければ死や人格崩壊につながる長時間労働を平気で強いる。

対策立案に知恵を絞れという声でも出るのかと思っていたら、安倍政権の担当大臣から、大学の文科系は不要と示唆する発言が飛び出してきた。人生を豊かにする人文科学など捨てて勤労ロボットになれと言いたいのか。

幕末から明治初期に日本を訪れた外国人たちはこの国の庶民の質朴さに胸を打たれた。当時の清国や朝鮮王朝と比べて格段に優れた治安と衛生状態を目撃し、外国人目当ての犯罪は政治テロを除けばまれだった。伝統は今に残って、ここ数年、日本観光ブームが起きているわけだが、はたして現代日本人は先祖並みの礼節を保持しているだろうか。「おもてなし」に励んでも、内実はあさましい商業主義だけではないのか。普通の日本人としての躾をないがしろにすれば、やがて大きな反動に見舞われるような気がする。（二〇一五年三月記）

良心の叫びを持たない民族

歴史認識問題には欠かせない人物である統一ドイツ初代大統領、リヒアルト・ワイツゼッカー氏が二〇一五年一月三一日、九四歳で逝去した。第二次世界大戦終結四〇周年に当たった一九八五年、議会演説で「誰もが過去を我と我が身に引き受けねばならない」「過去に眼を閉ざす者は現在に対しても盲目となる」と戦争の記憶の保持と責任の継続を呼びかけ、あえて自国の無条件降伏の日を「解放の日」と規定した。ドイツ国防軍将校として戦闘に従事し、戦争末期にはヒトラー襲撃を企てたとして仲間の将校が処刑された痛切な経験の持ち主である。しかし、熟慮と率直な反省に満ちた発言ではあったものの、謝罪の言葉はなかった。ドイツは統一回復の前にも後にも国家間での賠償は果たしていないのである。

それから三〇年。同じ敗戦国の日本はいまだに近隣諸国から歴史認識を修正し、過去を復権させようとしていると非難され続けている。七〇年間、一度も武力を行使して他国民を死傷させたことがなく、湾岸戦争では兵力不派遣の代償に巨額の戦費を負担しながら国際社会に無視された国である。しかも一九九五年には村山富市首相が閣議決定で首相談話を発表し、「心からのお詫びの気持ち」まで表明したのだ。それなのになぜ？　総じて淡白な日本国民が、歴史問題を政治外交の道具として乱用するに程がある、と思ってしまうのは当然であろう。

あらためて戦争責任を考えてみよう。ワイツゼッカー演説の底流にあるのは実存哲学者、カール・ヤスパースの罪責論だといわれる。戦後間もなくの立論で、ナチドイツの悪業を背負わされたドイツ国民を集団的償いから救い出そうとする執念に貫かれているものの、普遍への志向性を失っていない。

ヤスパースは戦争の罪を①刑事上の犯罪（人道上の罪とも言い換えられ、国際司法裁判所で裁かれる）②政治上の罪（戦勝国の論理によって補償と政治的権利の喪失、制限が課される）③道義上の罪（他人に加えられる暴力を前に見て見ぬふりをしてしまった良心の呵責）④形而上の罪（多くの死者を見つつ生き残った根源的な罪悪感）に分類した（カッコ内は筆者の解釈）。四つの罪は重複することもあるが、集団責任を問われ、国家として対応しなければならないのは②だけであるとされる。

これを日本国民に当てはめるならば、①は東京裁判などで数多の戦争犯罪人が死刑を含めて既に罰された②国家間で賠償を約定し、請求権を放棄した中国には長く政府援助（ＯＤＡ）で対応した。

しかし、日本人は本当に外国に侵攻し、人々を戦火に巻き込んだ行為に良心の痛みを感じてきただろうか。ワイツゼッカーのように内外の犠牲者集団を克明に数え上げて哀悼しただろうか。生き残った者とその子として死者への想いを未来に向かって投射する真摯な行動を取っただろうか。安倍首相は戦後七〇周年の八月一五日を期して新たなステートメントの準備に忙しい。望みたいのは国際的に浸透する良心の叫びを発信することのみである。おそらく無理だろう。

（二〇一五年三月記）

海洋大国目指すインドネシア

インドネシアのジョコ・ウィドド大統領が二〇一五年三月下旬、日本を公式訪問して安倍晋三首相との間で両国合同の「海洋フォーラム」創設を決め、その足で中国に向かった。長く続いた軍官学エリート支配体制にくさびを打ち込むポピュリスト政治家として注目されているが、滞日中はしたたかに新幹線の導入をちらつかせつつ政府間支援の獲得と民間投資勧誘に努めた。トヨタなど大企業から巨額の投資の約束を取り付けたらしい。

愛称ジョコウィ大統領の船出は荒れ模様だった。国家財政をマヒさせていたガソリン燃料補助金の撤廃は世界的な原油値下がりを背景に成功させたものの、与党、闘争民主党の人事介入を防げなかった。党首、メガワティ元大統領の側近だったグナワン警察中将を国家警察長官に任命すると、泣く子も黙る汚職撲滅委員会（ＫＰＫ）が同将軍を不正蓄財の容疑者に指定、議会が人事承認に待ったをかけた。怒った国家警察はＫＰＫのサスッド委員長ら幹部の違法行為を次々と摘発、泥仕合になった。結局、裁判所がグナワン氏の容疑事実を否認し、大統領が人事やり直しとともにサスッド委員長の職務停止を命じるけんか両成敗でどうやら事態を収めた。相前後して大統領は目玉政策の一つである麻薬犯罪取り締まりの一環として外国人死刑囚の銃殺を強行、オランダやオーストラリアとの関係が悪化した。地方自治体の首長から一挙に国政のトップに登り詰めたため、治安、外交分野で未熟さを露呈した格好だった。しかし、この騒ぎを契機に大統領はメガワティの囲い込みを脱し、議会対策でもそつのなさを発揮し始めている。庶民政治家にしては意外にしたたかなのである。

ジョコウィ政権が打ち出したのは太平洋とインド洋に接した一万八〇〇〇余の島々からなるインドネシアを「世界の海のカナメ」にするという遠大な海洋国家構想である。ジャカルタ・ポスト紙のまとめた政策の五本柱は①インドネシア海洋文化の再建（海洋利用に国の未来がかかっているという認識の徹底）②海洋資源の維持と管理（水産資源に対する主権の確立）③深水港など海洋インフラ整備の優先（造船、物流、海洋観光の振興）④海洋トラブルの除去（違法操業、主権の確保、海洋権益の保全、海賊、汚染対応）だという。

その手始めが年間五〇〇〇隻に上るという近隣諸国や中国からの漁船取り締まりで、昨年末から拿捕した違法操業船を問答無用で爆沈するという強硬措置を実施した。さすがに南シナ海に手強い海上戦力を展開する中国の漁船は沈めていないが、スシ・プジアストゥディ海洋水産相は中国も例外ではないとしている。

インドネシアはこれまでＡＳＥＡＮの大国として域内諸国との摩擦は避ける姿勢だったが、大統領は海洋に関する限り国益優先を露わにしたわけである。そんなインドネシアに巡視船の供与などで全面的な支援を約束

した日本政府はまさに南シナ海の集団的安全保障に実質上コミットしたことになる。（二〇一五年四月記）

シルクロード裏街道

軍部主導の開放改革路線で注目を浴びるミャンマーにとって最大の問題は非ビルマ系民族勢力による粘り強い自立・分離運動である。同国内の少数民族は一三五もあるとされるが、自治行政組織や武力機構を持つカレン、シャン、カチン、アラカンなど一一の民族勢力が統一諸民族連邦評議会（ＵＮＦＣ）を結成している。テイン・セイン政権は二〇一五年三月末、ＵＮＦＣとの間でミャンマー全土停戦協定草案への調印に漕ぎつけたが、全面停戦と少数民族勢力の体制への統合が二〇一五年秋に予定される総選挙の成否のカギを握る。改憲と民主化を要求するスーチー女史ら野党勢力を抑え込むには国民和解の象徴としての停戦実現が現政権の正統性を担保するからである。

政府の懐柔工作がようやく成功しそうになった時、突発したのが北西部シャン州に居住するコーカン族との武力衝突だった。コーカン族とは清の時代から中国・雲南省とミャンマーの国境地帯に移住してきた漢族のことで、非同盟主義だったミャンマーが共産中国の建国を早々と承認したことからコーカンの同国帰属が決まったのだった。ビルマ共産党が壊滅した一九八九年以降、四川省出自の彭家声（フェン・チャセン）一族が中国の支援を受けて独立王国を形成した。軍政時代には当時の実力者、キン・ニュン首相との間で停戦を条件に特区扱いを認められたが、麻薬取り締まりを名目とするミャンマー軍の奪権行動に反発して蜂起、惨敗した。八四歳の彭家声が二〇一五年二月、配下の全ミャンマー民主同盟軍（ＭＮＤＡＡ）を動員、コーカンの中心都市であるラオカイ奪回作戦を発動させた。ミャンマー軍は少なからぬ死傷者を出しながら撃退したのだが、コーカンと友好関係にある同州内のワ州連合軍（ＵＷＳＡ）が反発、停戦協定に否定的な姿勢を打ち出した。ワ州の支配者は中国共産党と縁が深い漢族の鮑有祥（バオ・ユーシャン）である。

コーカン武力紛争はミャンマー空軍機が中国・雲南省で誤爆事件を起こし、中国側の猛烈な非難に直面し、テイン・セイン政権が外相を北京に派遣して詫びを入れた。その際、習近平国家主席がウインウインのシルクロード一帯開発政策の一環にミャンマーを組み入れていることを強調したのは言うまでもない。中国政府はコーカン問題で不干渉の立場を取っているが、中国の黙認が無ければ武器弾薬の確保も覚束ない。雲南省の党軍が関与していると見てよいだろう。

コーカン、ワの両地区はいわゆる黄金の三角地帯に属する世界最大のケシ栽培地域だ。中国の主要ミャンマー開発事業であるパイプライン敷設、水力ダム、港湾建設に関与している企業グループ、アジア・ワールドのボスはコーカン出身で麻薬王と呼ばれた羅星漢（ロー・シハン）＝二〇一三年死去＝と息子のスチーブン・ローことタン・ミント・ナインで、シンガポールに国外拠点を持つ。東南アジア情勢を読み切るには大物華人の動向観察を欠かすことはできない。

（二〇一五年五月記）

無邪気な火遊び外交

五年に一度の核拡散防止条約（NPT）再検討会議はみじめに流会したが、情なかったのは実は日本の外交である。安倍政権は積極平和主義という看板を掲げながら、核兵器使用の非人道性を正面から押し出して核兵器禁止条約を提唱する「核兵器禁止の誓約」運動の盛り上がりにしり込みした。安倍首相が会議直前にオバマ米大統領と会談し、核兵器廃絶はステップバイステップという合意を交わして五カ国による核寡占の現状を是認していた。米国追随の楽屋裏は見え見えだった。

日本は基本的にアメリカの核で守られている建前だ。だからと言って核兵器保有国の勝手な言い分を承認する義理はない。理想を掲げつつ現実に対応するのが外交というもの。広島、長崎の被爆七〇周年を記念する年だけに襟を正す姿勢を見せて欲しかった。

代わりに岸田外相が持ち出したのが各国指導者の広島、長崎詣での勧告条項案だったが、予想されたように中国の強硬な反対に直面した。日本が第二次世界大戦の歴史を歪めて加害者から被害者になりすまそうとしているというのは暴論だが、外務省も首相側近も中国のイチャモンを予想できたはず。例えば中国の南京大虐殺の犠牲者三〇万人という数字は原爆犠牲者数を上回って設定されているのだ。一国の外交をかくも想像力の貧しい人たちに預けていいのだろうか。

外務官僚ナンバー2の杉山晋輔審議官（政務担当）までニューヨークに派遣してやり合い、最終文書案には「核兵器の非人道的な影響を知るべく、被爆した人々やコミュニティとふれ合い、その経験を共有する」よう勧告する文言が盛られたが、それも結果的には没になった。外務省のホームページは鬼の首でも取ったように報告していたが、難問山積の会議で日中の応酬に時間を割かれた会議参加者はうんざりしたはずである。

各国首脳の広島、長崎訪問は望ましいが、はたして当事国が声を大に呼び掛けることだろうか。あくまで自発的な行動であってこそ意義があるはずだし、少なくとも出しゃばり嫌いの日本人の心情にそぐわない。まさか広島県選出の衆議院議員が外務大臣だから、外務官僚が国益そっちのけでゴマをすったわけではないだろう。

国内関連の国際トラブルでは長崎県端島の世界文化遺産登録問題もある。明治期日本の産業革命を象徴する遺構の一つとして申請したそうだが、韓国の朴槿恵大統領が、戦時中この海底炭鉱に自国人が強制徴用されていたと反対した。菅官房長官は登録の趣旨が違うと反論しているが、軍艦島と呼ばれる端島は別名監獄島とも呼ばれて、大陸の異民族どころか日本人ですら働くのを嫌がった。安倍政権はタコ部屋と呼ばれた過酷な労働環境が存在したことを忘却の渕に沈ませ、政府主導の富国強兵政策だけクローズアップさせている。寂れた島の高層建造物群の補修には数十億円規模の費用がかかるという説もある。外交での火遊びはいい加減にすべきだ。

（二〇一五年六月記）

はるかなる玉音放送

じりじりと万物が灼けるような暑さの中に奇妙な節回しで疳高い男の声が響く。満七歳の少国民だったからおおむね分からなかったが、「堪へ難キヲ堪へ忍ヒ難キヲ忍ヒ」というフレーズだけは耳の奥に残っている。いや、後付けの記憶かも知れない。千葉県の利根川べりの農家の納屋兼隠居所に女子供だけで疎開して聴いた終戦の玉音放送である。母や叔母たちは「戦争が終わったんだよ」と泣きながらもホッとして表情だった。数時間後、裏山をかすめる低空をずんぐりした米攻撃機が飛び去るのを見た。房総沖の空母から飛来したのだろう。本土砲撃寸前であった。

あれから七〇年。その機影に象徴されたアメリカの圧迫感の下で生きてきた。逃れるのは無理だった。戦時中、機銃掃射や都市爆撃を経験したが、戦後の飢えと屈辱がより以上に辛かった。貧乏な若者が苦界から脱出するには学業で人に負けない以外になかった。当然のようにマルクス・レーニン主義に染まった。しかし、革命を夢見ながらソ連や共産中国には違和感があった。六〇年安保闘争では「反帝反スタ」全学連の一員としてデモに明け暮れ、やがて高度成長と米国流の大衆消費の世俗にのみ込まれたのである。

当時の岸信介首相は辞任前、日米安保条約改定の真の評価は五〇年後に定まると捨てぜりふを残したと言われるが、彼が本当にやりたかった憲法改訂には今からもっと時間がかかりそうだ。

生き残りとしての体験的結論だが、憲法第九条は近代西欧文明の行き着いた極北、無機質の殺戮と敵の非力化を目指す無慈悲な行動に打ちのめされた敗北民族の悲鳴であり、同時に選択であった。二度と戦争の悲惨はごめんだ。平和のためには誇りも自尊心もいったん捨ててしまおう。廃墟と死者に囲まれ、徹底的敗北の自覚に裏打ちされた決意である。いみじくも終戦の詔勅が述べた。「尚交戦ヲ継続セシムカ終ニ我カ民族ノ滅亡ヲ招来スルノミナラス延テ人類ノ文明ヲ破却スヘシ」云々。それが出発点なのである。そして文明の破壊者が長く勝者として君臨した。

だが、時移ってあの敗戦を体験した世代は死に絶えつつある。もはや非戦の誓いを内面化する意志と論理は失われた。今、自虐史観の是正を叫ぶ「商業的軍国主義者」や逆「商業的毛沢東主義者」が核武装の問題を無視して勇壮な国益至上論を展開している。命名した故山本七平氏によれば、「商業的」とは常に勝者、支配者に寄り添って自己の利益を優先しつつ、国民に教訓を垂れ、反省を迫ること。この連中の先輩たちは敗戦するとすぐさま、アメリカ式民主主義のお先棒を担いだ。国粋主義は危険かつ有害無益である。

とはいえ、国際政治は未だ「万人が万人の狼」として対峙するトマス・ホッブスの世界であり、通用するのはカール・シュミットの唱えた「友か、敵か」の分別である。冷厳な実相を見失わないため、あえて憲法第九条に決別すべき時と直言したい。

（二〇一五年七月記）

ナチまがいの行動

二〇一五年八月上旬、クアラルンプールで開かれたアジア地域フォーラム（ARF）など一連のASEAN関連会議で中国外交は南シナ海問題で防戦一方に立たされ、強気を装いつつ後退作戦を続けた。王毅外相が紛争解決のため、一〇項目の新提案を出したというが、提案の中には域外国の不介入が含まれており、標的は米国。ついでに尖閣問題を抱える日本を蚊帳の外に押し出す効果を計算したかも知れない。しかし国際水域の平和利用に域外も域内もない。中国の強引さと独善姿勢だけが目立った。

南シナ海を中国の湖水にしてしまうやり口に最も果敢に抵抗しているのはフィリピンだが、ノイノイ・アキノ大統領の六月訪日時の言動は中国にとって強烈なボディーブローとなったようだ。習近平政権は九月三日、「反ファシズム戦争勝利七〇周年」を軍事パレードで大々的に祝う予定だが、アキノ大統領は六月三日、都内の民間フォーラムで南シナ海の領有を既成事実化しようと狂奔する中国を一九三八年、ズデーテン地方を武力併合し、チェコスロバキアの国家崩壊から第二次世界大戦の勃発に導いたナチ・ドイツになぞらえたのである。ナチズムはファシズムよりずっと鮮烈な悪印象をもたらす。中国外務省は同大統領を歴史知らずのアマチュア政治家とこき下ろしたが、中国共産党の抗日戦果論も歴史の検証に堪えられるものではない。

もっとも同大統領の発言の狙いは、米国など西側諸国が中国の行動を見て見ぬふりの宥和政策をとるならば、やがて地域の安定と平和が失われるという警告だ。二〇一四年二月、米紙ニューヨーク・タイムズとのインタビューで同じ趣旨を述べていたが、今回のタイミングはより強烈だった。その割に日本のメディアが大きく取り上げないのは途上国軽視と相変わらずの中国への気兼ねと忖度だろう。

アキノ大統領の親日発言はこれにとどまらない。衆参両院合同本会議での演説では日本がフィリピンにとって最大のＯＤＡ（政府開発援助）供与国であることに謝意を表明したが、中国首脳は鄧小平氏を除いて日本の開発援助に言及したことはあまりない。さらに、宮中晩さん会で天皇が先の戦争でフィリピンを戦場としたことに痛恨の意を披歴したのに対し、アキノ大統領は「過去に経験した痛みと悲劇は相互尊重、尊厳、連帯に根差した関係構築に努めるという貴国の約束によって癒されました」と答えた。安倍首相の戦後七〇周年談話はこのやりとりを超えるものになるのだろうか。

アキノ大統領はフィリピン独立戦争の軍事指導者で死刑宣告を受けた曾祖父、日本占領時代に下院議長を務めて巣鴨プリズンに収容され、反逆罪に問われた祖父、マルコス独裁に抵抗し、命を狙われるのを承知で帰国、マニラ空港で暗殺されたベニグノ・アキノ元上院議員を父を持つ。母のコラソン・アキノ女史が大統領時代、軍事クーデターの渦中で銃撃されてひん死の重傷を負った人物。中国の脅しに屈するようなDNAは持っていない。

（二〇一五年八月記）

日独メディアの実力差

ドイツを代表する自動車企業、フォルクスワーゲンAG（VW）が米環境保護局（EPA）から不正ソフトで排気ガス検査をくぐり抜けていたことを摘発され、未曾有の危機に直面している。アウディ、ゴルフ、ビートルなどVW車種は乗り心地、性能、堅牢性、機能的デザインで他の追随を許さず、日本でもファンが少なくない。まさにドイツ製造業の代表選手だった。

なぜ、クリーンを標榜したディーゼル仕様車に詐欺にひとしい仕掛け（デフィート・デヴァイス）を組み込み、米政府規制上限の四〇倍近い窒素酸化物などの有害物質を撒き散らすことになったのか。解明は今後の調査報道や検察捜査に待つとしても、明白なのはVWの首脳部が世界トップの座を狙う野望が火種であることだ。実際、二〇一五年上半期の新車販売台数では初めてトヨタを凌駕し、得意満面だったマルティン・ヴィンターコルンCEO（最高経営責任者）が九月一八日のEPA発表で栄光の高みから恥辱にまみれて辞任するまで、わずかな時間だった。米政府の制裁金だけでも総額一八〇億ドルと噂されるばかりか、傷ついた企業イメージの損害は計り知れない。VWばかりではなく、ドイツ産業界、ひいてはドイツ経済、欧州連合

（EU全体の景気にも影響を及ぼしかねない。

今回の問題で、ドイツの高級週刊誌「デル・シュピーゲル」は九月下旬、「VWスキャンダル　ドイツ産業界が傲慢さを捨てる時」と銘打った記事を掲載、ドイツを代表する巨大企業が時代の要請を的確に把握せず、いつの間にか輝きを失っていたと厳しく批判した。記事の冒頭、ヴィンターコルン前CEOが一年前、「傲慢と思い上がりがドイツ産業にとって最悪となる可能性がある」と言及していたことを皮肉り、二つの悪徳が今やドイツ経済界に蔓延していると論じたのである。

VWばかりではない。金融商品取引のあぶく銭に目がくらんだドイツ銀行、メルケル首相の原発脱却方針や世論の動向について行けず、再生可能エネルギーの開発に消極的な電力会社のエーオン、ライン・ヴェストファーレン（RWE）。ルフトハンザ航空も格安航空の攻勢にたじろいでいる。

言うまでもなくVWのディーゼル一辺倒は時代錯誤である。米国ではテスラ社が無公害の電力自動車の実用化を進め、アップルやグーグルがIT技術を取り込んで「運転者不用車」の開発に着手しようとしている。シュピーゲル記事は、このままではVWは早晩、部品供給業者の地位に落ちてしまうだろうと手厳しい。

翻ってTPP交渉妥結で高度技術国家への道しか選択がなくなった日本はどうか。電力各社が長期戦略も描けずにずるずると既存原発の再稼働に向かい、東芝は長年の粉飾決算でソニーの落日から何ら教訓を得なかったことがばれた。東京五輪準備で失敗続きのオリンピック組織委員会のトップは居座ったまま。最も情ないのはシュピーゲルほどの論陣も張れないメディアの無力である。

（二〇一五年一〇月記）

横須賀配備の米ミサイル駆逐艦「ラッセン」が南シナ海で中国が領有権を主張し、軍事要塞に仕立て上げたスプラトリー諸島スービ礁近くで「ショー・ザ・フラッグ」の誇示航行をやってのけた。安倍政権がオーストラリア政府と共に、この「航行の自由」作戦（FONOP）を支持したのは、ためらいがちのEU諸国やASEAN諸国、韓国に比べてかなり突出した動きだったが、安保関連法制審議で解釈改憲に大騒ぎした大手新聞の論調にパンチが欠けていてがっかりした。

おめでたい新聞社説

日本経済にとって死活的な重要性を持つ海洋で一触即発もあり得る軍事ショーがあったのに、どの社説もノーテンキに米中両国に自制を促したりしている。安保関連法制が成立した今日、米国が要請するかどうかはともかく、自国の集団的自衛権行使の可能性と影響を真剣に考えてほしいと思う。

タカ派が売り物の産経新聞の社説は「日本は危機感を共有する国々に呼びかけ、結束して米国を後押しすべきだ。多国間パトロールの参加やフィリピン、ベトナムの海軍、沿岸警備隊の能力向上支援など日本にとっての課題は多い」と威勢がいい。しかし、集団的自衛権の適用範囲かどうかについての判断を避けた高姿勢は粗暴にすぎる。

読売新聞社説の表題は「中国の軍事拠点化は許さない」と高飛車。一連の動きは「米軍の有事介入を阻む『接近阻止・領域拒否（A2AD）』戦略の一環」であると指摘しながら、習近平中国国家主席との首脳会談で「オバマ氏は習氏を説得できると過信していたのではないか」という推測を立て、「偶発的な軍事衝突を防ぐ措置をとりながら対中戦略を練り直すことが求められる」と説教する。米国の大統領にして中国が核心的利益とみなす南シナ海問題で甘い認識だったというなら、その根拠を明示すべきだろう。

朝日は親中的な姿勢を捨てて、中国の「スプラトリー諸島で七カ所も埋め立てをする行動は他国から見て明らかに拡張主義である」と批判。南シナ海での米中対峙が新安保法制での「重要影響事態」に入るかどうかと心配し、同海域の「自由と安全は米中はもとより東南アジア諸国、日本を含む各国共通の利益である」と強調する。しかし、共通の利益が守れない戦闘状態が発生したらどうするのかで、判断を停止または放棄しては困る。

毎日社説は「法の支配へ関与続けよ」という主語不明の表題を掲げつつ、「『開かれた海』にするのは軍事作戦ではなく外交だ」「米国の継続的な関与と建設的な米中対話が不可欠」という。微温的なのは我慢するとして、残念ながら主張に実効性が全くない。東京新聞の社説も、習政権には米中両国で「世界をリードしようという超大国意識が見え隠れし」ているが、来るべき米中軍事交流では「対決ではなく、話し合いで『行動規範』策定への流れを強める好機としてほしい」と要請する。こんな希望的観測を並べて平和と安全が守れるのか、大いに疑わしい。

(二〇一五年一一月記)

国内にテロの芽あり

晩秋のパリを襲ったイスラム国(IS)構成員による市民殺戮テロはグローバリゼーションの行き着く果てが死の荒野ではないかという暗い思いを世界中に広げた。日本も例外ではないものの、実はこの国こそ現代テロリズムの元祖である。太平洋戦争末期の特攻隊は初めて軍事作戦にスイサイド・アタック(自殺攻撃)というコンセプトを持ち込み、やがて日本赤軍派がパレスチナ人民との共闘の証しにテルアビヴ空港で旅行者に無差別に銃弾を浴びせた。前世紀末にはオウム真理教なる一派が荒唐無稽な宗教国家樹立を目指して致死性物質サリンを地下鉄システムに撒き散らした。まさに日本人がテロの玉砕化、無差別化、国際化、同時多発化を先導した。

オウム事件当時、捜査機関の連携や情報評価の拙劣さが問題になったが、今回も日本の官民はそろって欧州連合(EU)とは違うと漠然と考えており、対岸の火事視している。貧寒たる想像力である。

パリで凶行に走ったのはイスラム系移民第二、第三世代とはいうが、アラビア語もろくにできないフランスやベルギー育ちだ。つまりテロの温床は国内にある。日本の若者たちだっていつＩＳの誘いに乗るかも知れない。どこの国でも若者たちは情報化社会で情感豊かな団らんの場を失い、国際化した労働市場で大多数が敗者となり、人生設計の基盤が発見できないでいる。心の渇きを癒すのはソーシャル・ネットワークを通じた会話らしいが、実空間の共有がない。つまり流す汗も涙も存在せず、相手を勝手に措定しての歪んだ自己内対話にすぎない。ヴァーチャル広場の孤独である。

普通の若者からテロリストに変わる契機は自分を超えた生命の自覚だと思う。古代ギリシャでは、生命には個体の生命である「ビオス」と個体を超えて連綿と続く根源的生命である「ゾーエー」の二つがあると考えられていたそうだ。本来ならば若者が自分の生命活動＝生活だけでなく根源的生命の存在を自覚するのは成長のはずだが、それが社会システムによって歪められ、無視されていると認識する時、自他のビオスを捨ててゾーエーに殉じようとする。そこで自爆テロや無差別テロの正当化が果たされる。こうした心理の流れはイスラムに限るまい。宗教的偏見を捨てて心理学的に対策を考える必要がある。

安倍外交は新年早々、正念場を迎える。フランスを中心に対ＩＳ多国籍軍事作戦の強化が目論まれているが、各国、特に米ロはアサド・シリア政権への態度の違いがあって共同歩調を取れない。元々、アサド政権の非人道性を理由に内乱に介入したのが裏目に出て、出現した鬼子がＩＳである。日本はこうした欧米諸国のシナリオに同調せず、アサド政権処理問題とは切り離した形でＩＳ制裁の国連軍出動を安保理に提唱すべきではないか。それにはアラブ諸国の了解取り付けが前提となるが、イスラム世界に敵対して来なかった日本に活動の余地が十分あろう。テロの対象国にならないためにも、安倍首相の称える積極的平和外交に挑戦したらどうだろうか。有言実行！

（二〇一五年一二月記）

二〇一六年

内なる歴史認識問題

在沖縄米海兵隊の普天間飛行場移転問題は二〇年余りすったもんだした揚げ句、名護市辺野古での新基地建設工事開始に漕ぎつけたものの、国と沖縄県の法廷対決という事態になった。沖縄県民の総意として翁長雄志県知事が突きつけたのは「沖縄の近現代史をどのように理解するか」という歴史認識をめぐる問いである。安倍晋三首相は著書「美しい国へ」などで郷土愛を熱く説い保守主義者なのに、どうもその点を理解し切れていないように見える。

翁長県知事の代行をめぐる福岡高裁那覇支部での初公判の陳述などによると、知事は明治時代の琉球処分から先の大戦で悲惨な陸上戦闘を経験した痛み、サンフランシスコ講和条約締結時に本土と切り離されて米軍政下に放置された恨み、さらには治外法権と冷戦の激化とともに銃剣とブルドーザーで土地を強制収用された憤りを列挙し、沖縄県だけが過大な基地負担に堪える理由がなく、明確な差別を受け続けていると主張している。戦後、日本人が享受した平和と高度成長は憲法第九条がもたらしたのではなく、不沈空母としての沖縄軍事基地化の上に築かれたと言う主張は一面的とはいえ反論も難しい。

韓国の従軍慰安婦問題や中国の南京大虐殺の意図的な宣伝には国内世論にとって逆効果だったが、沖縄県民の心情を斟酌できないようでは日本人のアイデンティティーが失われる。母親が久米島出身で地上戦を体験したという評論家、佐藤優氏は沖縄に対する植民地的差別が構造化しているため、こじれれば流血の惨事を招くと心配しているが、杞憂ではない。一九七〇年一二月、米軍政下で発生した「コザ騒動」の激烈さを忘れるべきてはない。

翁長知事は安倍政権要人との協議内容を明らかにし、誠意のなさを強く批判している。例えば中谷防衛相は中国の脅威を強調、沖縄がミサイル防衛網の要であるとしながら、「それなら、なぜ基地の所在が北九州ではなくて沖縄の必要があるのか」という質問にまともに答えなかったという。日本人同士の密室の協議なのだから、防衛相は「米軍の基地に攻撃を仕掛けるのは仮想敵国にとっても大きなハードルで、米軍将兵はいわば人間の盾である」となぜ言えないのか。安全保障上のコンセンサスは虚偽やごまかしの上では成立しない。成立してももろ過ぎる。

あえて言えば、中国がアジアの覇権大国たろうとする野望を剥き出しにしている以上、地政学的に日米軍事提携は不可避であり、沖縄の米軍基地もこれまで以上に重要である。それだけに施政者は沖縄の歴史的特異性を十分に把握し、環境に配慮し、地域経済の発展を支援する基本姿勢をゆるがせにしてはならない。

それにしても移転最適地は広大な嘉手納飛行場内ではないのか。米軍内での空軍と海兵隊の縄張り争いに過剰に配慮して日本政府が引き下がったような気がしてならない。県外移転なら、さらに広大な横田基地が有力なはずだ。翁長知事を応援したくなる。

（二〇一六年一月記）

日本文明の嫡子

米国の政治学者、故サミュエル・ハンティントンの衝撃的な著作、『文明の衝突と世界秩序の再編』が世に出てからほぼ二〇年。当時、文明の定義がはっきりしないだの、西欧文明に偏したイデオロギーの書だの、否定的批判が頻出したが、ユダヤ・キリスト教圏とイスラム圏の対立の中で民族国家の輪郭がぼやけ、叛乱と内戦が渦巻く現状はほぼ彼の預言通りである。イスラム・儒教コネクションの成立という予言は当たらなかったが、中国共産党の専制体制がおかしくなるとその危ない可能性は残る。

ここで取り上げたいのは、ハンティントン教授がぶつかり合う世界の八文明の一つに日本文明を含めたことである。根拠はあいまいだが、「文明の衝突」に先行して二一世紀の世界状況を占ったフランシス・フクヤマの力作『歴史の終わり』が念頭にあったのかも知れない。フクヤマの事実上の師であるフランスの哲学者、アレクサンドル・コジェーヴは戦争も内乱もなかった江戸時代に成熟した日本の能楽や茶道、生け花の文化をスノビスムと呼び、人間的な意味内容を離れて形式の完成を絶対的に追求する生き方を称揚、その究極の表現を無償の自死としたのである。

彼のいう「スノッブ」とは上流階級の模倣となりすましを意味するのではなく、理屈を捨てて美の体現に一切を託す姿勢のことで、その心性がやがては西欧的の合理主義を乗り越えてしまうだろうと暗示した。まさに平和を維持した日本の最良の部分である。もしかすると、コジェーヴは日本の庶民が武士の生き方を範とし、見習おうとしたのをスノッブと表現したかったのかも知れない。

確かに日本社会には欧米の個人主義とは異質で異文脈の上に成り立つが、個人がまず社会倫理ありとせず、自ら思索して内面に形成した信念を互いに尊重し、結果としての行動であれば受容する傾向がある。本居宣長が「やまとごころ」と呼んだ自然や人事に対する一種醒めた感性である。この個人主義が欧米におけるプロテスタンティズムがもたらした禁欲による資本蓄積と天職意識による勤労精神に準じる効果を明治以後の社会で果たす基盤となったのではなかろうか。

その仮説を実証的に証明しようと挑んだのが一橋大学名誉教授の寺西重郎氏の新著、『経済行動と宗教　日本経済システムの誕生』である。日本金融論で高い評価を得た学者だが、退官後、専門外の仏教文献を読破し、英国経済史を点検してこの本を書いた。自己流で紹介すると、日本仏教は人間が誰でも成仏を果たす可能性を内在させているという本覚思想と修行の簡素化（易行化）によって信仰を世俗化させ、信仰の報いが即、職業的技能の達成という思考習慣が定着した。日本の家族はまさにそうした人材（人的資本）のプールとして維持発展したため、資本主義生産様式への移行がスムースだったという。

こうした家族意識は容易に疑似家族としての会社、ひいては民族国家への忠誠に転化して明治以後の富国強兵政策を支え、戦後は「日本株式会社」として高度成長路線をひた走った。日本資本主義は一時、米国から鬼っ子扱いされたが、日本文明の嫡子なのである。

（二〇一六年二月記）

危なかしいトランプ現象

アメリカ大統領選予備選はプロレスのリング外乱闘そっくりで面白い。共和党ではティーパーティに代表されるキリスト教右派も鼻白むトランプ氏の暴言、妄言が意外なほどの支持を集める。片や民主党では初の女性大統領を目指すヒラリー・クリントン氏が順風万帆と思ったら、民主社会主義者を名乗る老上院議員が善戦を重ね、金融大資本の走狗というイメージがぴったりと張り付いた。二〇一〇年の中間選挙で惨敗を喫してレームダックの感を深めたオバマ大統領は政治生命を賭けて妥結させたTPP（環太平洋経済連携協定）まで否定され、もはや死に体だ。まこと、政治とは一寸先闇である。それにしても米国民の落ちぶれ感と苛立ちはひどい。

この乱痴気騒ぎの元凶はどうやらテレビメディアらしい。トランプ氏は不動産開発業者とはいえ、NBCのリアリティショー「アプレンティス（社員試用）」で、登場するビジネスマン志願者に冷酷な判定を下し「ユア・ファイアド（お前はクビだ）」という決まり文句で人気を集めたタレントである。ネットワーク経営者は大統領予備選をリアリティショーの舞台にして視聴率をしこたま上げ、がっぽりもうける魂胆だったようだ。どうせ泡沫候補だからと甘い考えで地道な選挙報道を怠り、トランプ氏に逆手をとられた。よく似た例が近年、大阪あたりであったはずだ。

政治家としてのトランプ氏は支離滅裂のようだが、孤立主義者としての芯が通っている。一般の米国民にとって何の得にもならない対外干渉はほどほどにして、米国の伝統的文化を壊す移民も門前払いし、ユダヤ・キリスト教的な市民道徳を再建しよう。そのためには弱者を甘やかす福祉国家を目指す連邦政府の役割を制限するというに尽きる。アメリカは特別の使命を持つ国なんだという例外主義の信仰も色濃い。そこいらへんは華夷秩序を当たり前と思っている隣国の指導者とよく似ている。トランプ氏に中国警戒感が薄いのはそのせいかも。

トランプ現象の深化に最も慌てたのは共和党の領袖たちだった。おそらくトランプ氏が自国の世界権力の源泉である核軍備寡占体制を軽視する発言を繰り返し始めたからだろう。日本や韓国が米国の核の傘を離脱し、自前の核軍備を保有することを許せば、アメリカの世界支配体制は根底から崩壊する。万一、日本が中国と手を組んだらどうなるのか。そんなことが起きないよう、ペリー提督の強引な日本開国以来、アジア全域を武力と構想力で圧倒して来たと言うのに、元も子も無くしてしまいかねない。民主党にそこを衝かれたら大統領選本選に勝ちたいどころの騒ぎではなくなってしまう。

共和党内はトランプ氏が予備選に勝って七月の全国大会に登場した場合、代議員が州段階での支持にこだわらず、自由に行動できる決選投票で逆転させるシナリオともいう。幸い穏健派のケーシック・オハイオ州知事が二位に浮上、どうにか代役がみつかったが、恥も外聞も捨てた綱渡りになるだろう。(二〇一六年四月記)

安保関連法案にからむ市民行動が起こり、シールズ（自由と民主主義のための学生緊急行動）なる学生運動組織が結成されて早くも一年。抗議集会の常連に少なからぬ数の中高齢層がいたということで、最近、「シニア左翼」という分析書まで出版された。安倍首相の祖父、岸信介首相が日米安全保障条約の改定を図って、反政府闘争が激化した第一次安保騒動があった五〇有余年前、ゼンガクレンの一員だった私も超シニアの一人になってしまい、もはや左翼ではない。

虚妄の護憲派

当時の心情を想い出してみると、搾取関係を基盤とする資本主義システムに反対しつつ、ハンガリー動乱で露出した社会主義国家の暴力性にも反発し、いわゆる新左翼にかぶれた。その身近な敵対者が数々の失敗で多数の犠牲者を出しながら無謬性を振りかざす日本共産党であった。当時の若いマルクス主義者たちは「反帝反スタ」の旗を掲げることで時代を先取りしたのである。その日本共産党が二段階革命理論を改めないまま、民進党と護憲勢力の枢軸を組むというのだから、非左翼たらざるを得ない。こんな偽善を許して、過去半世紀とはいったい何だったのだろうか。

安保騒ぎが終息すると、無力感に囚われた学生たちを待っていたのが高度成長期の大衆社会であった。エリート学生たちは公共善の追求は棚上げして優秀な企業戦士となり、努力の果実がマイホームと福祉国家だった。ゼンガクレンの後身である全共闘運動は心情的に体制破壊を目指しただけで自滅、左翼系の若者を深いシニシズムの渕に沈めた。この後、構造改革路線をとるユーロコミュニズムの浸透も見られたが、一九九一年のソ連崩壊が社会主義運動にとどめを刺した。姑息な中国擁護派を除き、左翼は資本主義体制内に包摂され、いわゆる平和を守る護憲派としてようやく生き残ったのである。

しかし、憲法で国民の生命財産を守るための交戦権を放棄して民族国家が長く生存できるのだろうか。できるとすれば大国の軍事力にすがる従属国家としてのみである。つまり護憲派とは事実上、対米従属派の別名にすぎないことになる。

誰しも戦争は嫌である。だが、自分で始めるのではなく、仕掛けられる戦争もある。あるどころか、世界の歴史に照らせばその方が多い。そうした極限的な局面を想定すれば、交戦権だけは確保しておかねばならない。自分の家族、友人、ひいては国は自分で守るという仕組みがなければ、衰退期の米国から離れることすらできない。本物の独立を目指すはずの安倍首相があがけばあがくほど親米路線にからめとられる。護憲派は実は安倍さんのジレンマの手助けをしていることになる。

戦後日本は非戦の福祉国家を実現してきたが、あくまでも一人よがりで、知識人が世界平和に役立つ論理を提唱したこともなければ政治家やメディアが地域平和に貢献する提言をしたこともない。その理由をよく考えれば護憲勢力は愧じて姿を消すだろう。

（二〇一六年五月記）

天祐は本当なのか

朝鮮半島の非核化がにわかに実現の可能性を帯びてきて、トランプ米大統領は得意満面である。支持率が一向に上がらないまま、二〇一八年一一月の中間選挙を前に少数与党を抱える危機感を増幅させている時期に、北朝鮮の独裁者、金正恩労働党委員長が韓国の文在寅大統領に核実験場閉鎖などを約束したのだから、まさに天祐。

トランプ氏は繁栄から置いてけぼりを食い、歴代政権の黒人など少数派への優遇政策に不満を募らせていた中下層の白人たちからキリスト教終末論の「ラプチャー」（天祐）をもたらす人として期待されて大統領の座をかち取った。だが、非キリスト教世界からの天祐を授かったのは彼自身だったと言えなくもない。

しかし、北朝鮮非核化の真のシナリオを書いたのが先の全人代で独裁的な権力をほぼ構築した中国の習近平国家主席だとしたら、手放しで喜んでもいられまい。中国と舞台裏で組んだ北朝鮮が米国に要求するのは朝鮮戦争終結であり、それによって国連軍駐留の根拠を失った米国が韓国から全面撤退すれば、北は中国の核の傘に入った方が安上がりに決まっている。戦後の日米関係をなぞればよい話である。中国にしても朝鮮半島を制すれば東アジア大陸部の実質的な覇権をほとんど手中にすることができる。米軍なき韓国など「張り子の寅」ではないか。日本はトランプ政権が最終的に中国と折れ合った時、どうやって国の安全を確保するのか。中期的にはその準備こそ必要である。

過去一年半、迷走しつつも強気一方で凌いできたトランプ政権の本質は二〇一五年末、なんとか議会の承認を得た税制改革の中身を見れば自明であろう。富裕層や企業家への恩恵のみ目立ち、働く人々の福祉や環境への配慮はゼロ。冷戦後の約三〇年間、米国エスタブリッシュメントはグローバリゼーションを旗印に世界経済単一システムの構築を目指したが、結果は無残な挫折であった。

そればかりでなく、国内の中産階級が空洞化してしまった。そのことへの反省が政策的に全くみられず、今さらのように企業の投資環境への配慮だけが顕著である。果たして米国民はトランプ大統領に世直しの夢を託し続けるだろうか。

（二〇一六年五月記）

（注）「インテリジェンス・レポート」誌二〇一八年六月号の巻頭言として書いた。北朝鮮をめぐる米中関係は全く明らかにならない。

アジアのトランプ

「懲罰人」というニックネームがぴったりの前ダバオ市長、ロドリゴ・ドゥテルテ氏がフィリピンの国家元首に就任することになった。ローマ法王を「商売女のセガレ」呼ばわりする暴言からアジアのトランプとも言われるが、政治家としてのキャリアは話題の米大統領選共和党候補よりははるかに上だから、トランプ氏が脚光を浴びる背景である超大国の衰退、あえて言えば、米国のフィリピン化を指摘する方が現実に即している。

中産階級が没落、国富の大半を所有する一握りの富裕階級が怖がってガードマンに守られた囲いの中に住むような米国社会の現状は長くフィリピンの専売特許だった。二二年にわたって南部ミンダナオ最大の都市、ダバオの独裁者として君臨した市長が治安攪者と認定した麻薬の売人や窃盗常習者は路上の死体に早変わり、その数はドゥテルテ氏の公的発言で、七〇〇人に上る。DDS（ダバオ処刑部隊）と呼ばれる組織の超法規殺人はお構いなしで、国民から最も信用されていないのが司法機関なのである。お陰でダバオは世界有数の安全都市になった。しかし、国軍も国家警察も超法規的殺人の腕前ではDDS以上だから、新政権の怖さは底知れない。

類は友を呼ぶ。トランプ氏がロシアのプーチン大統領を褒めるように、新大統領は中国の習近平国家主席には親近感を持っているようだ。元々、左翼を自称して非合法の共産ゲリラと接触を保ち、組閣に当たっては比共産党のフロント組織、国民民主戦線（NDFP）から閣僚を入れた人物だ。市長時代にホテルの部屋で爆発事故を起こした米国人が何者かによって国外に連れ出された事件があり、それ以来、新大統領は米国嫌いである。南シナ海問題は新たな展開をみせるかも知れない。

世界のあちこちで有権者は強権志向の人物を次から次へと権力の座に押し上げている。その背後には情報とカネを独占して国家主権すら無視するような国際巨大資本に対する強い反感がある。グローバルな市場に取り込まれたが、気がついたら国家財政は借金まみれで、ツケを回された国民は困窮にあえぐ。「反自由主義（イリベラリズム）の代表的イデオローグと目されるハンガリーのオルバン首相はリーマン・ショックが世界に波及した二〇〇八年以降、英米流のリベラリズムは信用を失ったと主張する。対策には国家という垣根を修復して、その中で共同体の力を見直す「ワークフェア（社会奉仕型国家）」を建設するしかないという訳である。だが、この議論の盲点は、国民経済を再建するには自国の金融と産業に競争力を付ける以外に道なしとするにある。それでは結局、世界市場で他国を押しのけることになる。やがては武力衝突も起きかねない。

トランプ氏はリベラリズムの総本山にこの反米系思想を持ち込んだ。米エスタブリシュメントが危機感を募らせて当然だが、ひざ元がフィリピン化しているという自覚が足りないのではなかろうか。（二〇一六年六月記）

ダッカのテロ

二〇一六年七月一日、親日国とされるバングラデシュの首都、ダッカで起きたイスラム過激派のテロは外国人を標的にし、日本人七人が犠牲になった。国際協力機構（JICA）の政府借款事業に従事していた善意の人々の非業の死は胸を激しく打った。それだけに無性に腹が立ったのは国際政治学者である北岡伸一JICA理事長の発言であった。升添要一前東京都知事とほぼ同年輩の東大教授経験者で、共通して人間性に何かが欠けているように感じた。

北岡理事長は事件落着直後の七月二日の記者会見で、「ラマダン明けのときは危ないと警告を発していた。起こった場所は大使館にも近く普通考えれば安全なところだった。残念だ」と述べたという。ちょっと考えれば、各国大使館が集まる地域なのだから、かえってテロの標的になる危険度が高いはずで、安全保障問題で安倍首相の相談役である人物の判断としてはあまりにお粗末。ラマダン明け前後にイスラム国（IS）のテロ攻勢が予想されていただけに、「警告内容が足りなかった。行動制限を課すべきだった」と反省するのが当然なのに、犠牲者たちの浅慮を言外にあげつらって責任逃れをしている。

バングラデシュの政情と治安が悪化していることは外務省を含め専門家の間では常識で、特にシェイク・ハシナ政権が六月に入ってイスラム主義者を大量拘束してから全国に不穏な空気が高まっていた。同国の危機的状況については川口順子元外相が理事会に名を連ねるNGO、国際危機グループ(ICG)が四月に詳細な分析報告書、『バングラデシュの政争と過激派、刑事司法』(アジア・レポート二七七号)を公表しており、一読すればテロの危険が充満していることが伝わってくる。

「イスラム国」系とアルカイダ系の両集団が主導権争いをしながら、若者たちをリクルートしているのだから、南アジアにかかわるならば官民を問わずセキュリティに関心を高めずにはいられないはずだった。今となっては、地球を覆っているテロの猛威に鈍感な日本人を覚醒させるため、七人の尊い犠牲を無駄にしてはならない。

二〇一五年一〇月、同国北西部で農園を営んでいた星邦男さんが路上で射殺された。星さんはイスラムに入信しており、犯行はバングラデシュ人の外国人嫌いに起因しているとすれば有効な対策は立てにくい。このためJICAも海外協力隊を撤収したのだが、徹底した情勢分析があってのことなら、プロジェクトチームも早期に帰国させていただろう。

バングラデシュはアジア有数の大詩人、タゴールの母国であり、人間の多様性を生かした経済システムの構築を主唱したノーベル経済学賞受賞者、アマルティア・セン教授が育った国である。おまけにイスラムが他の宗教と共存できることを国づくりの過程で証明してきたのだ。この国の政治が一刻も早く混迷を脱し、若者たちを殉教と称して異教徒を殺害し、天国へ昇ることを夢見る心の病から救済できるよう祈りたい。

(二〇一六年七月記)

明仁天皇の生前退位の希望表明は高齢化社会のひずみに苦しむ国民大多数の共感を誘った。敗戦の重みを引きずりつつ、西側世界での地位回復に力を尽くした昭和天皇の後を継いだ天皇は、憲法規定の「象徴としての天皇」に具体的な姿を与えるべく誠実な努力を重ねて定着させてきた。ほぼ世代を共にする私にとって、天皇夫妻の歩みは未成年者として罪責があるはずもない先の戦争の民族的責任を自らに問い、真摯に償おうと苦しんだ誠実さの鑑であった。君主制に対する浅薄な反発や蔑視を忍び（戦争直後には「汝、臣民飢えて死ね。朕はたらふく食っている」の呪詛を浴び、皇太子のころはチビテンという蔑称も流布した）、がんじがらめの制約に耐え続ける姿はひどく人間的であり、時に英雄的にも映ったのである。

天皇の胸の奥

今回のメッセージはこれまでと変わらず、平明で的確な言葉を選んでいるが、その主旨は紛れもなく「象徴天皇制」に対する強いこだわりの吐露であり、政治的権威を強調する国家元首としての天皇制の拒否であると思う。国家統治の裏の裏を知っている天皇はオランダの女王やベルギー国王、さらにローマ法王の生前退位に思いを致しつつ、戦後日本の軸心となる象徴天皇制を改憲派から守るため、生涯最後の政治にかかわる発言の場を用意周到に設定したのではなかろうか。いつ終焉を迎えてもおかしくない年齢に達している天皇が自分で生前退位が実現することに多くの期待をかけているはずもない。むしろ天皇条項への議論の広がりと深まりを望んだのだろう。

国家元首の権能については各国各様だが、天皇が最も恐れているのは補佐する役目の権力者、つまり内閣の長に政治的に利用されてしまうことだろう。極端に想像すると、例外的事態が発生した際、権力者が国民の諸権利を一時的に奪う決断で天皇の名が使われてしまう危険である。もし自民党草案のような改憲が実現して天皇に国家元首の名称が付された場合に備え、明仁天皇はかつてのベルギー王家のような譲位（生前退位）を認めさせて、皇統の持続を担保しようとしているのかも知れない。まさに深謀遠慮である。

生前退位のもう一つの含意は、天皇の地位と生身の天皇との切り離しである。昭和天皇の、いわゆる人間宣言で、現在の天皇は現人神ではなくなったが、さりとて人権が保障されているわけでもない。しかし、生前に退位された元天皇は一個人に戻るのだから、言論の自由を含めて基本的人権を回復することになるだろう。改定された皇室典範で、元天皇の行動に一部制限が加えられるとしてもである。延長上には女性の皇位継承権問題が含まれる。

こうなると「日本会議」など戦前体制への回帰志向が強い日本ファンダメンタリスト勢力の思惑と天皇の胸の内は大きく食い違ってくる。小堀桂一郎氏のように「国体破壊」と決めつけるかはともかく、このグループに軸足を置く安倍晋三首相はどう対処するのか。国家観の根源に迫る覚悟が必要だろう。（二〇一六年九月記）

敵は本能寺の北方領土交渉

ロシアの政権与党が二〇一六年九月中旬の下院選挙で圧勝、プーチン大統領は盤石の支配体制を固め直した。反体制派を選挙から事実上締め出しただけではなく、複数回投票など不正行為も相次いだといわれるが、プーチン大統領は西欧流の民主主義など歯牙にもかけていない。クリミア併合など一連の強硬な対外政策に煽られて、スラヴ・ナショナリズムに目覚めた国民の大多数は強権と謀略に目をつぶり、指導者のカリスマに身を託したようである。

こうしたロシアの政治情勢が安倍首相の北方領土問題における新アプローチに追い風になったことは間違いない。オバマ米大統領は対ロシア制裁の足並みが乱れるのを懸念して、日本のロシア接近に不満のようだが、安倍首相はどこ吹く風。プーチン大統領以上の安定政権の今しか果たせない保守政治家としての悲願実現に本腰を入れている。一二月には自分の故郷である山口県長門市にプーチン氏を迎え入れ、おそらく歯舞諸島、色丹二島の返還で話をまとめるのではなかろうか。国後、択捉については領土権の主張を放棄し、代わりに周辺海域を含めた資源共同開発プロジェクトの推進で合意して「ウインウイン」の解決を図る方向だろう。国家指導者にとって自国領を寸土たりとも失うことは大きな失態であり、反発も大きい。まさにクリミア回復とは眞逆である。プーチン大統領も「敗者を出さない解決」という表現を使っており、たとえ既に歴代政権が公言してきた二島返還であっても国内で敗者呼ばわりされることをある程度覚悟しているはず。その点でリスクが共通する二人が水いらずに打ち解け合う舞台設定は有効であろう。

ロシア側は、プーチン氏の心情がどうあれ、先の大戦における戦果である南千島四島全てを手放すことはおよそ不可能。日本の一部で期待されている「面積二分方式」もまず無理と予測できる。日本は戦後七〇年以上も非現実的な交渉による旧領回収の夢を見続け、ソ連時代からロシアとの平和条約締結を怠って先延ばししてきた。それはまさにこの国の外交音痴、言い換えればしたたかな決断力を持つ冷徹な国事家がまれであった何よりの証拠である。

ともあれ北方領土問題の打開が急がれる理由は実はロシアではなく中国であり、尖閣列島、ひいては沖縄をめぐる領有問題である。一九五〇年代、日ソ平和条約交渉が行われた際、二島返還案に強く反対したダレス米国務長官(当時)が「それならば(米国が占領している)沖縄も返さない」と述べたといわれるが、外交とは合従連衡のパワーゲームに他ならない。近い将来、北方四島を実効支配しているロシアがその一部でも日本の領有権を認めて返してくれれば、それは近代国家成立以前の一七世紀に遡る両國の実効コミット論争とは関係なく、領土画定の話し合いがプラグマチックに進行できることを実証することになる。プーチン大統領が安倍首相の対中危機感に理解を示し、日本の東アジア世界での立ち位置を認めるならば、華夷秩序を盾にとる中国の主張は東シナ海でも南シナ海でも間接的に否定されることになろう。

日本は憲法第九条で自ら交戦権を放棄している。特に九条二項を厳密に読めば、他国に実効的に支配される領土を奪還することが法的に可能かどうかは極めてあやふやである。現実に北方領土どころか竹島にも全く手を出せない。つまり国土は防衛できても、いったん奪われたら取り戻すことは選択肢からはずれているのである。とすれば領土はしたたかで老獪な外交戦略で保全する他はない。

（二〇一六年一〇月記）

オバマ大統領の遺産

理想主義と国益の狭間で苦しみ抜いた米国初の黒人大統領バラク・フセイン・オバマ退陣の時期が近づいている。議会与党勢力の劣勢を最後まで超克できず、偉大な大統領にはなれなかったが、「核廃絶」の叫びは今世紀中の国際政治に基調低音となって反響し続けるのではないか。そう願わずにいられない。

就任直後、二〇〇九年のプラハ演説は「核兵器なき世界」の実現を呼び掛けたが、対ロシア関係の悪化によって新スタート条約が空証文となってしまい、備蓄核弾頭の解体廃棄数は冷戦後の米歴代政権の中でも最低という矛盾した結果となった。しかし、したり顔で核抑止力こそ大戦争の勃発を阻んだと主張する国際安全保障本位の「構造現実主義学説」（故ケネス・ウォルス・カリフォルニア大教授）の亜流に対抗し、人類どころか地球環境全体を破滅に追いやる核戦争の廃絶を希求する、いわゆる「人道的な核廃絶運動」の定着はオバマ氏の大きな貢献である。彼の広島訪問は唯一の核兵器使用国の最高指導者としてなし得る最高のメッセージであったと思う。

ところが日本は国連総会第一委員会（軍縮・国際安全保障）が二〇一六年一〇月末に提案することを決めた

核兵器禁止条約の審議開始に棄権ならまだしも、反対票を投じた。菅官房長官は政府決定の理由として、この問題での法的拘束力の設定は「核兵器国と非核兵器との亀裂を深め、核兵器のない世界の実現が遠のく」からだと説明したが、背後で米国が同盟諸国に対して「非現実的かつ実行不能」(フリート米国務副次官補)だと猛烈な圧力を掛けたからだと伝えられた。結局、オバマ大統領といえども政治の世界では核抑止を否定し切れなかったのである。日本政府としては米国の同盟国を含めた拡大核抑止の約束、つまり核の傘に依存している。それどころか次期米大統領に選ばれる可能性を持つ人物がウォルス教授の亜流のような核拡散を肯う珍説を振り回したのだから、米国エスタブリッシュメントの意向に逆らうべくもない。

だが、いわゆる大量破壊兵器の中で法的禁止措置がとられていないのは核兵器だけなのである。唯一の被爆国であり、五年前に原発のメルトダウン事故を経験したばかりというのに、悲願とする訴えに首尾一貫性を欠いているのではないか。少なくとも人道上の訴えと安全保障上の地政学的分析を分けて丁寧に立場を内外に説明する必要があるのではないだろうか。

素朴な私見にすぎないが、核問題のまさに要諦は核兵器を廃棄することではなく、使わせないことである。米国軍部ですら莫大な維持、開発費用がかかる戦略核軍備を縮小することに関心を増大させている。むしろ日本を含む同盟諸国は核の傘の経費分担要求を突き付けられたらどう対応するかが懸念材料ではないのか。

使わせない最も有効な方法は保有国に先制不使用をあらためて誓わせることだろう。先制不使用は一九六〇年代に中国が国策として採用し、二〇〇三年にはインドが声明、ロシアもソ連時代の一九八二年に声明し、その後、取り下げた。北朝鮮の金正恩労働党委員長ですら口走ったことがある。オバマ大統領も広島から帰った後、レガシーづくりの一環として核廃絶の具体的政策を練る中で、「核先制攻撃の放棄」を検討したという。つまり、いかなる国家体制であれ、一国の最高指導者は自国の存続と安定を優先目的としており、そのためには自国民どころか人類全てを破滅に追いやる核兵器の率先使用ほど忌避したいことはないのである。この一点で国際的合意が生まれれば、核のファーストユースをできる限り速やかに発見し、対処するためのシステム構築に衆知を集めればよい。

（二〇一六年一一月記）

マクベスの呪い

サウンド・アンド・ヒューリー（sound and fury）はシェークスピアの戯曲「マクベス」の有名なセリフだが、現代米国民の心性を表現する言葉として知られる。まさに第四五代大統領にドナルド・トランプを押し上げたのはパクス・アメリカーナの重荷を背負い切れなくなった米国中下層の人々の鬱屈と怒りだった。マクベスはヒラリー・クリントンのように賢い夫人の死を知らされてうめく。「俺たちの昨日は何から何まで愚か者に汚い死への道を照らし出す。そんな灯し火など消えろ。人生とは歩く影にすぎない。……もう沢山だ。それは白痴によって語られた物語。わめき声と怒号だけで何の意味もないのだ」。今後の四年間がこのセリフ通りにならないことを祈る。

トランプ氏は選挙運動中の過激な発言から軌道修正しようと躍起のようだが、勤労者の生活向上と希望の蘇りだけは是が非でも実現せねばならない公約である。ところが、それが一番難しい。

米国が世界に誇る工業品はもはや自動車や産業機械ではなく、綿密な知的作業工程をこなさねばならない情報通信機器や薬品なのである。米国は長期にわたる工場の海外移転で、航空宇宙産業を含めて勤勉で職場に愛着する労働者の養成を怠った。製造業の急速な回復など夢のまた夢。粗悪品を我慢して使う消費者はどこにもいないから自由貿易協定（ＦＴＡ）やＴＰＰを廃棄しても事態は変わるまい。となると減税と大規模財政出動によるインフラ事業に頼るほかかない。

では資金はどうするのか。当面、同盟諸国から吸い上げるのが手っとり早い。欧州諸国はすでに国防費増額を覚悟して、それだけで済むのかとさらに心配している。日本も早晩、東アジアでの安全保障活動費の分担増を求められ、一国平和主義の幻を追う暇はなくなりそうだ。トランプ政権はごりごりの現実主義で、中国やロシアとの対面取引を狙う。日本のような同盟国との利害関係が取引の阻害要因になれば、過去のいきさつを忘却のくずかごに棄てるのをためらうまい。

（二〇一六年一一月記）

（注）本稿はインテリジェンス・レポート誌二〇一七年一月号の巻頭ページ欄「視点」用に執筆した。その後、トランプ政権は大規模な景気回復に成功し、同盟諸国への負担増大を要請していないが、安倍政権は事態を見越して、次期戦闘機や地上イージス装置の大量発注に踏み切った。

世界を覆うポピュリズムの嵐

大多数の凡人は人類平和の追求とか真・善・美の実現について思い悩んで暮らしてはいない。生活に苦労がないように、さまざまな欲望がなるべく満たされるように努力する一方で、己の器量や才能について謙虚な評価を下してつつましく暮らしているものである。しかし、生活の基盤を脅かす不安要因が長く取り除かれないと、突然、臨界点を超えたように攻撃的になり、時に暴発衝動に身を委ねる。不安を持ち込む存在を「敵」として意識し、身辺から駆除したり、抹殺しようとして行動する政治的存在に変貌する。欧米の先進諸国でいわゆる人民の敵に「指導的支配階級（エスタブリッシュメント）」が名指しされるという社会的動乱の季節がトランプ次期大統領の出現を機に顕在化してきた。

だが、これは降って湧いた社会現象ではない。二一世紀を騒がすイスラム復古主義集団の大量無差別殺害テロや一時もてはやされた「カラー革命」「……の春」と総称される数々の群衆蜂起、異民族差別に根差した民族・宗派浄化の暴力、そして「ポピュリスト」とよばれる扇動家が大衆の敵意を動員、組織して専制的権力を手にする動きは全て、よく観察すると、世界中の普通の人間たちの大局無視、利己優先のうねりを反映している。だから善悪を論じてもどこか空しい。加えてスマホやSNSなどの情報通信システムがこうした大衆の情動を瞬時に社会化する手段を提供した。

資本主義の論理を普遍化しようとするグローバリゼーションへの反発だと説く学者、ジャーナリストがいるようだが、グローバリゼーションそのものが誤まりとはいえない。それが及ぼす暮らしの変化が非エリート多数層にとって敵対的になのである。早い話、ドルの特権的立場を利用して国際金融を操り、世界の富を集めて繁栄を享受したアメリカの国民は二〇〇八年のリーマン・ショックまで、知らん顔で金融景気のおこぼれにあずかっていた。しかし米政府が危機に瀕した大資本の救済に大金を投じても、相変わらず国民生活がじり貧になっているると自覚されて風向きが変わった。行政と大企業がグルとはうすうす分かっていたが、共謀関係が国民にとって敵対的と実感された時、反エスタブリッシュメント勢力が形成されたのである。背に腹は代えられないという切実感がある。

ポピュリズムが興隆する、つまり大衆の支持をバックにのし上がる権力者が出現すると、ファッシズムの再来ではないかという危惧が広がる。確かに資本主義を温存しながら民族共同体としての国家の神話を強調し、全体主義の役割を強化しようという発想に類似性があるが、異なるのは宗教や伝統的価値観との関係である。ファシズムやナチズムはユダヤ・キリスト教の世界観を徹底的に否定したが、今世紀のポピュリズムはむしろエスタブリッシュメントが希求する多文化共存の普遍化社会（ソサェティー）を嫌い、住民の生活習慣やしきたりが支配するコミュニティの復活を志向する傾向が強い。ブレクジット（英国の国民投票によるE

U脱退）で示されたジョンブル意識がそうだ。また、儒教国家の伝統を強く残す韓国での朴槿恵（パククネ）大統領追い落としの大衆デモに放伐倫理の呪縛を感じる。意識下に巣食う民族固有の世界観の影が濃いのである。

それだけに、雨後のタケノコのように繁茂し始めた欧州諸国におけるポピュリズム運動ないしはポピュリズム政権は一種の同床異夢で、結束力は乏しいのでないか。そこにプーチン大統領のロシアのような覇権主義大国がつけ入る隙が生まれるだろう。

ひるがえって日本はどうだろうか。軍国主義の記憶が褪せず、近隣諸国のえげつない専制政治を眺める機会が多い国民はさすがに独裁者に支持を与えない体質になっていると思うが、国が国民の面倒をみるのが当然という福祉国家の発想が心にべっとりと貼りついている。これが怖い。経済が破綻しようものなら民心がなだれを打って扇動家の雄弁に拍手するかも知れない。

（二〇一六年一二月記）

二〇一七年

政治経済思考軸の変換

第二次大戦後では最大の政治経済的思考軸の変換が世界で起きつつある。冷戦の終焉によって資本主義システムが全世界を覆って国際協調が共通の信念になるはずだったが、グローバリゼーションに疲れた人々が利己心を剥き出しにして、所属する民族国家への権力集中を望み始めたように見えるからである。英国の国民投票によるEU離脱（ブレグジット）と国益優先を露骨に唱えるトランプ米大統領の登場が代表的な動きだが、欧州各国でも新しい国粋主義運動が急激に力を増している。中東、北アフリカ諸国からの難民急増が庶民の日常を乱しているばかりか、「イスラム国」

に洗脳された若者たちが無差別テロを繰り広げ、恐怖が嫌悪感を増幅させているのが直接の要因だ。

アジア諸国も例外ではない。習近平政権下の中国は東、南シナ海で他国領土、領海を自国に実力で編入しようとする動きを繰り返しながら国民に失地回復、さらには覇権復活の夢を見させようとしている。朝鮮半島の二国を含めて日本に過去を謝罪させようと手段を選ばず、国家間の約束など顧みようとしない。いずれの国も先行き不安の鉾先を外に向けたがる国民感情を利用しているのだ。ひるがえって、我が国でも在日の朝鮮民族に対するヘイトスピーチが支持され、警察官が沖縄県民を土人呼ばわりするなど、理不尽な差別意識が深まりをみせている。いわれのない敵意が戦争の温床になることを祖父母の世代でいやというほど経験したのに。

人間は社会的動物として自己保存のために努力すると同時に共に生きる家族や仲間のために行動する利他的側面も併せ持っているはずだ。だが共生行動の対象範囲はさまざまに限定され、外部の人間集団を敵として排除し、殺戮し、暴力的に支配しようとする。対立する人間集団を包摂した人類という普遍的概念が生まれたのは古代ギリシャのヘレニズムの時代だろうか。個別の生命（ビオス）とは別に個体を乗りこえて存続する類的生命（ゾーエー）の存在が信じられるようになった。ゾーエーが個々の人間を結びつけ、環境がもたらす地政学的な敵対関係を超える崇高な人間性が追求されるようになった。キリスト教の愛の教えもそこから生まれた。

ところが近代資本主義は個人の欲望を原動力とする営利活動が市場を司る神の手によって自動的に公益に合致するというアダム・スミスの教理によって救済され、ゾーエーの存在など気にしなくなった。グローバリゼーションはそうした資本主義的展開の必然的な到達点としてモノ、カネ、人の移動の自由を保証した結果、世界企業の行動は民族国家の枠を超えて暴走するようになった。端的な例が安価な労働力を求める製造工場の海外移転で、国内労働者の職場が大量に奪われ、コミュニティが荒廃した。米国では貧しい若者たちが志願兵になって対外干渉戦争に動員された。日本を含む先進諸国の中央銀行が争って超金利政策を採用、だぶつくカネが企業の買収合併をさらに後押しし、寡占化を推進した。

現代はこうした資本主義システムの最終段階で、ゾーエーを無視し、人類を置き去りにした富の集中と相対的に貧困化したグローバル社会の対立が推進軸となっている。その中で成立した米国のトランプ政権は産軍複合体の総司令部を構成したが、明らかにグロテスクな歴史の茶番である。米国は正気を置き去りにしたティーパーティーを始めようとしている。

ドイツを代表するメディア、シュピーゲル誌（電子版）は二〇一六年一一月、グローバリゼーションが理念的に再調整に踊り場にきていることを的確に指摘、超大企業の力を抑え込んで人類的信頼を回復する方法として①タックスヘヴン（租税回避地）の規制②所得再分配政策と社会的セーフティネットの整備③最低賃金アップ④教育投資の増大を提言した。確かに人類は次世代労働力の確保のため、インターネット・オブ・シングス（ＩｏＴ）に象徴されるデジタル自動装置の物神化とも戦う必要がある。それが教育の見直しである。トランプ現象に欺かれず、人類的問題の基本軸をしっかりと見据えていかねばなるまい。（二〇一七年一月記）

権力は腐敗する

「権力は腐敗する。絶対権力は絶対に腐敗する」とは一九世紀英国の歴史家、アクトン卿の名言だが、安倍晋三首相にまつわる最近の出来事がそれを想い出させた。自由民主党が二〇一七年三月の定例党大会で総裁の任期を三期九年に延長したことで、安倍氏は党総裁として二〇二一年まで盤石の体制を築いたかにみえるが、アクトン卿に従えば、彼の絶対権力は今後、腐臭を濃くするのではあるまいか。

安倍氏の悲願は、憲法改正を自分の手でということだろうが、そんな大仕事をやるには世論の方向を転換させるまで辛抱強く国民大多数の信頼を固めていく必要があるはず。ところが、この首相にそんな大政治家の周到熟慮は全く感じられない。どう転んでもにわか国粋主義者でしかない幼稚園経営者におだてられて大阪・豊中市の国有地を二束三文で払い下げさせたばかりか、昭恵夫人を名誉校長にして、役人を随伴させ、人寄せパンダ役を二度も演じさせた。この公私混同疑惑には日本会議系の鴻池祥肇参院議員や維新の会トップの松井大阪府知事の胡散臭い同調行動も報じられ、巧妙な財務省担当者への圧力もあったようだ。小林よしのり氏のサイトによれば、二〇一六年九月、首相が読売テレビの番組出演で大阪入りしたのはどうやら国有地を管理する近畿財務局や国土交通省大阪航空局ににらみを利かせる行動のカモフラージュだったという疑いもある。

それにしても近来、国会に出て来る高級官僚たちの答弁の横着ぶりはひどい。安倍政権が二〇一四年に内閣人事局を設け、各省人事ににらみをきかせてから、官僚としての気概も誇りも失ったようである。近代官僚制を成り立たせる基本要素に前例尊重と文書主義があるが、権力者の擁護のためにはそれすら棄てて顧みない。

そればかりではない。岡山県を本拠とする学校法人、加計学園グループの理事長は首相の親友でゴルフ仲間だという。傘下の岡山理科大学が獣医学部を新設する計画に首相の全面支援を受けて国家戦略特区になった愛媛県今治市の市所有地をほぼ無償で手に入れ、建設費の大半も援助されることになった。獣医学部の新設には関係大学の反発もあって麻生副総理・財務相も反対だったが、いつの間にか新設ＯＫになった。安倍首相のお声がかりがなければあり得ない話である。アベノミクスの重要施策の一つである戦略特区がこんな形で悪用されると、隣りの大国を牛耳る独裁政党のレントシーキングと同じ手口じゃないかと思わざるを得ない。

最近の安倍首相のかんばしからぬ噂の中で、最も嘆かわしいのは天皇との不仲説である。毎日新聞のベテラン記者、伊藤智永編集委員が保守系誌「月刊日本」二〇一六年一二月号の誌上インタビューで某有力政治家が明かした話として暴露した。首相がこの政治家と生前譲位の話をした際、執務室のカーペットに膝をついてみせたというのだ。これは明らかに天皇夫妻が被災者を慰問した際の仕草を真似した悪意に満ちた行動以外の何ものでもない。象徴天皇のありかたに関する個人的意見はともあれ、密室での挙動とはいえ不遜のそしりは免れまい。ひいては最高施政者として、天皇を「国民の総意に基づく」と規定する現行憲法を否定するようでは法治国家の原則すら踏みにじる行為ではないのか。

安倍首相は保守主義者というよりも国粋主義に近い思想の持ち主だが、これまではイデオロギー色を抑えてきたと言える。このため、右側からは米国べったりと批判されつつも、隣国との緊張関係を処理するためには、迷走がおさまらないトランプ大統領とも友好関係を取り結ぶ現実主義を貫いている。しかし、国内的には絶対権力を手中にして歯止めがきかなくなる恐れがある。

スペインの社会哲学者、オルテガ・イ・ガセットは第二次世界大戦前夜、権利ばかり追求して義務を知らない大衆（マス・マン）が横行して、ポピュリズム政治家の台頭を許すだろうと預言した。安倍首相は今後、そうした愚人たちのおもねりを受け入れ、権力の私物化を自制する心を失わないだろうか。そんなことになれば、まさに日本でも既成政治家や官僚機構への不信が募り、本物のポピュリズムに遭遇することになるだろう。戦中、戦後を知る天皇が危惧していることはそのあたりではないだろうか。

（二〇一七年三月記）

国民投票という制度は実に危ないものである。英国は二〇一六年六月、欧州連合（ＥＵ）離脱を巡って国民投票を実施したが、当時のキャメロン首相の思惑はみごとにはずれ、小差ながら離脱（ブレグジット）が支持された。なにしろ主権者人民の直接投票に基づく決定だから、いかんともなし難い。後継政権のテレーザ・メイ首相は三月二九日、欧州基本条約第五〇条に従ってトゥスクＥＵ大統領に脱退の意向を表明し、本格的な交渉に入ることになった。メイ首相は離脱後も欧州単一市場での活動に支障が起きないよう要求する意向で、交渉では核武装やテロ情報への貢献の高さを強調する構えのようだが、ＥＵ側では「虫がよすぎる」「非現実的」と悪評さくさく。二年後の正式脱退時になっても何も決まらず、最悪の場合は関税協定すら締結されないかもしれない。そうなると英国は域内ビジネス活動から締め出されてしまう恐れすらある。

共通通貨から議会、裁判所すら備えた強力な地域統合体の出現がやがて国民国家の主権を制限し、国益に反する存在になってしまうのではないかと懐疑的な意見を持つ野心的政治家と、ＥＵ加盟の東欧移民の激増で生活を圧迫されていると不安感を募らしている中下層労働者がたまたま結び付いたポストトゥルース（信じ込み）現象だけに、冷静な損得勘定などしていなかった。だから最近の世論調査では六〇〇億ポンド（約八兆三〇〇〇億円）以上といわれる離脱清算金について、それよりはるかに少ない二〇〇億ポンドの支払いにも七〇％が反対しているという結果が出ている。英国民の大半は、ＥＵへの加盟費のうちの相当な額がさまざまな名目で還流していることも知らなかった。

それればかりではない。域内労働力の自由な移動でポーランド移民が近来、急速に増えたものの、英国人もドーヴァー海峡の向こう側で働いたり、老後の生活を送っている。その人々はＥＵ所属者として年金や医療サービスなどを保障されているが、ブレグジット以後はそうした恩典が無くなる。加えて、多国籍企業や銀

歴史の風化——ブレグジット

行が非EUのロンドンに不便を感じて転出してしまうかも知れない。BBCのサイトを開くと、ブレクジットに関する啓蒙情報が一問一答形式で掲載されているが、その分量は気が遠くなるほど多い。

本当に英国はEUと〝離婚〟するのだろうか。確かにロンドンの街中でポーランド語やブルガリア語が飛び交い、そうした移民の中からビジネス成功者が出てきて幅をきかせれば、不快感が募るだろう。だが、若干の規制を持ち込めば済むことではないのか。英国にはインド、パキスタンなど旧植民地の国、地方から移民を受け入れ、同化してきた歴史がある。その例として、現ロンドン市長はパキスタン系である。

さらに心配なのはEU残留派が多数を占めるスコットランドや北アイルランドが分離し、連合王国が空中分解する懸念が高まることである。それればかりではない。地中海の出入り口を扼するジブラルタルの帰属問題が再燃しそうな気配で、バスクやカタルーニャの分離運動を抱えるスペインが問題の処理を誤まれば、欧州のあちこちに小戦争の火種がまき散らされる可能性がある。

欧州連合（EU）は二〇世紀に起きた二つの大戦争の主戦場となった地域で「戦争はこりごりだ」という人々の想いが凝縮して生まれた地域統合体で、長い間、砲火を交えた二八の国家が平和と人権の深化拡大を共通の理念として掲げた人類の実験場であったはずである。ところが、そんな理念がいつのまにか忘れ去られ、市場の均質性ばかりを追い求めるようになってしまった。つまり殺し合いが内部でどうにか抑制され、物質的な豊かさのみを追求しているうちに、人間らしい生活の土台となる健全なコミュニティが次第に失われてきた。その矛盾が民主主義国のレヴェルで噴出したのがブレグジットだといえよう。まさに政治的理性の劣化としか言いようがない。それだけに英国民の翻意と軌道修正を切に願う。

（二〇一七年四月記）

フランス大統領選決選投票の過熱報道を横目にしながら、二〇一七年四月にエルドアン大統領が辛勝したトルコの国民投票について考えた。この国を議会制民主主義から一種のカリフ（イスラム教皇）制へという荒療治だが、世界を覆うポピュリズムの流れの一環である。

ポピュリズム　対　神秘主義

現代ポピュリズム中興の祖はロシアのウラジーミル・プーチン氏だと思っているが、米国のトランプ氏の手本に次いでエルドアン氏の手本になった観がある。つまり、過半数を占めれば全体を代表できるという選挙制度の建て前を悪用、権力を握ってしまえば、後は気まま勝手という手法である。格差社会に不満を持つ中流以下の国民の機嫌をとり、そのルサンチマン（怨念）を増幅して外国勢力を含むよそ者への敵意に変え、自分をナショナリズムの旗手に仕立て上げる。反対意見は強迫、嫌がらせ、果ては心身への危害を通じて抑え込み、やがて選挙で勝つことにより正統性を確保してしまう。民主主義を担保するのは表現の自由や少数派意見の尊重、三権分立などの補助装置だが、有権者の投票行動には直接結びつかない。お題目扱いしておけばよいのだ。

エルドアン大統領はイスタンブール市長として、都市交通の渋滞緩和や高層住宅供給などでポピュリスト政治家としての実績を積み上げ、今世紀初め、イスラム主義政党の「公正発展党」を立ち上げて首相から国家元首の地位に登りつめた。ただし、彼にとってイスラムとはトルコの生活様式であって、イスラム法（シャリーア）の全面順守を意味しない。国父、ムスタファ・ケマル以来、西洋化一辺倒である世俗主義とその守護者、軍部勢力に対抗するためのイデオロギー装置の要素が色濃い。

世俗主義とは端的に言ってしまえば、政治と宗教の分離を国家原則とすることで、トルコではフランス語のライシテを取り入れて「ライクリッキ」と呼ぶ。内実は政教分離ではなく、行政府内に宗務機関を設けて、あらゆるイスラム役職を公務員にしてしまう政治の宗教支配であった。男性優位で、女性はヒジャブ（髪を隠すスカーフ）をして公共の場や学校に出られない。この国のイスラム主義とは宗教の若干の復権を意味するにすぎない。

どこの国でも福祉や開発政策の行きつく先は公有地や許認可権を利用した政治エリートたちの私腹肥やしで、エルドアン政権も例外ではなかった。大統領一族の華美な生活ぶりが噂になる中で、閣僚らの汚職事件が世俗派勢力の牙城の一つ、検察に摘発されて批判を浴びた。二〇一五年の総選挙では公正発展党が一三年ぶりに議会での過半数議席を確保できなかった。

ポピュリズム政治家から民心が離れ始める。追い詰められたエルドアン氏はプーチン氏をまねて最後の賭けに打って出て、巻き返しに成功したのである。欧米のメディアから「エルドアンは今後、国民投票で得た五一％の支持者のための専制者になるだろう。ＥＵ加入は無理」と言われたが、トルコのＥＵ熱はとっくに醒めている。痛手になるまい。

問題は、政権から二〇一六年流血クーデターの陰の主役として非難を浴び、徹底的に弾圧された「ギュレン運動」である。米国に亡命中のフェットフラー・ギュレン師に率いられ、教育活動から発展した国際的ＮＰＯだ。東日本大震災の救援活動にも参加した。しばらくはエルドアン氏と二人三脚の社会組織だったが、ギュレン運動の育英活動に救われたエリートたちが国家機関の中枢に進出して隠然たる対抗勢力の座を占めたといわれる。メディア企業を傘下に擁し、本職の学校運営で富裕な家庭からは寄付金を集め、貧困者には支援する一種の所得再分配を行い、福祉国家のお株を奪っている。そんな側面が権力者に危険視されたのかもしれない。なぜ反エルドアンに回ったのか、真相は不明だが、弾圧された後も、単なるスケープゴーツとは言い切れない信仰集団としての力を秘めている。

ギュレン師は二〇世紀前半の異端のイスラム思想家、サイード・ヌルシーの著作「光の道」に学んだとされる。スーフィーの神秘思想によれば、修行者は緑の光を発して神と合体するという。スーフィーは預言者ムハンマドの介在、つまり外的規範を重視しないために異端として迫害されてきた。ギュレン運動がこの流れを汲むとすれば、イスラム世界は開明と神秘という新たな難問を抱えるだろう。

（二〇一七年五月記）

長い射程の物語

通信社記者時代に薫陶を得た先輩、松尾文夫氏が二〇一七年度日本記者クラブ賞を受賞した。八三歳でなお現役ジャーナリストとして旺盛な執筆活動を続けている氏の最高の業績は、一一年前から日米両首脳が核戦争被災地、広島と米国で唯一戦災を蒙ったハワイ・オアフ島のパールハーバーを訪問し、献花し合うことで両国民の和解を実現するよう提唱し続け、遂に実現させたことである。言論活動の模範として永遠に記憶されるだろう。

ジャーナリスト、松尾氏の主戦場は米国報道だが、彼の飽くなき探求心の底には幼少時の戦争体験がある。米国は先の大戦で二発の原爆を含む無差別空爆で無数の民間人を殺傷したが、氏は生き延びた少年の一人だった。その強国の論理は何か、そして、自国もアジアの地で同じ罪を犯したのではないか。それらの事実を究め、背後に潜む権力意志を摘発する。その一筋の糸を貫いたのである。

松尾氏は二〇一七年五月三〇日、短いけれど印象的な記念講演を行い、核戦備を強化し、先制使用で脅す北朝鮮と対話による状況打開が最も現実的なのだと訴えた。威丈高な外交姿勢と酷薄な政敵粛清を積み重ねる若き独裁者が相手で、甘すぎると一蹴する向きも少なくないだろうと前置きしつつ、オポチュニストであるトランプ大統領だからこそ可能なのだとアイロニーに満ちた議論を展開した。米国はビンラディンを殺害したような暗殺作戦や高性能爆弾による地下核基地爆撃も検討したようだが、失敗すれば大戦争となる。日本も巻き込まれて、多数の死傷者が出る。つまり軍事的選択肢がほとんどないことをトランプ大統領は熟知している。成果が予測できれば、首脳間の対話をためらうことはないだろうと云う論旨だった。

もう一つの理由は、松尾氏の近著『アメリカと中国』で詳述されているように、米中関係が歴史的に意外なほど深く結ばれていること。トランプ、習近平両首脳が利害関係の妥協点を発見できれば一致して北と交渉する基盤はあると洞察する。最近、米知的エリート層はこぞって中国への関心を深めているが、その背景に両国経済関係がいわゆる「相互確証破壊」が成立している事情がある。キヤノン・グローバル戦略研究所の瀬口清之研究主幹が言い始めた説だが、米中衝突は双方に深刻な経済的損失をもたらすので回避が政策の基本的前提となるのだそうだ。松尾氏は、トランプ大統領も例外ではない証拠に孫娘のアラベラが中国語を勉強していると語った。

大統領とその周辺は戦略的なディールの対象が中国以外にないという認識に到達し、前言を翻して「一つの中国」原則に戻ると南シナ海での「航海の自由」作戦もあえて公表せずに控えめに実施した。全て習近平政権の気をひくスタンドプレイとも言えるだろう。

松尾氏の論理はレーガン政権時代にワシントン支局長として培った人脈、特に当時のブッシュ副大統領事務所に通いつめた努力が生んだ人脈の情報に裏打ちされている。中でも、CIA出身でホワイトハウス安全保障補佐官から駐韓大使に任命されたドナルド・グレッグ氏と親交を結んでいる。氏は、北朝鮮をならず者国家ときめつけ、懲罰と制裁を声高に要求するのが決して日本の国益に結びつかないと力説したのだった。

松尾氏の射程の長い活動の背後に出自がある。出自は幕末の英才、横井小楠を熊本から招いた雄藩、越前福井藩の槍術指南の家柄。祖父の伝蔵は日露戦争で手柄を立てた陸軍大佐で、二・二六事件（一九三六年）で襲撃された首相官邸で岡田啓介首相の身代わりになって射殺された。父の新一氏は当時、若手将校の一人でクーデター参加を迫られたが、「政治にかかわりたいのなら国会議員になればよい」と断ったという。姻戚に陸軍参謀として辣腕を振るい、戦後は伊藤忠会長となった瀬島龍三、二・二六当時、内閣書記官長だった迫水久常がいる。学習院大では今上天皇と同級生だった。明治以来、日本エスタブリッシュメントが厚みを持った相関図を織りなしてきたことを象徴する人物でもある。

戦後七〇年が過ぎたというのに、この国の近現代史の大筋について国民的コンセンサスがいまだに形成されていない。このコンセンサスがない限り、憲法九条の存廃についての議論は決着しないことが、なぜ自覚されないのだろう。北朝鮮の瀬戸際外交が万一破綻すれば、自衛のための軍事力行使の意味すら不透明になってしまうのに。

（二〇一七年六月記）

（注）松尾文夫氏は米国東部時間で二〇一九年二月二六日、ニューヨーク州のホテルで急死した。朝鮮半島に関するセミナーに出席するために渡米中だった。奇しくも命日が非業の死を遂げた祖父と同じになった。

オフショア・バランシングの意味するもの

「日本国民は……平和を愛する諸国民の公正と信義に信頼してわれらの安全と生存を保持しようと決意した」。

平和を愛する国から核爆弾を落とされて間もない国が制定した憲法前文として、ヤケノヤンパチというしかないのだが、パクス・アメリカーナが失われるとなれば悪文どころか空文化する。北朝鮮が頻繁に核運搬可能ミサイルを打ち上げる昨今、どうにかならないかと考えてしまうが、改憲運動の旗頭である安倍晋三首相が憲法九条（非戦条項）を温存しようとするのでは何をか言わんや。

折から国連総会では核兵器禁止条約が締結される勢い。理想論に反対する訳ではないが、核廃絶環境が整うどころか多極化時代に入って核不拡散は現状維持もままならない。テロ組織による核兵器入手すら危惧される現実では即、空文化するであろう。むしろ核保有国を巻き込んで、核の先制不使用を誓うことが先決ではないのか。

トランプ米大統領の言動は相変わらず破天荒だが、原則が一貫していてブレがない。「アメリカ・ファースト」――つまり自国の国益につながらない政治的、軍事的、経済行動の請負は拒否するということで、これまでの米国外交の土台であった北大西洋条約機構（ＮＡＴＯ）への貢献すら渋るという徹底ぶりである。欧州主要国が軍事費の負担を増やさないなら、クリミア併合を強行したロシアとの緊張緩和の方が安上がりで好ましいという信念である。

トランプ氏の対外方針は決して唐突ではない。米国でネオコン批判を通じて定着した国際関係論の主流学説、ネオリアリズム（構造的リアリズムとも）を根底とし、勢力均衡（バランス・オブ・パワー）を重視する外交なのだ。簡単に言えば、民主主義国家同士で戦争することは滅多にないとか、戦争を含む暴力は人間性に根差すものだから平和教育が大切であるとかのアメリカ特有の理想論イデオロギーを幻想として斥け、複雑に対立する民族国家間の利害関係を調節するシステムが構造的に存在しなければ、その時々の力関係を安定させることだけが国際平和実現の唯一策であるという考え方なのである。国際法や国際機構の存在を否定はしないが、強制力を伴わない以上、その効果には常に疑問符がつく。米国は冷戦後、唯一の超大国として経済のグローバル化を支える一極構造の頂点に君臨しようとしたが、イスラムテロの一撃を食らい、アフガニスタン、イラクでの非対称型戦争の処理に失敗して疲弊してしまった。その徒労感がエスタブリッシュメント不信の大波となってトランプ政権をもたらしたのは記憶に新しい。

アメリカは国際社会の主役の座から降りる方向だが、次の多極化体制が確立するまでの中間期戦略として

「オフショア・バランシング」が提唱された。二〇〇二年、クリストファー・レイン現テキサスＡＭ大教授がこの政策復活を預言したのが始まりだが、最近ではジョン・ミアシャイマー・シカゴ大教授とスティーヴン・ウォルト・ハーバード大教授が共同執筆し、一年前にフォーリン・アフェアーズ誌に掲載した小論文「オフショア・バランシングの主張、「一つの優れた米グランドストラテジー」」が標準的提言とみなされる。両泰斗は中国人民解放軍の強大化を念頭に安全保障の最重要地域として北東アジアを挙げ、米軍の欧州、湾岸地域からの撤収を提言、東アジアでは防衛任務を米国から域内強国（日本）にシフトさせ、米国は重大危機の場合のみ直接介入（戦力投入）するよう主張している。

裏打ちになる軍事戦略が「エアーシー・バトル」（ＪＡＳＣ）であり、その内実は海洋覇権の維持のための中国海軍力の牽制、場合によっては破砕のための海空軍作戦の遂行である。この場合、中国の大量ミサイル攻撃に極めて脆弱な在日米軍基地には戦略的に依存せず、対応可能なグアムなど後方基地への撤収が早晩、目論まれるだろう。少なくとも海、空軍、宇宙においては、軍事革命（ＲＭＡ）によるハイテク化、無人化、遠距離化が戦闘の様相を劇的に変換しつつある。しかもオフショア・バランシングでは、戦争目的すら相手国の屈服ではなく、方針転換であることが想定される。

トランプ時代に入って、日本のがちがちの保守エスタブリッシュメントすら対米従属という名の戦後レジームから脱却を迫られている。

（二〇一七年七月記）

不運な日本

日本は不運な国ではあるまいか。トランプ大統領のアメリカが対外戦略において大変換しようという重大な時期に、最高指導者が一連の醜聞にまみれて政治家としての器量の狭さをさらけ出した。ハンブルクでのG20サミットを前に残念な話である。世界の政治経済構造が気候変化への対処問題を契機に劇的に変わろうとしているのに、日本は対米従属から一歩も離脱できずに漂流する公算大である。

対照的なのは同じ中規模国家ドイツの指導者、メルケル首相だ。シチリア島でのG7サミット、ブリュッセルでのNATO首脳会議の直後、同首相は「他国に完全に頼る時代はどうやら終わった。私はここ数日で身をもって知った。私たち欧州人は自らの運命を自らの手で握る他はない。自らの運命のために闘う必要があると知るべきである」と存在感も鮮やかに発言した。

半年を迎えたトランプ政権のメッセージは単純明快で、一極主義から一国主義への極端な路線変更である。米国の国益に関わりがないなら理非、善悪にお構いなし。価値観を共有しない国や組織でも、ディール（取引）の相手として向き合おうというのである。これでは従来の同盟諸国との間に断層線（フォルトライン）が生じるのは当然。しかし、この方針の背後には、美辞麗句を操りつつ差別社会を強化してきたエスタブリッシュメントを拒否した米国民の意思がある。まず冷厳な現実を受け止めて自国の国益のありどころを確かめるメルケル女史の立ち位置を見習いたい。

翻って東アジア情勢はどう変わるか。核兵器を持たない中位国以下にグランドストラテジーは無意味とされる。日本は大国ではあり得ないし、国民も大それた野心に振り回されるのは懲り懲り。しかし、トランプ政権は北朝鮮の核の脅威を前に、核不拡散政策の破綻を自認し、日本の核武装すら可能性として読み込んでいる。長期的に見れば、米国は海空兵力で遠方から睨みをきかせるオフショア・バランシング戦略に立脚することになるだろう。

この間、ランドパワーとしての中国の覇権拡大は容認する。トランプ米国の姿勢は北朝鮮への影響力行使要請などに見え見えだ。日本に有用なのは古代ローマ以来の「平和を欲すれば戦いに備えよ」という警句であろう。

（二〇一七年七月記）

（注）この一文は「インテリジェンス・レポート」誌二〇一七年八月号の巻頭言として掲載された。

ＡＩ時代の徒弟制度

囲碁、将棋の世界では最強とされる勝負師が相次いでＡＩ（人工知能）に敗れ、やがてコンピューターが人知を凌駕する「シンギュラリティ（技術的特異点）」を通過するという見方がますます勢いを得ている。このままでは凡人はロボットやＡＩに仕事を奪われ、国からベーシックインカムを保証されながら細々と世を渡っていくのが当たり前になってくる。相手は発展途上国の労働者よりもっと手強い。

そんな中、近ごろでは最強の権力者となったはずの安倍首相が「美しい国へ」どころか、次世代を担う人々を育て、陶冶するはずの教育分野で政治家としての見識を問われる失態を演じた。資源が少なく、災害が多発するこの国で、頼るは勤勉でやる気のある人材だけだというのに、教育の場を公私混同しておもちゃにするようでは有権者から嫌われてもしかたがない。そもそも安倍チルドレンと呼ばれる若手政治家たちが無知と無節操をさらけ出しているのは、自民党総裁として党員教育をなおざりにしてきたからではないか。寒心に堪えない。

急速な人口減と世界最速といわれる高齢化で、日本の若者たちは企業からチヤホヤされて我が世の春らしいが、あまり幸せそうでないのは将来の不確実性に戸惑っているからではないか。文科省のホームページを覗くと、「キャリア教育」とか「職業教育」とかをテーマにした報告書や記事が所狭しと並んでいるが、子どもたちにとって抽象的な建て前論だけで職業選択に役立つとは思えない。理由は、今どきの若者に何よりも大切なのは自分が社会や身の回りの人々にとって有用かつ不可欠な存在として確信できるアイデンティティの発見なのだと思うが、そうしたアイデンティティを確立するには苦しい訓練や修業が必要なことを率直に物語らないからである。そんな学校での授業を受けるよりゲームの方がはるかに有意義かつ面白い。米国の作家兼ゲームデザイナー、グレッグ・コスティキャンの定義によれば、ゲームとは「十分な情報の下で行われた意見決定（decision making）をもって、プレイヤーが与えられた資源管理（managing resources）をしつつ自ら参加、立ちはだかる障害を乗り超えて目標達成を目指すもの」（ウィキペディアより）だそうだ。それが正しければ確かに退屈な授業よりはるかにましだろう。

要はゲームと同じで、自分で打ち込めると同時に他人の共感と同意を得られるものを見出し、それで飯が食えれば最高なのだ。ところが教育行政がせっかちに望んでいるのは企業や社会を席巻するであろうＡＩとの共同作業の能力らしい。しかし、自分より能力が高い上、感情を持たない存在と仲良くなれというのは並みの人間にとって困難のはず。そんな労働環境で働きたいと思うのはよほどのコンピューターオタク、理系の秀才だろう。問題は自分の中に同級生より優れた資質を見つけにくい大多数の普通の学生たちにいかにアイデンティティを発見してやるかなのである。

現代社会では個人の能力格差はカッコにくくられ、表ざたにしない。それが機会の平等という建て前で、実質的には地位や所得で大きな差が生まれている。しかし制度的にはよほどの事態でない限り、格差を救済する手立ては作られない。それだけに十人十色、隠れた資質と才能を探し出す作業が必要なのだが、日本の教育機関は画一的で、極端に言ってしまえば読み書きソロバンしか教えない。日本の伝統文化が誇る匠の技の伝習などは公的にはめったに評価されず、中小工場や職人たちの血の滲むような努力に委ねられている。

実は、ＡＩやロボットが一番苦手とするのは、この思考と身体を訓練と体験によって融合させる営為であって、創造（アート）や突発事態への対応を担保する。

この国では少なくともアーリーモダンと呼ばれる江戸時代から多彩な職能・技能を保存し、伝承してゆくのに有効な徒弟制度が機能していた。主人や親方が商売の仕方や大工仕事の一から十まで全人格的に指導してゆく訳で、多少は道理に合わない側面があったかも知れない。しかし、こういう仕組みが職業的自立を実現させ、大都市における独特の個人主義を担保したとも言える。

徒弟制度の頂点とされるのがドイツのジャーニーマンを中心とするデュアルシステムだが、制度を支えているのがパラメディカル、銀行事務職、眼鏡技師、配管工など三四二の職能団体である。日本でもこうした技能を国家資格として認定し、近隣諸国の若者にも門戸開放すれば新たな波を生み出すだろう。（二〇一七年八月記）

外交官の遺言

二〇一七年九月、北朝鮮が国内六回目の地下核実験を強行した。その結果、大陸間弾道ミサイル（ＩＣＢＭ）にも搭載可能な水爆の初期開発に成功したというのが専門家の見方である。核ミサイルがもしも横須賀や厚木、横田の在日米軍基地を標的にして発射されれば、首都圏全体に阿鼻叫喚の地獄図が現出するのはまちがいない。高高度爆発によるＥＭＰ（電磁パルス）攻撃が選択されるとしても、広範囲にわたって電子機器が破損し、国民生活は想像もつかない大混乱に陥るだろう。もはや若い独裁者の火遊びなどと見くびってはいられない。

だが、北朝鮮の最高権力者が核兵器開発に狂奔することを非難できる普遍的論理など実は存在しないのである。日本に原爆二発を落とした米国を筆頭にロシア、中国、英国、フランスはこれまでに推計二〇〇〇回以上の核実験を繰り返して核兵器の寡占体制を作り上げ、それを核拡散防止条約（ＮＰＴ）によって半永久化した。この条約は核大国五国に核兵器廃絶に向けた誠実な努力と先制不使用を求める条文を含んでいるものの全くの空証文である。かつて外務事務次官、駐米大使を歴任した村田良平氏は退官後、佐藤栄作政権当時、核持ち込み不問の密約があったことを素っ破抜いた。彼の回想録によると、ＮＰＴの隠された狙いは日本と西ドイツ（当時）の核武装を阻止する仕組みづくりにあった。まさにＮＰＴは米ソ冷戦構造の屋台骨を形成した。

しかし、ＮＰＴはインド、パキスタンの核軍備を阻止できず、米国の歴代大統領はイスラエルの核兵器保有と地域的核独占のための軍事行動を黙認してきた。こんな体たらくでは、トランプ大統領の説得など金正恩委員長の冷笑を浴びるだけだろう。

それどころではない。米紙ニューヨーク・タイムズは北朝鮮の動きに対する中国の煮え切らない姿勢の背後には、中国がかつてインドへの警戒感からパキスタンの核兵器開発を秘密裡に支援した経緯があり、それに北朝鮮が絡んでいたと論じた。中国は米国と張り合って東アジアでの覇権大国になろうとしているのだから、当然、域内での核独占体制を構築したがるだろうが、パキスタンとの経緯から金正恩を説得するには相当な時間と見返りを用意せねばなるまい。その意味で、北の核軍備は隣接する大国への警告効果、言い換えれば相互確証破壊（ＭＡＤ）の暗示も計算されているはずだ。

安倍首相は米韓両国と歩調を合わせての経済制裁の強化を熱心に説き回っているが、一国、一独裁政権の生存を賭けた行動に経済的締め付けが有効であった先例は稀である。国連安保理では建て前上から、制裁強化の決議が実現したが、ロシアも中国も北の窮鼠猫を咬むような振る舞いを懸念し、さらなる制裁に同意しても、実施に手心を加えるはず。現にプーチン大統領はウラジオストクでの東方経済フォーラムで安倍首相に対話路線重視の意向を示した。クリミア奪取作戦では核兵器使用も想定内に入れていた強面の権力者の発言である。安倍首相の反応はどうだったのだろうか。

元英エコノミスト誌編集長のビル・エモット氏は、実現性は極めて低いものの、最善策は中国の侵攻攻撃であると主張している。中国は朝鮮半島が米国ペースで統一され、緩衝国を失うことを恐れているので、こうした事態が発生する可能性が高まれば、労働党の支配体制は動かさないでトップをすげ替えるだろう。金正恩委員長はそれを恐れて腹違いの兄を暗殺したのである。中国のカリスマ的存在だった鄧小平は一九七九年、カンボジアを席巻したヴェトナムに懲罰的軍事作戦を展開した。そうした過去を振り返って中国が短期的な軍事行動に出ることを想定内に入れておくべきだろう。事実、人民解放軍が中朝国境近くで特殊作戦演習を実施したそうだ。

最近、ホワイトハウスを去ったトランプ大統領の親友、スティーヴン・バノン首席戦略官が米国の軍事介入を下策として猛反対していたのも興味深い。バノン氏は明らかに東アジアの大陸部の支配を中国に譲り、米国の覇権を海洋に止めるのが現実的とみていた。米国の世界戦略のコンセプトは明らかに変容しつつある。日本はこの動きに無策であっていいのか。

村田良平氏は二〇一〇年に亡くなったが、回想録の中で、もし北朝鮮が核武装すれば、日本も抑止・報復力として潜水艦搭載核ミサイルを装備することになるだろうと預言した。内心の不安を隠して非武装国家と共に歩んだ民族主義者外交官の遺言を思い起こす昨今である。

（二〇一七年九月記）

民意のありようは非理性的

安倍晋三首相は二〇一七年一〇月初め、「国難突破解散」と銘打って国会開催冒頭で衆議院を解散、希望の党の旗揚げや民進党の事実上の解党ハプニングがあって、政策的な意味では訳の分からない選挙戦が始まった。首相は北朝鮮の核暴挙で得意の安全保障論に勝算ありとにらみ、ついでに公私混同の疑いが濃い森友学園・加計学園スキャンダルのみそぎもやって、「この国難の時期を乗り切れるのは自分しかない」というお墨付きを有権者から頂こうという魂胆がみえみえ。したたかな計算が過半数を取れなければ退陣するという発言になっている。

選挙戦が始まったばかりで大胆な予測をすれば、自民・公明連立政権側が圧勝し、先の見えないままの親米路線がますます推進されるだろう。別に政治の流れを精査しての結論ではない。政策的争点がぼやけたままの選挙となれば、有権者は政党あるいは立候補者の好き嫌いで投票しがちになる。そうなれば有名なケネス・アローの不可能性の定理、「完全な民主主義は論理的に実現不可能」、さらに同定理を補強する「ギバード・サタースウェイトの定理」が働いて、自分の入れた票に最大限の効果を発揮させようという思惑から勝ち組に肩入れする人為的策動が作用するという訳である。

今回の総選挙は確かに安倍首相の功罪評価という要素が強く、彼は「最も当選してほしいリーダー」であると同時に、「最も当選してほしくない大嫌いなリーダー」という要素を兼ね備えており、それだけに彼を勝たせようという思惑がより強く作用すると想像する。さらには負の戦略的行動として、安倍自民党の優勢を予測して棄権してしまう野党支持の有権者が相当数に上る場合も考えられる。こうした投票行動の歪みは比例代表方式で小選挙区よりはっきりと浮かび出るだろう。

それにしてもトランプ米大統領の出現から始まって、英国の国民投票による欧州連合（ＥＵ）離脱決定、ドイツ連邦議会での国粋主義政党ＡＦＤの華々しい進出など、近ごろの民主主義諸国における民意のあり方はどう見ても理性的とは言いにくい。いや、こうした多数決原理による社会的決定が本当に民意を正しく反映しているのだろうかという疑問が払拭できないのである。だが、待てよ。

どこの国でも、国民の多くは自分たちの日常生活の維持とささやかな向上のために働き、家族や友人たちとの交わりを楽しみながら暮らしている。政治の動きなどはメディアやソーシャル・ネットワーキング・システムなどを通じて知ってはいるものの、切実さを伴わない知識の対象であることが通常である。そうした人々はある日突然、愛国心や正義感に駆られて政治行動に走る訳ではない。彼らを立ち上がらせるのは暮らしの悪化や失業など生活基盤の崩落、あるいは心身への危険の増大など、主として怒りや憎しみ、不安などの感情のたかまりが自制の枠を超えた時なのだ。考えてみれば、そうした感情が人間を主体的に動かすのであって、合理的に動くのは社会的な役割を演じている場合にすぎない。つまり、市民が国家の主権者として直接出現する時、その存在は非理性的であるのが当たり前なのだろう。ニーチェは「狂気は個人では稀だが、集団、党派、民族、時代にあっては通例である」と述べたそうだが、真理を衝いている。

トランプ米大統領を押し出した中下層の白人有権者たち、中東や東欧からの移民、難民との違和感に苛まれるEU先進国の市民、中央政府の差別に敏感なスコットランドやカタルーニャ（スペイン）の住民など。彼らにとって体制内政治家の合理的発想そのものが不快感をもたらす。幸いにして日本には欧米ほどの大量の移民や難民が滞留しておらず、過去五〇年間に限れば民族的反感の矢面に立つ集団もない。しかし、韓国の従軍慰安婦問題での常軌を逸した反日キャンペーン、北朝鮮の日本近海へ向けたミサイル発射などがいつ日本国民を取り乱させるか分からない。この国も世界の非理性的潮流といつまで無縁でいられるのだろうか。見通しは暗い気がする。

英国の大政治家、ウィンストン・チャーチルは一九四七年、野党党首として下院で演説した際、「これまで多くの統治形態が試みられ、これからもこの罪過と哀しみの世界で試みられるだろう。誰も民主主義が完全無欠だとみせかけることはできない。全く、そうだ。よくいわれることだが、民主主義は最悪の統治形態だ。

ただし、これまで試みられたすべての他の形態を除けば」と言ってのけた。民主主義はずっと前から金科玉条ではなくなっている。

（二〇一七年一〇月記）

覇権志向国家の登場

第一九回中国共産党大会が二〇一七年一〇月、開催され、二期目に入った習近平国家主席兼総書記が独裁体制を構築したというのが専らの評価である。彼は最高指導部である党政治局常務委員会の七人枠の中に後継者候補に目される若手を全く登用せず、権力の座に今後五年以上、居座る意志を暗黙に示した。人類の寿命が延びる中、トランプ米大統領だって七五歳なのだから、習氏が党の不文律を時代遅れと考えて当然だろう。

強大な権力を手にした習氏は大会冒頭の三時間半に及ぶ大演説で、中国が世界の覇権国家になることを目指すと示唆した。党規約に盛り込まれた「習近平思想」なるものがその集大成で、中国の経済的大発展を導いた鄧小平氏のスローガンだった「中国の特色を持つ社会主義」を下敷きにして「新時代のための中国の特色を持つ社会主義思想」を政治的にこね上げたのである。社会主義といっても、経済的には従来通りの国家資本主義で、単に所得の平等性重視を意味するに過ぎない。

しかし、基本政策として一四項目の堅持方針が打ち出されている。私なりに要約すると、①党の指導性の全面的堅持②人民中心の堅持③改革の深化④科学に立脚する発展の新理念⑤人民主権⑥法治主義⑦社会主義の核心的価値（マルクシズム、共産主義、中国の特色を持つ社会主義）の護持⑧発展目標としての人民の生活向上と福祉⑨人類と自然の調和と共生⑩国家安全保障の強化⑪軍に対する党の絶対的指導権⑫一国二制度（香港とマカオ）の堅持と祖国統合（台湾）の実現⑬平和な国際環境を持つ中国と世界に通底する運命共同体構築

⑭党規律の改善。

この中で最も（中国の）特色が鮮明なのは①②⑤項目の関係であろう。中国共産党がやることは全て人民のためになるから、党が人民主権の代行者であることは自明であって、党を支持し服従することが人民の最高善と言っているに等しい。では党とは何か。人民に支持された官僚機構のことであり、言い換えれば被支配者に信認された支配者集団のことなのだ。しかし、個々の官僚は時に腐敗し、人民に不利益を与える。だから真に人民に支持されるのは官僚機構のトップに立つ人物であればよい。そうなると、まさに中国伝統の天命（民意）に基づく皇帝支配のシステム以外の何ものでもない。習近平氏はこれまでしばしば論評されたように毛沢東に戻ろうとしているのではなく、もしかするとチンギス・ハーンの世界帝国の再現を「中国夢」としているのかも知れない。その傍証が方策⑬の中国を中心とする人類運命共同体実現への意欲で、一国だけの強国化なら論ずる必要のない議論だからである。

思い出すのは、今大会で引退が決まった習氏の右腕、王岐山前党中央紀律検査委員会書記（前政治局常務委員）が二〇一五年四月、著書『歴史の終わり』で有名な米哲学者、フランシス・フクヤマ氏、比較制度分析で優れた貢献を残した経済学者、青木昌彦氏らと座談した際、孤高の歴史家、岡田英弘（一九三一〜二〇一七）を激賞しながら「国家、法治、政府の説明責任などは全て中国文化とそのＤＮＡにある。中国は多民族の遺伝のなかで変異しており、中華民族は西側を含め世界各民族の優秀なものをもっと吸収しなければならない」と発言したことである。王岐山氏は中国きっての経済通とされるが、大学では歴史を専攻した異色の履歴であり、「一帯一路」構想も元は彼の創案ではないかといわれる。

岡田英弘の見方は、中国のナショナリズムはいち早く欧米の文物を取り入れた日本の模倣から始まったとしており、現在の中国では公然とは受け入れにくい代物。それだけにこの国の指導者の度量の大きさが印象的な話である。王氏とは下放時代からの親友である習近平氏の脳裏に自国の歴史がどのように刻まれているのか研究する必要があるだろう。

王岐山氏といえば、トランプ大統領の陰の軍師といわれながら、ホワイトハウスから追放されたスティーヴン・バノン氏とごく最近、秘密会談していた。そのバノン氏は一一月三日、自分が会長の時事サイト「ブライトバート」に登場、習演説を今世紀で最重要な政治文献と呼び、儒教的重商主義の専制型モデルが西側モデルを打ち負かすかも知れないと懸念を示した。同氏によると、中国は名実共に覇権国家であって米国が戦略的パートナー視するのは大間違いだという。具体的な脅威としては①ロボット、AI、半導体など一〇産業分野で支配的地位を確保する「プラン二〇二五」が起動中②中央アジアを制するものは世界を制するという「一帯一路」の地政学的発想③人民元の国際決済通貨化とそれを保証する金融テクノロジーの開発④第五世代移動通信（G5）での優位性確保——だというのだ。国際関係の闇は深い。

（二〇一七年一一月記）

中立国家への道

非核への道を切り開いてきた核兵器廃絶国際キャンペーン（ICAN）が、二〇一七年一二月、ノーベル平和賞を授与され、日本の被爆者たちの粘り強い訴えが間接的に評価された。しかし核兵器の寡占体制を前提とする戦後ヘゲモニー構造は当分揺らぎそうもない。水爆による世界破滅で脅す「ならず者国家」の出現が北朝鮮で終わる保証などどこにもないのである。唯一の原爆被爆国である日本は相変わらずのジレンマを抱え、煮え切らない態度を続ける他ないのだろうか。

核軍備の問題はさておき、この国は台頭する覇権国家を一衣帯水の隣人に持ち、朝鮮半島の二つの分裂国家から白眼視され、北方の大国とは戦後七〇年以上過ぎても領土問題が解決しない。福沢諭吉の脱亜入欧論以来、近隣諸国と価値観を共有したためしがなく、唯一、旧植民地として文化をある程度共有し、親近感がある台湾とは国交が結べない。さらに事態を悪化させているのは戦後の長きにわたって従属という代償を払いつつ万全の庇護を受けて来たアメリカ合衆国が冷戦の終焉以来、世界経営に失敗して国力を落とし、トランプ政権にいたっては帝国としてのヘゲモニーの追求すらほぼ放棄してしまった。もはやこの国の安全と安心を担保できる外的存在などないのである。カントの「永遠平和のために」という題名が墓場、つまり死の平安を暗示していたように、殺し合いのない人類社会の実現は死後の彼岸に待つほかないような気もする。

私の考えでは、核なき平和という理想と現実の安全保障政策の間を繋ぐ強靭なリアリズム思考がこの国には決定的に欠けている。直近の例では二〇一六年一〇月の衆議院選挙である。最大野党、民進党の前原誠司代表（当時）は安倍政権打倒のために自党を解党してまで野党連合勢力を糾合しようとして空中分解した。「希望の党」なる中味不明の政党を立ち上げた小池百合子東京都知事もそうだが、権力の横暴を批判しつつ、権力主義の虜になったような振る舞いが有権者から嫌われたのである。この選挙で男を挙げたのが立憲民主党の枝野幸男代表だが、この政党の主張もよく分からない。安倍政権が現行憲法の趣旨すら守らず、アメリカとの集団安全保障をとことん推進しているのには憲法無視で反対ということらしいが、話が法制論議に偏り、国家としての安全確保を無視している。古い言葉を使えば書生論の域を脱していない。

一方、安倍首相の言動はどうか。トランプべったりは一見、大人の感覚に見えるが、非常に危険である。この国益主義一辺倒の大統領が戦争の瀬戸際で同盟国の危機に立ち上がってくれる可能性は極めて低いと思う。現にアメリカはオバマ政権時代にミサイル攻撃の危険性を考えて、在日米軍基地の評価を下げた徴候がある。日本のメディア、識者達は北朝鮮のＩＣＢＭが北米大陸に到達できるかどうかで大騒ぎしていたが、日本には確実に届くはずである。この現実を度外視してトランプ氏の田舎芝居に協賛出演している場合ではあるまい。

　では日本にとって最も現実的で有効な安全保障政策は何か。もちろん一朝一夕に実現する訳ではないが、永世中立国家への道ではあるまいか。日本の置かれた地政学的環境のように、強大な軍事力を持ち、しかも専制政治に慣れっこの二つの大国に囲まれつつ、長期的にはアメリカという後ろ盾も失いそうな国情で、タカ派的言動は禁じ手であり、ましてや攻撃的な軍事力の行使など愚の骨頂。その代わり、専守防衛能力では相手の見くびりを許さない。地域的バランスでは領土問題を含めて現状維持（ステータスクオ）を国是とし、さらに中立宣言すれば、東南アジア諸国の一抹の疑念を解消することも可能である。もちろん前提条件は米軍基地の撤廃と北方領土、竹島の領土問題解決であろう。

　この国では、戦後の一時期に独裁的権力を振るった米占領軍の長、ダグラス・マッカーサー司令官が思い付きで「日本は極東のスイスたれ」などと発言したお陰で、中立論議はきわめて評判が悪いが、実は根性悪の隣国とうまくやっていく最適の手段である。一九八〇年代、旧社会党最高幹部の石橋政嗣氏の「非武装中立論」（一九八〇）や大塚英志氏の議論があるが、私の提言はあくまで現代日本の東アジアにおける立ち位置からのプラグマチックな発想である。それればかりではない。高度福祉国家として国民一人一人の運命と国家の帰趨が分かち難く結びついてしまった今日、民意のありどころを忖度すると、戦争を回避できる中立国家としてのあり方が最も支持されると考えからである。

（二〇一七年一二月記）

二〇一八年

デジャビュ

新年早々、朝鮮半島に思いもよらぬ雪解けムードが広がった。強面一辺倒だった北朝鮮の金正恩労働党書記長が新年談話で核のボタンに言及しながらも、二〇一八年二月の平昌五輪に参加する意向を示し、韓国の文在寅大統領が素早く対応して一月八日には板門店で南北高官級会談が実現したのである。あっけにとられた米国のトランプ大統領だったが、北の軟化は自分が主導した強硬外交の結実という理屈をこねくり出して、文大統領を一〇〇％支持する姿勢を表明した。

しかし、真の仕掛け人は中国の習近平国家主席ではないだろうか。文大統領が昨年暮れ、訪中すると三回にわたって会談しながらＴＨＡＤ（終末高高度防衛ミサイル）配備に関して厳しい姿勢を崩さず、共同声明すら断わって、代わりに朝鮮半島安保三原則をのませた。中身は韓国側の発表によれば、①地域における戦争の非承認②非核化方針の堅持③全ての問題の平和的解決④南北の関係改善、というから、まさに今事態の展開シナリオそのものである。会談後の中国外務省の肯定的なコメントが如実に舞台裏を物語っているような気がする。金正恩氏は核ミサイルを発射する暴挙に出るほど愚かではないし、あくまで確証破壊という暗黙の合意に基づくパワーゲームに参入する基盤づくりに努力しただけ。長い目でみれば、米国の庇護を受けながら核武装を維持してきたイスラエルの立ち位置を中国あるいはロシアの傘の下で確保しようという魂胆であろう。要は東アジアの地域覇権では中国が米国に対しかなりの得点を稼いだというところなのだ。

これに対して韓国の立場は微妙である。アメリカの高圧的な対北恫喝が万一破綻して戦争勃発となれば、首都ソウルが阿鼻叫喚の火の海になることは確実で、そんな火遊びに到底加担はできない。かといって、核不拡散体制に異議を唱えて自前の核抑止力を追求するほどの国力はないし、結局は金大中、盧武鉉（ノムヒョン）両政権以来の宥和策（太陽政策）に立ち戻るしか選択肢はないのだろう。

飛躍するが、文在寅大統領の就任以来の動きに対して、奇妙な既視感（デジャビュ）に捕らわれた。なぜだろうと考えて、約一〇年前に短期間、日本の舵取りを担った民主党（当時）の鳩山由紀夫元首相に突き当たった。文大統領と同様、就任すると七〇％以上の高い支持率を獲得して、思い切った体制改革を打ち出しながら、やがて朝令暮改を繰り返し、外交面での失策が命取りになった。沖縄・普天間米海兵隊基地の県外移転公約が国家間の約束の一方的変更となり、温厚なオバマ米大統領（当時）から嫌われてしまった。文大統領は米紙ウォールストリート・ジャーナルの社説で「信頼できない友人」と決めつけられたが、鳩山首相も当時、アメリカのコラムニストから「ルーピイ（とんまな）」という形容詞を頂戴したのだった。

文大統領の「積弊清算」、つまり前々政権、前政権の金権体質や米国依存の事大主義思考を排して民意本位の福祉国家を目指すというスローガンも、鳩山民主党の方針と類似している。従軍慰安婦問題では、日韓合意という国家間の約束を反古にするような発言をしておきながら、後になって破棄は難しいと前言を翻したのもそっくり。日本の拠出金一〇億円の肩代わりに至っては意味不明である。まあ、世界各地に訳の分からない少女像を建てるような怨念のありようから理解できないことはないけれど……。

日本メディアはあまり報道しないが、文政権は「積弊清算」で困った事態に直面している。アラブ首長国連邦（ＵＡＥ）のドバイと巨額の原発建設契約を結んだ付随サービスとして秘密軍事協約で特殊戦訓練団を送り込んでいた。新政権としてどうやら有事介入を約束した条項などの改定を申し入れた模様だが、ドバイ側が怒り出したのである。なにしろ数兆ドル規模の契約だから歴史問題どころではない。李明博政権の不正暴露をやろうとして、藪をつついてとんだ蛇を出してしまったということのようだ。早晩、「積弊清算」方針は清算されるのではなかろうか。

鳩山由紀夫氏のその後はどうか。尖閣諸島の所属で中国寄りの発言をくり返したり、アジアインフラ投資銀行（AIIB）の顧問を務めるなど、親中ぶりを発揮している。文大統領も米トランプ政権の迷走ぶりに戸惑っているうちに、いつの間にか習近平氏の厚ぼったい掌の上に乗っていないだろうか。華夷秩序がいつの間にか形成されるという初夢が迷妄であれば幸いである。

（二〇一八年一月記）

敗軍の将

東日本を襲った大地震・津波災害から満七年が過ぎたが、未だに仮設住宅で暮らしている人が少なくない。とりわけ福島第一原発のメルトダウン事故で放射能に汚染された故郷に戻れず、老いてゆく人々がいたましい。そんな状況の中、事故当時の東京電力で代表取締役会長だった勝俣恒久氏（七七歳）と二人の原発担当副社長二人が業務上過失致死傷の罪に問われる刑事裁判がようやく本格化している。検察審査会が検察当局の不起訴処分を否定する決定を下した異例の強制起訴による裁判だが、再び起こしてはならない事故だけに、遅いけれども正しい反省の道程だろう。

銀髪になって老いの影濃い勝俣元会長ら三被告だが、そろって無実を主張しており、審理の焦点は東京電力首脳たちに津波による全電源マヒという事態が予測されていたかどうかに絞られている。シロウト目には、文部科学省の地震調査研究推進本部が二〇〇二年七月に公表した「長期評価」で「福島県沖で巨大津波が発生し得る」と警告し、二〇〇八年には社内試算で福島第一原発に海抜一五・七メートル強の大津波が襲う可能性があるとの数字が出ていたのだから、防災計画を迅速に見直すのが経営者の責任だと思う。技術や経費のことはよく分からないが、要は防潮堤をカサ上げしたり、電源の安全性を高めたりするだけのこと、しかも中越地震で柏崎刈羽原発の脆弱性が問題化していた折だから、経営者の怠慢は明らか。プロとしてはチェルノブイリ原発事故でメルトダウンの怖しさは身にしみて感じていていいはずなのだ。

勝俣被告は現役時代、「カミソリ」と言われるほどの切れ者だったそうだから、哲人経営者と呼ばれた先輩会長、木川田一隆氏の逸話を知らないはずがない。木川田氏は「原子力（発電）はダメだ。絶対にいかん。原爆の悲惨な洗礼を受けている日本人があんな悪魔のような代物を受け入れてはならない」が持論だったが、いつのまにか豹変し一九六二年に入って常務会で福島第一原発の建設を宣言した。地元福島県知事らの陳情もあったのだが、おそらくアメリカが核兵器不拡散条約（NPT）を認める代わりとして、日本に核の傘を提供し、原発建設を支援するという提案を行っていることを知ったからだろう。つまり原発事業は日本の冷戦構造での立ち位置に深く根差しているのを認識し、悪魔に身を売ったに等しいのである。

経緯を振り返れば、常々電気事業連合会のトップを占める東電会長はいわば悪魔の監視人であるべきだった。ところが勝俣氏ら後続会長はいつの間にかその覚悟を失ってしまった。もし勝俣氏が木川田氏の苦渋と決断を我がものとしていれば、メルトダウンの危険防止を最優先事項として処理しただろうに。器の小ささを嘆かざるを得ない。

法的責任はともかく公人としての心情倫理はどうだろうか。勝俣氏は福島第一原発事故後の株主総会で原子力損害賠償法上の異常な天変地異による免責可能性に言及して、被災者たちのひんしゅくを買った。その後、娘婿の清水正孝元社長とともに海外に居を移したとも伝えられ、被災者に詫びたという話もない。メディアを集めて深々と頭を下げる光景など見たくもなかったが、災害対策を怠った不明を認める発言があってもよかったのではないか。ウィキペディアによると、座右銘は「ケセラセラ」だそうだが、起きてしまったことは仕方がないと割り切って、用意周到に法廷での立場を少しでも良くしようと準備していたように思えてならない。

勝俣氏の父君は代々木予備校の創業者で、兄弟五人とも一流大学を出て大企業の経営者や大学教授になった秀才ばかり。戦後の教育は知育偏重で、自らを律する情操や公共心の向上には関心を向けず、受験技術を教えるだけの典型が予備校であった。生い立ちに問題があるとすれば、それは文化の問題であろう。高級官僚や大企業患部として期待されるような英才には、自らを律する世界観や人生観を持って欲しいのだが、最近流行の忖度などを見ると政財界エリートに絶望せざるを得ない。

先の戦争中、占領地だったインドネシア民衆からも慕われた第八方面軍司令官の今村均大将は戦後、自ら進んで部下だった将兵が服役する海外の拘置所に赴き、戦犯としての刑期を過ごした。釈放後も庭先に小屋を建てて過ごし、謹慎さながらの老後を過ごした。敗軍の将というものは彼ほどの矜持を持つべきではないか。ただし、福島で過ごせと言っているのではない。

（二〇一八年二月記）

（注）東京地裁の永渕健一裁判長は二〇一九年九月、三被告に無罪判決を言い渡した。発展途上国ならいざ知らず、こんな裁判官も日本にいるのかと驚いた。大津波の予測は無理だったという判決理由はあまりに恣意的、非科学的で、歴史の検証に耐えることはないだろう。検察役を務めた指定弁護士団は東京高裁に控訴した。

躾のすすめ

与党の一角を占める公明党が公約に掲げる教育の全面無償化。欧州には既に実現した国も少なくないので、あえて異を称えるつもりはないが、ＡＩ（コンピューターへの知能移植）時代にふさわしい教育のありようを真剣に問わないで、授業料だけをタダにするのでは票目当ての大衆迎合が見え見えという気がする。ポピュリズム政治の典型である。

現状のままの教育制度を温存してタダにするより、次世代を担う国民ひとりひとりが人工知能に負けない技能を身につけ、百歳まで寿命が延びそうな長寿社会生活を生き抜き、人間としての豊かさをその次の世代につなげてゆけることの方がずっと大切ではないのか。そのためには、急速に移り変わる人材ニーズに即応する成人教育のあるべき姿を確定し、広汎に実施してゆく行政施策が重要だろう。今は大学進学が当たり前のようになっているが、普通の大学生は、文系、理系を問わず、複雑化の一方、現実への適用アプローチを欠く理論を学んで生かす能力を会得できるのだろうか。結局、学歴という名の空疎な「元服」証明書を手に入れるにすぎないとすれば、商人、職人や百姓になるはずの若者にサムライの修業を押し付けているようなもの。国民の税金を費消する価値がない。つまり、現在の大学教育なるものの本質は時代に役立つ英才の発見と育成が主目的であって、普通の学生は刺身のツマにすぎない。学生生活の主流が部活になるはずである。

教育経済学を専門とする中室牧子慶応大学准教授は、こうした教育無償化の試みは高所得世帯への所得移転となるだけと喝破している（「中央公論」三月号所載の論文）。同准教授によると、学力格差が生じるのは小学校低学年での家庭環境の違いからで、母子の健康状況を反映する出生時体重がその後の知的発育を左右することが実証されているというから驚きである。これでは幼くして凡人と決まった若者のための大学の授業料無料化など全く意味をなさない。もっとも、親たちが息子や娘を大学に行かせるのは世間並みの学歴を意識するからで、教養人としての下地づくりなど夢見てはいないはずである。

ひと昔前の体験だが、米国の大手新聞の営業幹部と知り合いになった。家族構成について質問すると、彼は「息子がまもなく高校を卒業するが、大学に行かせる気は全くない。行きたきゃ本人が金を稼ぐなり、奨学金を見つけるさ」とあっさり言い切った。

その時は驚いたが、アングロサクソン系の人々は元来、そういう考え方なのだ。英国の庶民の間では四〇年以上も前から単婚核家族化が進み、子どもはティーンエイジャーになると家を出て住み込み奉公人になった。アメリカ社会も似たようなものだ。年季が明けるとやがて結婚するが、年老いた両親の元には帰らない。両親も子どもの世話など期待しないというドライな関係が常態になって久しいという。そして英米文化の模倣に躍起になった日本の戦後社会はこうしたアングロサクソン社会の伝統など認識しないまま、そのやり方を妄信した手本として核家族化が進行させた。平成の代も終わろうとする近年になると、下層社会での核家族化がとめどなく浸透し、男女が同棲しても家族関係が形成されないような極端なケースも生じる。最近、頻発する女性の愛人による幼児の虐待事件は氷山の一角だろう。核家族は配偶者とその近親への情愛や配慮を核として結ばれるが、それが欠如しているからだ。

こうした未成年者や若者の指導や教育は英米では奉公先の主人や先輩が担ったようだが、戦後の日本社会ではしばらく企業がその役割を果たした。しかし、今日の企業はいつのまにか株主本位となって、従業員の教育どころか職場の掟すら管理できないようなありさまで最早、信用できない。

では、どうしたらよいのか。社会人としての躾と食っていける職能を身につけさせる教育機能としての家庭が中下流社会で失われつつあるのだから、それに代わる機構が必要だろう。躾とは日本で作られた漢字、つまり国字の一つで、しつけは仏教用語の「習気」が転じたものという。意識しないうちに体で覚えてしまう行動パターン、ひいては信念にも変わるのが躾で、それを外国人が認識すれば民族性となる。理屈や机上の学習が先行する今の教育制度を抜本的に改めれば、日本はかつて自称した「東洋の君子国」として再生し、もっと平和で住みやすくなるだろう。アングロサクソン文化からの脱却と昇華が必要である。（二〇一八年三月記）

情報戦争の足音

二〇一八年三月初めに発生した元二重スパイ毒殺未遂事件は英国政府のロシア非難で欧州諸国の結束を固めたようにみえたが、どうやらテリーザ・メイ英首相の早とちりという結果に終わりそうである。それにしてもシリアで繰り返される化学兵器使用など科学技術の野放図な悪用が度を超しているのに、それを抑え込む良識の力は地に落ちている。善良な庶民を欺いて私利私欲を公の利害と装うクリプトクラシー（盗賊政治）がポピュリズムの美名の下で世界的に進行しているのだ。

事件を粗描すると、毒殺の標的にされたのはロシア連邦軍参謀本部情報総局（GRU）に属していたセルゲイ・スクリパリ元大佐（六六）と娘のユリアさん（三三）。元大佐はソ連末期の一九九五年ごろ、英秘密情報部（SIS＝別名MI6）にリクルートされてロシア情報工作員の氏名を英国側に流していたが、二〇〇四年、発覚して国家反逆罪で重労働一三年の刑に処された。二〇一〇年、米露スパイ交換で釈放され、一一年から英国南西部ソルズベリーに住宅を購入して暮らしていた。ソルズベリー郊外には英化学兵器センターとされる防衛科学技術研究所（DSTL）を含む謎めいた産業団地ポートンダウンが所在、英情報機関とのつながりを示唆している。BBCによると、サイバーセキュリティのビジネスに携わっていたという。本人は旧ソ連に忠誠心を抱いてロシア新体制を忌み嫌ったというから、国を裏切ったという罪の意識は希薄だったかもしれない。しかし、英情報員と接触の度に報奨金五～六〇〇〇ドルを提供されていたことは間違いない。

二〇一八年三月四日、スクリパリ父娘は自家用車で市内のパブやレストランで飲食した後、小公園で意識不明状態になっているところを発見された。居宅や立ち寄り先を捜査すると、ソ連が一九九〇年代に開発した軍事用有機リン酸化合物、通称「ノヴィチョク」が検出され、重症の警官一人を含む一三八人が汚染された。

ノヴィチョクはロシア語で新参者を意味し、当時、北大西洋条約機構（NATO）の化学兵器防護網を突破できるバイナリー毒物（使用直前に前駆物質を化合して製造する）として新たに研究開発され、神経伝達物質であるアセチルコリン・エステラーゼの働きを阻害する。五種類の変異体があるとされるが、粉末化は達成されず、噴霧器具で散布されるという。今回、使われたのはノヴィチョク２３４Aで、スクリパリ居宅の玄関ドアーノブに吹きかけられたと推定されている。

メイ首相は同年三月一二日、国家安全保障会議の後、下院で事件について報告、「ロシアの国家を後ろ盾とする暗殺の記録とロシアが亡命者の一部を暗殺の合法的な標的と見なしているという評価がある。政府はスクリパリ親子への行為にロシアの責任がある可能性が高いと結論した」と述べ、ロシア外交官二三人の追放に踏み切った。同時に離脱問題を抱える欧州諸国に事情を説明したところ、加盟国の外交官追放措置が相次いで、欧州の安全保障上の結束が固まった感があった。

ところが、ボリス・ジョンソン外相の猛烈発言が逆効果となり、英政府のロシア責任論に対する疑問が広がった。同外相はDSTLが問題の毒物はロシア製だと断定したと発言していたのに対し、DSTLの所長は軍用毒物であることは認めたものの、製造先を突き止めるのは任務では無いと否定したからである。他にも疑点はあった。メイ首相は議会で「ロシア以外に能力、意図、動機がある国は考えられない」と述べていたが、四選を目前にしたプーチン大統領に国際的イメージを傷つけるような重大な動機があったのかとか、ワールドカップ開催を控えて観客動員に悪影響を与える行動に出る必要があったのかとか。最終的にオーストリアとギリシャの二国が制裁措置に加わらなかった。思わぬ失点を重ねたメイ首相はながく否定していた六月総選挙実施に踏み切った。

それでは、なぜ欧州諸国が当初、英国の言い分に乗ったのか。推測だが、ロシアの情報機関、とくにウクライナで情報戦争を担当するGRUがスクリパリ元大佐を消す必要性を説明したからではないか。さまざまな報道を検討すると、英国の説明重点は三つあった。すなわち①質量分析法による毒物解明とロシア製であることの割り出し②二〇〇六年のロシア議会立法による大統領の在外反政府主義者への攻撃特権付与③インテリジェンスによる収集証拠である。おそらく英国政府は極秘事項として元大佐のサイバー情報工作（ウエビント）での協力内容をある程度漏らしたのではないか。まさにこれは汚い戦争である。（二〇一八年四月記）

日本官僚制の黄昏

長年の記者稼業でお役人とは随分、付き合った。啓蒙された時もあったが、狭量さに驚くことも多かった。しかし、今回の財務省事務次官のセクハラ・スキャンダルほど呆れたことはない。公表された次官の女性記者への口説のおぞましさは筆にしたくもないが、世界中に「# me too」騒ぎが広がっているのをまさか知らない訳でもないだろう。事務次官の任期など知れたもの、ちょっと我慢すれば、メディアに狙われることもなかったろうに。世相を読む力もなしによく役人のトップの地位まで登りつめたものである。お坊ちゃん副総理の人物眼なんて節穴同然なのだろう。ばれた後でも繰り返し愚行をかばっている。

国会での佐川国税庁長官の答弁ぶりも酷かった。自分が刑事訴追されかねない窮状を逆手にとって証言を拒否し、公文書改ざんの責任は頬かむり。近代官僚制の支柱の一つである文書主義の信用を台無しにしてしまった。もちろん防衛庁の日報問題も同罪である。やっと国会に参考人として現れた柳瀬元安倍総理秘書官（現経済産業省審議官）は加計学園関係者と三回も会いながら、総理に報告していないとシラを切った。揚げ句のはてに愛媛県職員のメモ取りを批判してのけたのである。

一体、いつから日本のエリートたちは依法官僚から首相の家産官僚になってしまったのだろう。内閣人事局が誕生して、首相周辺に生殺与奪の権限を奪われたからだと言うが、それだけではあるまい。そもそも国家公務員（総合職）試験に合格した時から、国民のために奉仕しようなどという気持は微塵もなく、自分の勝手な理想論を胸に秘めて権力遊びに耽りたいと望んでいたのではなかったか。かつては政治家の無知、無教養を内心軽蔑しながら、レクチャーで巧みに誘導して政策実現を図っていたが、近年は自民党内どころか国内一強の権勢を誇る安倍首相とその側近に反抗するのは無駄と見て、追従と忖度を武器に立身出世街道をひたすら突き進むことにしたのだろう。

そもそも官僚に公僕精神などないと言い切ったのは一九八六年にノーベル経済学賞をもらった米国公共選択学派のジェームズ・M・ブキャナン教授である。彼の理論は官僚といえども資本主義社会の子で、自分とその周辺の利害得失を代表する存在以上ではないとして、小さな政府のネオリベラル・イデオロギーを支えた。確かにキャリア官僚は所属する役所の利害を背負って予算最大化と自分たちの出世と特権増大のために動き回るだけで、この場合、公益を担保するのは法律の趣旨だけでしかない。もしも首相以下の閣僚と官僚が密室で示し合わせて、恣意的に法律や規則を運用すれば、公益の名分の下で勝手なことができる。

それでも三権分立システムが確立している米国では議会の監視の目がある程度働くが、議員内閣制の日本では与党が安定していれば、抜け穴だらけ。辛うじて政治の腐敗に歯止めをかけてきたのは、皮肉にも明治以来の天皇の官僚としての矜持だったのではないか。政権は変わっても国体は変わらないし、その国体、民族としての秩序意識を支えるのが東京大学法学部を卒業した自他共に許す俊才としての自信と誇りなのであった。大久保利通内務卿以来、天皇のエージェントとして議会政治とつかず離れず。やがて戦時総動員体制の屋台骨となり、敗戦と米軍による占領時代をしぶとく生き延び、オイルショックの収拾に成功して高度成長時代に到達したのが日本官僚システムであった。換言すれば、戦後政治を裏打ちしていたのは民主主義とはあまり親近性のないシステムであった。

今日、グローバリゼーションとともに日本政治に浸透したネオリベラリズムが日本独特の官僚道を蝕み、エリート官僚たちは国体ならぬ政権に仕えることに汲々とするようになった。あたかも行政官僚が伝統を見失い、行政組織が自浄能力を欠こうとしている時、道徳が小学校の正式科目とすることになったのは何という皮肉だろう。小学生に訓示できる為政サイドの人物などいるのだろうか。

（二〇一八年五月記）

AIの軍事利用

人工知能（ＡＩ）が人間の脳の働きを超えてしまう。そんな時点を「特異点」と呼ぶが、その日は思ったより早く来そうだ。ひと頃、二〇四五年とされてきたが、碁・将棋の世界で国際級のトップを打ち負かし、プロの有段者が争ってＡＩの手法をまねするようになって社会的認知が一挙に深まった。ホワイトカラーの職場にもＡＩが浸透し、ロボットにとって代わられる恐怖が現実味を帯びてきている。凡人は容赦なくコンピューターの従者となり下がる一方、二進法のマジックを使いこなせる個人や集団が社会的にも経済的にも特権化して格差はますます広がる。しかも、生命身体を加工する合成生物学の分野では、高能率で安上がりなＣＲＩＳＰＲなどのゲノム編集手段の導入でデザインベービーすら出現しそうな勢いである。教育格差どころか持って生まれる才能格差すら人工的に産み出され、かくして民主主義の土台が崩れていく。後世の歴史家は二一世紀を人間変革の世紀と名付けるのではなかろうか。

ＡＩの研究開発には巨額の資金を必要とするので、グローバルな大企業か富裕な先進国だけが優秀な研究グループを丸抱えできる。量子コンピューターや分解能の高い電子顕微鏡などの施設環境や経験豊かな指導者、さらにはビッグデータを集めて分析する規模が必須なので、それらを賄えない国々からは頭脳流出し、国家間や大学間の格差がますます深刻になる。国家間格差はこれから広がる一方で、人材の奪い合いに焦った国が戦争すら起こしかねない。今は貿易関税の引き上げなどモノの囲い込みが注目されているが、ヒト（人材）の囲い込みの方が将来にわたって重要な意味を持つのではないか。

衰えたりといえども、先端的テクノロジーの世界では米国がトップを走り続けているが、AI開発競争で中国が急追している。投資額では米国に次ぐ二位だが、スタートアップ企業数では二〇一七年、米国を抜いてトップに立った。一党独裁の国柄だし、資金量も超豊富だから重点国策となれば当然の話だろうが、剣呑なのは軍事利用に歯止めをかけていないことである。習近平国家主席は中央軍民融合発展委員会なるものを立ち上げ、自ら主任に就任した。二〇三〇年までに一流のAI大国になるという壮大な計画をぶち上げている。狙いは汎用性の高いAIテクノロジーの強化と、それを利用した戦争の自動化、無人化である。ロシアのプーチン大統領も二〇一七年九月、「AIの分野でリーダーになる者が世界の支配者になる」と子どもたちに向かって発言した。人的資源をAIに注ぎ込む政治的意思の表明だろう。こうした情勢を冷静に鑑みると、トランプ米政権が本当に心配しているのは北朝鮮の核ミサイルではなく、AIをめぐる大国間の角逐の方であるとの見方が正しくはないか。

だが、AI開発では国家とグーグルのようなグローバル情報企業との対立も露呈している。グーグルと中国政府との軋轢は長期化し複雑極まりないが、米国政府との関係も最近、にわかに注目されるようになった。グーグルは米国防総省の無人機による監視装置開発の「メイヴァン・プロジェクト」に参加していたが、これに社内からAI技術の軍事利用に加担するのは創業以来の「悪の道に入らない」という行動規範に反するという批判の声が高まったのである。二〇一八年三月以降、一九人が抗議して退社し、約四〇〇〇人が改善要求に署名した。スンダル・ピチャイCEOは慌てて社の運営方針として①社会的利益の重視②市民への説明責任③偏見的アルゴリズムの拒否――など七項目を掲げたが、国家安全保障関連の研究開発についての倫理的判断は保留したまま。グローバル企業と国家との関係は今後、ますます矛盾をはらんでいくことだろう。

ひるがえって日本の現状はどうか。日本学術会議は昨年三月、防衛装備庁の「安全保障技術研究推進制度」をめぐって軍事研究の規制を目指す声明を発表、学術研究には自主性、自律性、公開性が確保されねばならないとした。同会議会長を務める山際寿一京都大学学長は、防衛省の委託研究には役人の介入があり過ぎると批判する一方、自主、自律、公開の原則を許す米軍の研究資金は認めてもよいものもあると語った（毎日新聞）。国防高等研究計画局（DARPA）のやり方を想定した発言のようだが、そこにはグーグル騒動のような倫理的問題提起が欠如している。これでは中国の軍学癒着を科学者として批判する立場は生れてこず、憲法九条を頂く国内レベルの論理にとどまってしまう。AIをめぐる知の戦いがこれからグローバルに展開してゆくことを忘れては困る。

（二〇一八年六月記）

（注）「インテリジェンス・レポート」誌における筆者実名のエッセイ・シリーズ「世相つれづれ草」の一号である。

弱者は見えない

首都のはずれ、町田市の集合住宅に住みなしてまもなく四〇年。終の住処となることはほぼ決定だが、この歳月で周囲からホモ・サピエンス以外の生き物は姿を消してしまった。元々、草木の生い茂る窪地だったためか、引っ越してきた当座は蛇やとかげ、ヒキガエルが時折、姿を現したが、それも束の間。ツバメが渡って来なくなって一〇年は経つだろう。炎暑に耐えかねたミミズが地表でのたうつ夏の風物詩もとっくに消え失せ、サクラの幹に毛虫が這うこともない。つつじやアジサイの花が咲き乱れても蝶も蜂も来なくて当然。幼虫が育たなければ成虫が飛ぶことはないのだ。今年の猛暑では、死んだ野鳥の雛を時々見かけたが、蝉の死骸と同様、ひからびて土に帰るだけ。のらネコやのら犬がいないどころか、地中に運び入れてくれる蟻の行列もめっきり短く、元気がないからである。そういえば、農村の面影を残すここら辺で、最近ははスズメの群れすら見かけない。日常生活に小波乱をもたらすハエや蚊がいなくなったのは福音だが、灯火に群がる羽虫など知らない子も多いだろう。

米国の生物学者、レイチェル・カーソン（一九〇七〜六四）が自然界に広く残留する殺虫剤ＤＤＴなど農薬の生態系への破滅的な影響を警告してベストセラーの「沈黙の春」を書いてからおよそ五〇年経つ。当時は大げさだと思っていたが、米国どころか極東の島国の景観はカーソンの預言通り、無生命の静寂に包まれている。

アメリカナイゼーションの要素の一つに衛生化がある。人間にとって有害無益とみなされれば、徹底した駆除と殺菌のプロセスが発動され、生物多様性などクスリにもならない。これに日本人、特に女性のキレイ好きの性分が加わって非舗装の道や空き地も塵一つ残らないように清掃され、ごみは行政や業者の手でどこかに運ばれてしまう。本来、土壌を蘇らせるはずの落葉もまとめて焼却され、堆肥として使われることもない。野生動植物の食物連鎖は断ち切られ、人間世界の外には見えない飢餓が常在しているのだ。

アメリカ化とは突き詰めると、個人の欲望の貫徹を促進させるイデオロギー、つまりプラグマチズムとエゴイズムの浸透による人心の変化のことであり、それは弱肉強食の是認の上に成り立つ。対米戦争に負けた日本人はこの原理をやや歪めて採用、強者になろうとする夢をあきらめ、強者に寄り添ってコバンザメのように生きる道を歩んだ。民族集団としてアメリカニズムを生きる道具として取り入れた当初は「和魂米才」のつもりであった。しかし、こんな振る舞いを永く続けていれば、和魂はいつしか失われる。冷戦後、アメリカが覇権国家としてグローバリゼーションを持ち出すと、これに追随する和製リバータリアンが現れた。小泉純一郎政権の民営化路線は実は米国の「要望書」に示された米国右へ倣え路線であったことがはっきりしている。この際、反省して、米国の国家原理なるものときっぱり手を切り、この国固有の自然と社会の関係性を再生すべきだろう。緊要なのは精神の構造改革である。

日本人は世界各地で発生している弱者の受難と逃散の現象、つまり難民の大流出から目をそらしているが、それは自分たちにとっての衛生化が野生動物の生存環境悪化に手を貸し、いつの間にか自分の人生を貧相にしていることを意識しないのと同根であろう。アメリカナイゼーションがついにここまで来たかと暗澹とした気分に陥らざるを得ない。

昨今、日本の伝統風俗探訪が一種の観光ブームを呼んでいるようだが、日本文化の基層である自然と住民の共生、それを支えてきたものの考え方が急速に廃れていることを思うと皮肉な現象である。

エコロジカル・フットプリント（ＥＦ）という指標があるそうだ。再生可能な生物資源生産と余剰二酸化炭素吸収などに必要な消費活動の規模を一人当たりの土地面積に換算した数値で、フットプリント（足跡）の含意は人が暮らしのために踏みつけにしている地球表面である。日本人のＥＦは二〇一二年段階で五・〇グローバルヘクタール／人だが、国土の生物生産力は〇・六グローバルヘクタール／人しかない。この数字は、日本人が外国の生物資源を何らかの手段でせしめて、豊かな暮らしを実現していることを如実に示している。こんな無理は長続きしても、魂が宿らない味気ない暮らしが待つだけだ。

（二〇一八年八月記）

価値観という名の罠

まもなく終わりを告げようとする「平成」という名の時代。元号年が西暦年に並び、やがて使用頻度で追い越されるきっかけになったのが東京オリンピックだから、元号がいつまで続くのかと気になるのだが、逆にキリスト教徒でもないのに、イエス生誕にかかわる紀年法をどうして使わなきゃならないのか。かすかな反発もある。

まあ、元号だって庶民生活に定着したのは明治以後なのだし、目くじら立てることもないが、維新から一五〇年、よくも欧米の価値観を金科玉条視してきたものである。この間、朝鮮半島から中国にかけて欧米強国の真似をして版図拡大し、揚げ句の果てに敗戦で酷い目に遭わされた。死に物狂いの経済立て直しがどうやら成功すると、青い目のリビジョニストから日本異質論を仕掛けられ、いわゆるプラザ合意で円高誘導政策をのまされ、やがてバブル崩壊に至る。欧米の価値観共有なんて要するに巧妙な罠だったのではないか。ここは、自分なりの価値観を持ち直す必要があるまいか。しかし、相手は何をするか分からないトランプ大統領である。抵抗するにはロシアのプーチン大統領並みの荒事師を押し立てなければならない。

そして迎える自民党総裁選。安倍首相は荒業を繰り出すタイプではないものの、元号をまたぐ一〇年の最長期政権を担うことになりそうだ。対抗馬の石破元党幹事長は安全保障問題に一家言を持つ改憲派だが、独特の政治哲学を持つほど大物とは見えない。まあ、次の次を狙うための顔見世興行のつもりではないか。

コップの中の嵐を見物している間に、自然はどんどん凶暴化し、国際社会も疾風怒涛の勢いを強めている。日本丸は二〇二〇東京オリンピックに浮かれつつ、海図なき航海を続けるのではないか。そんな憂慮が、ものを考える国民の相当数に共有されていると思うのだが、水先案内人たるメディアは小手先の批判に終始し、保守派知識人もイデオロギーを振り回すだけで、官僚たちの背筋をのばす骨太の政策を提案する気構えはないようだ。

それなら現代のカリスマの一人、近代世界システム論で一世を風靡している社会学者、イマニュエル・ウォーラーステインの辛辣なヨーロッパ的普遍主義批判をかいつまんで紹介しよう（『ヨーロッパ的普遍主義』訳者は彼の愛弟子、山下範久氏、二〇〇八年、明石書店刊）。

彼によると、西側指導者は（私見では、極端で過激なトランプ氏を含めて）、戦争など強権干渉の正当性として普遍的な価値を強調することを常としてきたが、その理由付けは①野蛮な行為の制止、②文明的優位性の確保、③科学のバックアップの三つに集約される。実は、三つとも近代世界システムの中核となった一部の欧米諸国の覇権と分かちがたく結びついており、真の普遍ではなく、欧米的普遍にすぎない。とりわけ科学は価値観から自由であるように見え、さらに科学者が集住することによって一部の欧米諸国に権威を与えた。また、科学は道徳の説得力と客観性を低く評価することで、権力悪を批判から守る盾ともなったのである。その事例としては、古くはコソボ空爆、最近では大量破壊兵器の貯蔵という虚報を根拠にしたイラク侵攻など枚挙に暇ない。これが碩学、ウォーラーステインの自己を含めた批判である。

欧米の独善的な論理構造に憤り、イスラム世界から反撃して敗北したのがアルカイダのビン・ラディンであり、スラヴ世界ではロシアのクリミア併合だったと言えなくもない。イスラム帝国は古代ギリシャ・ローマ文明の不当に忘れられた継承者であり、ロシアもまた、広大なモンゴル帝国の一部として興隆した文明の一つであることを半ば無視されている。また、欧米諸国の中で盛り上がる難民反対や国益優先など反知性主義の動きもこうした普遍主義の偽善に対する自己嫌悪の表われかも知れない。

繰り返すと、日本人はこの欧米的普遍主義を目標とする文明開化に踊り、隣国に後進性のレッテルを張って植民地化し、逆に文明的劣等国として焦土化され、戦後も翻弄され続けた。もういいかげんに目を覚まして、自前の倫理観を確立し、ひいては人類全体に通用する普遍的価値観を模索してもいいのではないか。因みに、ウォーラーステインは現代をシステム移行期と規定している。

（二〇一八年九月記）

米海兵隊普天間基地の辺野古移転阻止に執念を燃やした翁長雄志前沖縄県知事の壮絶な死に深い感慨を禁じえない。後継者に名指しされていたデニーこと玉城康裕氏が選挙で圧勝し、沖縄県民の意思が明確に示されたのだから、安倍政権も困ったことになったと思っているはず。今さら方向転換は無理だろうが、この際、自由民主党沖縄県連の重鎮だった翁長氏がなぜ辺野古移転反対に転じたのか、謙虚かつ冷静に考え直すことから局面打開を図って欲しい。

沖縄のアイデンティティーとは

難題を解くキーワードは翁長氏が「オール沖縄」という統一戦線の結成に成功した時の発言、「(結集点は)イデオロギーではなくてアイデンティティーだ」にある。近年、流行して、歌曲の名前にも登場している英語だが、自己決定権の根拠となる共有心情とでも訳すのが妥当だろう。政治的には社会的不公正に曝された集団の活動を意味し、沖縄という具体的な場では、住民の意向を無視した国策遂行を拒否するということになる。イデオロギーに象徴されるような理屈で装った気分ではなく、いわば直観的な反発と執念の産物であって、目先の損得勘定は入る余地がない。先般の県知事選で現地入りした菅義偉官房長官が応援演説で携帯電話利用料の四割削減を約束したのは、そこの所をまるで理解していなかった証拠だ。政治家の不勉強丸出しである。

近代国民国家は一七世紀のウェストファリア条約以来、国際関係上の公認単位組織として機能し、相互の利害関係がこじれれば国民兵を動員して戦争までやらかすようになったが、それぞれの内部構成は必ずしも安定的とは言えない。人種間、イスニシティ間などさまざまな宿命的対立を抱え込んでいるのが普通で、その典型が「グレート・ブリテン連合王国」を正式名称とする英国であろう。同じ民族ながら、イングランド、スコットランド、ウェールズ、北アイルランドという四つの国(カントリー)を同じ王家の下でまとめあげている。しかし、スコットランドはロンドン優位の体制に納得せず、二〇一四年に独立の是非を問う住民投票を実施したことはが記憶に新しい。多民族国家、アメリカも合州国の名前通り、州の自治権限は極めて大きい。トランプ政権を成立させた白人層の不満と被害者意識も翁長発言の「アイデンティティー」なるものと実は同根なのだ。

日本は国民国家として成員の同質性が極めて高いが、明治維新の国家形成過程で北海道ではアイヌ民族を滅ぼし、琉球王国を併合した(琉球処分)。沖縄県が最終的に日本の領土になるのは、日清戦争の勝利の後だったが、皮肉なことに、日本が肥沃な台湾を手に入れたために沖縄県開発は割を食い、沖縄の人々は移民として世界中に散らばった。本土では言葉が通じなかったり、南国人としての生活習慣や気性が工場労働に不向きだったことなどから草の根レヴェルの差別の対象になった。そして先の大戦末期には日本で唯一，凄惨な地上戦の舞台となり、多くの命が失われた。沖縄根拠地司令官だった太田実海軍少将が自決寸前に送った海軍次官宛て電報は「沖縄県民カク戦ヘリ」の報告として有名だが、文中に「日本人トシテノ誇ヲ胸ニ抱キツツ」という記述があって、当時、沖縄県民が日本人であることを念押しする必要があったのでは、と思わせる。まさに、アイデンティティーの根っこは歴史的に存在していたのである。

その沖縄が戦後、米軍政下に取り残され、土地を軍事基地に奪われて今日に至っている。在日米軍事施設の七〇%強がこの小さな島嶼地域に集中しているのは軍事地理学的な理由もあっただろうが、精密兵器やミサイルの急速な発達で、アジア駐留海兵隊の戦略的位置は劇的に変わっているという説もある。政治的もたつきで普天間基地の移転問題が長引いている間に、沖縄の米軍基地そのものの軍事的意義を再吟味しなければならない時期が来ているのに、東アジア安全保障の実相は分かりにくいままで放置されている。説明責任はどこにいったのか。

このありさまでは、沖縄ならずとも自治体首長が中央政府の言いなりになることは不可能だ。ましてや辺野古の沖縄代替地提供など提案すれば次の選挙で落選することは火を見るより明らかだ。（二〇一八年一〇月記）

トランプ氏の政治的嗅覚

超型破りなトランプ大統領に対する信任投票の観を呈した米中間選挙が終わり、結果は多くの識者、専門家が指摘していた通りだった。東部ヴァージニア州の女性活動家の発言に端を発した言葉、民主党の大勝を意味する「ブルーウェーヴ」（大波）は来なかったが、「ピンクウェーヴ」、つまり女性の政治進出が目立ったのである。トランプ陣営にしてみれば、ホワイトハウス報道官のサラ・サンダース女史が言ったように、大波ではなくさざなみ程度だった。トランプ氏自身は例によってツィッターで素早く「大勝利」と所感表明したが、言葉足らずはいつもの通りで、メディアから総スカンを受けた。しかし、このツィッターは今後の政権運営の方向を示唆し、実に重要だというのが私の直感だ。

選挙が終わったばかりの執筆で分析しきれないが、共和、民主両党ともに立法議員の構成が左右反対方向にぶれた。共和党で上下両院共にミニトランプ色が強まった一方、民主党は知的エリート層がマイノリティと癒着しての左傾化が顕著で、社会主義の信奉が公然と語られるありさま。アメリカ社会の分断はさらに進んだと言ってよい。風雲児トランプにとって、まさに理想的な舞台づくりが進んだのではないか。

だからこそトランプ氏はつぶやいた。「我々の大勝利に多方面から、たくさんの祝辞を受け取った。なかんずく外国国民（友好国の国民）からの反応は、私が『通商交渉』に打って出るのを待ち望むというものだった。今や我々全員は仕事に戻り、物事を終わらせようではないか」。私流の解釈で読むと、こうなる。「今回の中間選挙は私の狙い通りの結果となったから大勝利だ。多方面から歓迎されて当然である。(国内メディアはいざ知らず)、志を同じくする外国の自国第一主義者は歓迎し、私の二国間交渉のやり方を受け入れるだろう。今や、トランプの旗の下で、米国は一丸になって(私の)政策を実現すべきである」。

このメッセージで感心するのは、トランプ氏が自分のやり方に国際性があると強調した政治的嗅覚である。トランプ氏はアメリカ国民に対して、ドイツにおける国粋主義勢力の伸長がメルケル首相が率いる大連合政権を掘り崩している情勢を背景に、自分の主張が世界の潮流と波長が合っていることを間接的に示唆し、トランプ主義が少なくとも西側世界では主流派を形成していくだろうと自己弁護しているのである。

今回の中間選挙で、野党の民主党が下院を支配するようになったので、オバマケアの撤廃や非合法移民の流入阻止などの国内向け公約実現のハードルは高くなった。そのマイナスを埋め合わせるためには、与党、共和党が牛耳る上院を後ろ盾に、通商交渉を軸とする外交面で得点を稼がないと二年後の大統領選挙での再選が覚束なくなる。そうした計算も働いたに違いないが、それだけではあるまい。「米国の偉大さを取り戻す」には、大国としての権威を取り戻さなければならばい。しかし、今の米国に大規模な対外軍事行動を起こすだけの国力はないし、ビジネスマン出身のトランプ氏の柄でもない。結局、国民国家としての米国のエゴを押し通すこと、渋々であろうとあるまいと、そのやり方が国際的に受け入れられること、つまり米国大統領としてのトランプ氏のカリスマが国際的に形成されるかどうかにかかっているのである。

確かに、トランプ氏はロシア疑惑など数々のスキャンダルに加えて、粗野かつ激烈な言動が物議を醸し続けている。しかし、冷戦を終結に導いた偉大な大統領とされるロナルド・レーガン氏もカリフォルニア州知事としての実績を持ちながら、就任後、しばらく愚物という評価がついて回った。さらに遡れば二〇世紀で最も偉大な政治家という評価が固まっているウィンストン・チャーチル英首相も手に負えないじゃじゃ馬と見なされていた時代が長かった。トランプ氏の悪評は前代未聞だが、そうした先例もあって本人は意に介していないだろう。

ただし、ポピュリズム政治家には皮肉な運命が往々にして待っている。ニクソン、フォード政権で国務長官を務めたヘンリー・キッシンジャー氏が近代ポピュリスト政治家の元祖ともいうべきルフランスのルイ・ナポレオン三世を評した言葉がある。「彼は近代の不思議な現象、すなわち、国民が何を欲しているかを必死になって追い求め、結局、最後は国民に見捨てられ、時には軽蔑される政治家の先駆者になってしまった」。

この皇帝が完全に失脚したのはプロシャとの無謀な戦争に負けた時だったことも記憶されてよい。

（二〇一八年一一月記）

謙譲という名の美徳

人類の方向感覚が狂ったまま新しい年を迎える。三〇年続いた平成の時代が去るせいか、語呂合わせだが、あまり「平静」でもいられないというのが実感である。どうやらＡＩ（人工知能）の急速な発達と普及が庶民の日常生活にまで浸透し、当たり前のように信じてきた価値観の逆転が起きる時代がそこまで来ている。

ところが、現実とそれを支える人間の知的活動の成果を繋ぐ言葉がない。ＤＮＡのベルトのように、コンピューターが作り出す精巧な図形が森羅万象を説明してしまい、チンプンカンプンな世界を無理やり受容させるだけ。さらに、真理を啓示しないまま臣従を促す人心操作装置はビッグデータの活用などで圧倒的な効果を生み、情報洪水となって人間の心をのみこんでしまう。つまり自主的な判断がいつの間にか正体不明の存在による洗脳の産物に変わっているのである。文明の利器が便利さをもたらしているうちはいいが、文明の利器そのものが個々の命の大部分を代替してしまうと、それはもう神話世界の再来である。普通の人間は信じて従うほかはなくなる。

経済活動は自然から取り出す物的資本、人材を意味する人的資本、身体を動かして装置や機械、交換関係をコントロールする労働の三角形を基礎にして成り立っているそうだが、AI時代に入ると、人的資本の比重がとんでもなく増して、労働の比重が極端に下がる。その結果、知的優位者と資本家の所得が激増する代わりに、労働賃金は下がり、仕事も少なくなる。当然、格差と失業が広がり、不平等感が蔓延する。結局、国家が介入して富める者から貧しい者へと富を移転するしかない。しかも行政機関が電力・ガス、交通機関、教育を含む公共サービスの提供と投資を確保せねば、国民生活は成り立たない。小さな政府などリバータリアンも信じ切れない念仏にすぎない。

国際社会になると、小さな政府すらない。成員を律する理屈、国際法が恐ろしく貧弱で、通用にも限界がある。国際協調を実現して取り組まねばならない人類的課題が環境対策、海洋保全、極貧撲滅、核拡散防止、地域紛争の防止など山積みされているのに、横行するのは大国、利益追求のジャガノートである巨大企業や世界的金融機関のエゴと乱暴である。二〇世紀という大戦争の時代を経験して誕生したはずの国連など多国間執行機関の信頼度はガタ落ち、地域統合の手本だった欧州連合（EU）まで英国離脱（ブレクジット）で崩壊の危機にさらされている。まさに国際社会は海図を失った船舶のように漂流している。

開発経済学の大御所であるジェフリー・サックス博士によると、その理由は至極簡単で、これらの組織に活動資金が乏しいからだ。国家の機能は徴税権の上に成り立っているが、多国間機関は自前で税金を取る権限を与えられておらず、加盟国からの拠出金に頼っている。ところが、任務の巨大さに比べれば、拠出金はスズメの涙。しかも先細りの傾向なのだ。国連の年間総予算は約二七〇億ドルとされるが、世界全体の総所得（ＧＮＩ）規模九〇兆ドルのわずか〇・〇〇三％、一部加盟国が平和維持活動や人道活動に特別枠で拠出するカネを含めても五〇〇億ドル、同〇・〇〇六％にすぎない。中小の発展途上国は一七三国で二億五〇〇〇万ドル弱を収めているだけ。いわばただ乗りであるばかりか、破綻国家も少なくない。これでは地球規模の大事業など実現するわけがない。

国連予算の二二％を分担している拠出国トップの米国は以前から「高過ぎる」と不満たらたら。今年から日本を越して二位の座に就く中国は自国へゲモニーの拡大を露骨に目指す「一帯一路」政策で、国連重視のそぶりすら示さない。ちなみに日本は、国連憲章で「敵国」扱いされたまま、毎年二億三〇〇〇ドル（分担率九・六八％）納めて文句を言ったことがない。良識にかなうのは米国や中国ではなくて日本だろう。

その日本にも国際的無節操の波が押し寄せている。ご存じ、自動車メーカー、ニッサンの総帥、カルロス・ゴーン氏の逮捕騒ぎである。レバノン出身でブラジル育ち、フランスのルノーで実績を挙げた国際エリートだが、破天荒な手当てを受けながら、さらに数十億ドルの退職功労金を違法にせしめようとしていた容疑である。こうしたスーパーリッチを守る装置がタックスヘヴンであり、オフショアーバンキングなのだ。

サックス博士は巨大企業から国際的に税金を取る仕組みづくりを提唱するかたわら、富豪たちに社会貢献の倫理的精神を求めている。ならば、日本が伝統の節操と謙虚、言い換えれば謙譲という名の美徳を呼びかけてもよい気がする。

（二〇一八年一二月記）

二〇一九年

近代地政学の成り立ち

安倍首相は二〇一九年の所感表明で、戦後外交の総決算を実現する覚悟であると心中を披歴した。具体的な意味は、ロシアとの合意による国境線の確定と北朝鮮の核保有と拉致問題の処理である。政治家、安倍晋三の意欲に共鳴しつつも、「総決算」という言葉にやや違和感を覚えた。第二次世界大戦後の米国へゲモニー下の世界秩序が冷戦の終結以降、ねじれ現象を起こし、中国の覇権希求で崩壊寸前の今、なぜ決算なのか。長い懸案事項であっても、これまでとは違った視角から見直し、新しい解決策を国民に提示すべきではないのか。ロシアのプーチン大統領が「思いつきだが」と前置きしながら、平和条約を飛び越して日ロ国境線を先に決めたらどうかと安倍首相に示唆したことに対応するには、新しい外交哲学を必要とするのではないか。決算などという退嬰的な姿勢では、この国は行き詰まってしまわないか。そんな懸念である。

河野太郎外相の言動などから推測すると、安倍政権はロシア側と相当に踏み込んだ議論を進めているようだが、踏み込むなら地政学的な国益の追求のためのしたたかな読みが必須だろう。欧米発の普遍主義、つまり人権、民主主義といった普遍的価値観、あるいは現状保全（ステータス・クオ）といった手法の枠組みが通用しにくくなった上、欧米諸国でさえナショナリズムとポピュリズムが合体して織りなす言説や偽情報が横行する状況下で、国益と国益のぶつかり合いをどうすり抜けて、開かれた国際社会を維持してゆくか。まさに日本外交にとって新しい課題が山積みである。

米国流の理念外交、言い換えればアメリカの帝国主義的利益を普遍的価値観として唱導し、説得する外交手法が戦後、定着するまで、日本は地政学的な権益防護を外交の基本方針にしてきた。地政学という学問分野がまだ公認されていない一九世紀末、山県有朋首相がウィーン大学の国法学者、ローレンツ・フォン・シュタインの意見を取り入れ、「主権線・利益線」の考え方を導入したのがその出発点。南下するロシア帝国の勢力を朝鮮半島で食い止めようと図り、日清、日露の両戦役を勝って満蒙、台湾、そして朝鮮の植民地経営に乗り出した、その頃、日本に駐在したドイツ（バヴァリア王国）の軍人、カール・ハウスホーファー（一八六九～一九四六）が英国のアジア制圧に危惧を抱き、やがてドイツ地政学の樹立を急ぐのだが、大きな影響を与えたのは台湾総督府民政長官、満鉄初代総裁を歴任した後藤新平らの環境決定論的な植民地政策だったようだ。つまり地政学とは二つの後発資本主義国家、日本とドイツによる合金のような学問だった一面がある。ハウスホーファーは英国のハルフォード・マッキンダーのハートランド理論なども取り込んでいるが、対ロシアではマッキンダーと対極の立場にあった。

ハウスホーファーは、世界がアメリカ、ドイツ、ロシア、日本を盟主とする生存圏（レーベンスラウム）ブロックに分れていくという仮説というより希望的観測を理論化し、それがアドルフ・ヒトラーの狂信的著書、「我が闘争」に採用されることになるが、その一方で大島浩駐独大使らと組んで日独同盟の陰の推進役を果たした。絶頂期は平沼騏一郎首相が複雑怪奇という迷言を残して政権を投げ出した一九三九年の独ソ不可侵条約締結までで、ナチドイツ軍がソ連に侵攻すると影響力を失った。日本ではハウスホーファー理論が「大東亜共栄圏」の理論的支柱となり、地政学が最近までタブー視された由縁である。

過去の地政学が今の日本にとって役立ちそうにないのは、急速に覇権国家として出現してきた中国というファクターが想定されていないことである。この欠点を補っているのがサミュエル・ハンチントンの「文明の衝突と世界秩序の再建」だが、公刊から一〇年以上経って儒教・イスラムのコネクションなど預言に当たらないものも出ている。中国が帝国として民族、部族集団を包含した価値観を築けないまま、覇権国家としての強制力を振るおうとしていることに反発が生じているのが現状であろう。日本は競合路線を追求せずに、開かれた国際社会の構築に努力していくべきだろう。地政学は、国家権力のありようがそれぞれに支配する社会の伝統的特異性によって特殊化し、普遍的価値観の中身をも変質させることを前提にしている。ヘーゲルの主人と奴隷の弁証法のように、支配者＝権力エリートが被支配者＝社会大衆の日々の生活実感に負けてしまい、その色に染まってしまう。専制国家、中国を見る時には、この視点が重要な気がする。（二〇一九年一月記）

恥を知らない世代

厚生労働省が毎月勤労統計で一〇年以上も法規違反のやり方を踏襲していたことがばれた。モリカケ問題で財務省が文書改ざんを重ね、トップの財務事務次官がほとんど偏執的なセクハラ発言を重ねて辞めさせられた後だけに、「またか」と官僚機構の劣化に鼻白んだが、一流企業でも長年、製品検査をごまかしていたり、大学生が交番を襲って拳銃を奪おうとしたり、児童相談所が虐待する父親に脅されて娘を返して死なせたり……これらの現象は日本人の心に根腐れが広がっていることの証拠ではないかと嫌な感じが深まる。

原因は文化的なものだという気がして、平成文化論として外国人研究者まで現れた奇人哲学者、東浩紀氏（一九七一年生まれ。東大大学院総合文科研究科卒）の著作、「動物化するポストモダン」を再読すると、こんな文章に出くわした。「コミックやアニメに代表されるオタク系文化とその消費者の中心は一九五〇年代後半から六〇年代前半にかけて生まれた世代であり、社会的に責任ある地位についている三〇代、四〇代の大人たちである。彼らはもはやモラトリアムを楽しむ若者ではない。オタク系文化はいまや日本社会のなかにしっかりと根を下ろしている」。この本は二〇〇一年一一月が初版だから、一八年後の今ではオタク世代の出世頭が日本社会の指導層に座る年齢に達していることになる。

東氏言うところの「動物化」とは、ヘーゲルを敷衍して歴史の終焉説を唱えたフランスの哲学者、アレクサンドル・コジェーヴ（一九〇二〜一九六八）からの転用で、人間が自然や他者に挑戦し、相手を一端、否定することによって人間的な営みを実現するのに対し、動物は自然に逆らわず、いわば自己否定なしに生きていく。高度資本主義とメディアの発達が実現した豊かな消費社会は人間から自らを否定する契機を奪い、動物と同じような欠乏――満足という生のサイクルに回帰させる。性的欲望ですら生理的な欲求の満足に終わり、相手や他人の欲望にまで手を広げ、嫉妬したり嫉妬させたりすることもない。「彼らが記念碑や橋やトンネルを建設するとしても、それは鳥が巣を作り、蜘蛛が蜘蛛の巣を張るようなものであり、蛙や蝉のようにコンサートを開き、子供の動物が遊ぶように遊び、大人の獣がするように性欲を発散させるようなものであろう」。コジェーヴはこう述べている。

日本の役人たちが官僚機構を自然のように受け入れ、権力者の意向を忖度し、セクハラをセクハラとも自覚せず、身内の利害にかまけて恥じないのは確かにオタク的心情の発露かも知れない。また、社会のありようをそのまま受け入れ、自分の居場所だけを探し回る若者のアイデンティティの旅も動物化という視点でくくれる。こうした動物化をリードしてきたのがアメリカ社会であり、その上に育った情報構造が日本のオタク文化だというのが東氏の主張である。

困ったことに、オタク文化のもう一つの特徴は、大きな物語への嫌悪と無視である。人類社会を動かしているのは神や超越的な構造であり、その人格化が歴史上に出現する英雄であるという近代欧米の見方が廃れ、人々は自分に合ったコミュニケーションのサークルに生きがいを見出す。東氏によれば、平成後期のオタク世代はアニメや漫画でもストーリーに関心を示さず、主人公キャラへの感情移入にふけるのだという。もしキャリア官僚すら大きい物語を信じないのならば、国家・行政への情熱など生れないだろう。あるのはシニシズムだけだ。

しかし、コジェーヴは一九五九年に訪日して、この国で資本主義体制と消費社会がグローバルに広がる「歴史の終わり」時代にふさわしい、文化のありようを見出した。彼は三〇〇年近い平和をもたらした江戸時代を「歴史の終わりの時代」と位置付け、日本人がその時代既に現実味を失った武士の倫理観と伝統的信条を守り、状況によっては自死もいとわない生き方を身につけたと感じ、庶民まで武士の生き方を己にあてはめる風潮をスノビズムと呼んだ。武士階級が江戸期社会で最も上位にあり、身分が下の庶民もサムライ気どりだったという意味だろう。

ところでフランス人哲学者を感心させた日本文化の本質はスノビズムではなくディグニティ（矜持）という表現がふさわしい。言い換えると、恥を知ることである。戦後長く、恥は対人関係で軽蔑されることを避けることと言われてきた。だが、恥は本来、自らが自らを裏切ることを許さないという内省的な心の構えだ。自らを律し、どんな権威の前でも己を曲げない。そういう日本人の再来を祈りたい。

（二〇一九年二月記）

プーチニズム解剖

プーチン政権二期目で影の演出者といわれ、現在はウクライナ東部ドンパス地方の分離工作を統括しているはずのウラジスラフ・スルコフ大統領補佐官が二〇一九年二月中旬、ネザヴィシマヤ・ガゼータ紙（独立新聞）に論文を寄稿、二〇二四年に任期満了となるプーチン大統領が今後、長期政権を担うか、そうでなくともプーチニズムがロシア統治体制の礎になるだろうとの主張を展開した。二〇一八年、四期目に入ったばかりなので議論が時期尚早と、スルコフ氏の思惑を推測する声がかまびすしかったが、要するに自分も後継者レース参加の一人であると印象づけたかったのだろう。同世代のライヴァル、ヴォローディン国会議長が数年前、「プーチン無くしてロシア無し」と発言した、その上をゆく主張である。

スルコフ氏はプーチニズムを「主権民主主義」(sovereign democracy)と命名した人物として知られるが、ペンネームでベストセラー小説を書いたり(本人は否定)、ロック曲に歌詞を付けたりするポストモダン世代の変わり種。メディアの説得と統制、街の若者たちを動員して暴力的な翼賛集団「ナーシ」を組織するなど異能ぶりを発揮して、大統領を支えてきた。主権民主主義はこなれた言い方ではないが、要するに国権に服従する疑似民主主義制度で、国家は国民の利益を考えて行動するのだから民主主義の運用に干渉できるということ。管理民主主義という訳語もある。

同論文はプーチン大統領を一五世紀のイワン雷帝、一八世紀のピョートル大帝、二〇世紀の革命指導者、レーニンに比肩する国家創設者とみなして、「われわれはプーチン率いる政府を未来のイデオロギーとして認識し、理解し、表現する必要がある」と強調し、現行システムには「長命性」がビルトインされており、「簡明で、有機的なので数十年にわたって続くことができる。すでに幾つもの衝撃実験を生き延びてきてもいる」と大ゴマをすった。

それればかりではない。スルコフ氏はプーチン政治システムが混乱する欧米諸国に輸出される可能性があると指摘。その理由がプーチン大統領とロシア国民の絆がゆるぎない信頼関係であるのに対して、西側民主主義が不信と批判ばかり広げていると罵倒した。さらに西側諸国を操っているのは、いわゆる「ディープステート」(産軍共同体、大金融資本家などの世界的陰謀集団)であるとして、プーチン政権の密室性非難を西側に投げ返すレトリックを示した。米大統領選挙に情報操作で干渉したという非難については反論するどころか、ロシアは西側に住む人間の心そのものに食い込んでいるのだと押し返した。一人よがりだが冴えてもいる。プーチン陣営は国民の心理操作に絶大な自信を持っているか、あるいは自信ありと見せかけているのである。

二〇一九年一月末に実施された民間世論調査で、プーチン大統領支持率が急落しているのをスルコフ氏が気にかけた様子はない。よく考えてみれば、インターネットとソーシャル・メディア（SMS）、加えてビッグデータの処理技術の発展と浸透によって、民主主義システムは劇的に変わった。それは世界的な風潮で、有権者は在来型マスコミが代表する知識人階級や既成大政党が提供するファクト（現象）をフェイク視し、むしろ自分たちの生活感覚とそこから生まれた偏見に近い信念を共有するポピュリストを権力中枢に選挙を通じて送りこもうとする。有権者の心情を巧みに利用して、地滑り的な流れを作って選挙に勝てば、後は権力の甘い果実を味わうだけ。プーチン政権はそうした手法では米トランプ政権の先輩格であり、欧州諸国の排外的なナショナリズム運動と気脈を通じて当然なのである。

そもそもプーチン大統領その人がポストモダン的な情報操作の産物であった。一九九八年当時、アル中で最高指導者としての職務が無理になったエリツィン大統領の後継者にどのような人物を望むかという世論調査の結果、テレビの人気連続ドラマのヒーロー、スターリン時代の秘密警察、内務人民委員部（NKVD）の工作員が理想像の一人に選ばれた。それに触発された側近たちがプーチンKGB退役大佐に白羽の矢を立てたのは有名な話。プーチン首相就任直後に続発した大都市での一連のアパート爆破事件はチェチェン人のテロとされたが、実はKGBによる世論誘導謀略だったという疑いが今も晴れていない。いわば二一世紀政治を特徴づける情報操作の申し子なのだ。

プーチニズムのもう一つの性格は西欧の政治的合理主義に安住できないロシア人の心情が色濃いことだろう。プーチン大統領は着任当初、イスラム・テロリスト牽制のため、米軍の中央アジア拠点展開を容認するなど、西側への接近策を推進したが、コソボでの欧米諸国の独断的な空爆作戦に始まって、ロシアに近接する諸国でのいわゆるカラー革命への支援などに危機感を強め、遂にクリミアの併合、さらにはウクライナ干渉に踏み切ったのである。西側は人道主義などの普遍的価値観を錦の御旗に押し立てるが、真の狙いはロシアの孤立化ではないのか。西側の受容と拒絶という、いわゆるダブルバインド体験を重ねて、プーチン大統領の猜疑心は今や揺るぎない確信に変わっているのであろう。

プーチン大統領は専制政治家にしては稀なほど、あけすけに自分を語る。大統領選挙の直前の二〇〇〇年三月。知名度を上げるためのインタビュー本（原名「一人称」）では生い立ちや国家保安委（KGB）に入った動機などを詳しく話した。さらに二〇一七年、ハリウッドの異色映画監督、オリヴァー・ストーンによる複数回のインタビューが公開され、スノーデンの亡命受け入れ、クリミア併合、ウクライナ干渉、さらには米国に仕掛けたサイバー工作について生々しく心境を開陳した。それらの資料を通読すると、彼はヒトラーのような狂信的な権力主義者ではなく、崩壊した祖国の再建という具体的な目標に向かって手段を問わない非情な現実主義政治家であることが分かる。彼の頭の中では、西側がロシアとその周辺国を勢力圏に収めようと画策したのに抵抗したにすぎないのだろう。

彼の提唱するユーラシア連合なる一種の帝国システムが面白い。それは多くの民族や部族を抱えるロシアという大国の庇護と支援を受け入れる国家、地域共同体の合従連衡であって、通貨統合どころか個々の国内統治体制に口をはさまないのを建て前にしている。構成集団には普遍的な価値観の共有を求めず、イスラム教と共存してきたロシア正教を積極的に支援するなど、宗教利用の仕方を知っている。

だが、政治家プーチンの拠り所はロシアファーストである。外交、安全保障政策では地政学的計算に徹し、大国としての復活にはイデオロギーではなく、国民の心を揺さぶるロシア魂の覚醒が必要であると考えているのではないか。北方領土交渉で突破口を開くにはまず、プーチン大統領の哲学を的確に理解する必要がある。

（二〇一九年三月記）

（注）この小論は「インテリジェンス・レポート」誌二〇一九年四月号に寄稿した。プーチンの実像にある程度迫ることができたと思っている。

日ロに共通する心性

北方領土返還を目指す安倍首相とプーチン・ロシア大統領のトップ交渉は思惑外れで、うやむやに終わった。二〇一九年六月に日本で開かれるG20サミットで仕切り直しとなるようだが、状況の打開は厳しい。どうやらプーチン大統領は日本側の対米姿勢に深い疑問を感じている。対米協調路線に文句をつけるつもりはないが、日本政府は変わる世界情勢下で「べったり路線維持」が真の国益に沿う自信があるのか。日本はウクライナ問題で経済制裁に加わっているが、ロシアの言い分を理解しようとせず、長いものに巻かれろ主義に陥っているのではないか。そういう疑念がプーチン大統領の心中にわだかまっているように思えてならない。

一方、日本人は昔も今もロシアの政情に対して猜疑的である。それもそうだろう。古くは日清戦争の戦果を横取りした三国干渉。先の大戦末期には、スターリン独裁下のソ連が有効期間中の中立条約を破って武力攻撃し、南千島、樺太を占領し、あまつさえ武装解除された日本軍将兵をシベリアに拉致し、戦後も長く強制労働に従事させた。それればかりではない。満蒙在留の民間人は殺戮、強奪、婦女暴行の対象となり、少なからぬ犠牲者を出している。

確かに民族の記憶はいずれの国や地域でも簡単には拭い難い。それはロシアにも当てはまる。ロシア革命後、日本は欧米列強と肩を並べて大軍をシベリアに出兵し、内戦に干渉した。大戦勃発時、日本は相互不可侵条約を破ってソ連に大規模侵攻したナチ・ドイツと同盟関係にあった。その上、日本政府は御前会議で対ソ武力発動の準備を政策決定していたのである。ロシア国民には一〇〇〇万人を超える死者を出しながら、ファッシズムに究極的に打ち勝ったのは我が国であるという誇りが染みついている。国連憲章中の「敵国条項」が今もロシア人の心情の中で生きていることを忘れてはならない。

ロシア通に聞くと、ロシア人の多くは極めて親日的である。その理由を考えてみるに、両国民の心性が意外に似通っているのではないか。ロシア人は一〇世紀末、キリスト教（ギリシャ正教）を受け入れたが、受容の原点は、神との交流がもたらす美的感動と陶酔で、媒介するのが芸術（イコン、教会建築など）であった。その極限の描写がドストエフスキーの小説「カラマーゾフの兄弟」におけるアリョーシャの大地とのキスである。それは奈良時代の日本人が仏教に帰依した精神状況と通じるものがあり、万物に神が宿っているという多神論的心性を色濃く残している。もちろん日本列島の風土と極北に位置するロシアの自然とは大いに異なるが、多神教的な心性は共通しており、西欧が育んだ極端な一神教のカトリックやプロテスタントとは自然観、人間観が違う。

プーチン大統領の世代に強い影響力を残した歴史家、レフ・グミリョフ（一九一二〜一九九二）は長く厳しい強制労働刑に耐えた人物だが、タタールのくびきと呼ばれたモンゴル支配の時代を再評価し、ロシア人の民族精神を無私の共同体への犠牲的献身と定義した。彼は古代ギリシャのアレクサンドロス大王やチンギスハンのような英雄の長征の動機は内的な高揚としか説明がつかないとして、その心性を「パッシオナールノスチ」（苦しみに耐え、栄光を希求する精神）と命名した。まさに日本の武士道と通底する。北方領土の返還を求めるなら、日本人はロシア人をより深く理解する努力を重ね、友好を深めるべきであろう。

グミリョフと同様の苛烈な体験を基に独自の文学世界を築いたノーベル賞作家、アレクサンドル・ソルジェニーツィン（一九一八～二〇〇八）の意見を最後に紹介しておきたい。

「我が政権は南クリル諸島の問題に対してはあまりにも愚かで、許し難い態度を持してきた。一方でロシアは何十という広大な州をウクライナやカザフスタンに譲渡し、一九八〇年代末からは国際政治の舞台でアメリカにとりいってきた。それなのに、似非愛国主義の意固地と傲慢から、日本に千島列島を返還することを拒んできている。これらの島がロシアに帰属したことは一度もなかったし、革命以前にロシアが所有権を主張したこともなかった。（中略）一九〇四年に日本の攻撃を受け、国内戦の時には干渉されたから、ロシアは侮辱を受けたのだという弁解をするのなら、一九四一年に締結された五年期限の中立条約を破って、ソ連が日本を攻撃したことは侮辱に当たらないとでもいうのだろうか」（一九九八年に公刊した著書「廃虚の中のロシア」の一節。二〇〇〇年に草思社から訳書が出ている）。

日本でソルジェニーツィンが忘れ去られて久しい。

（二〇一九年五月記）

上皇夫妻の旅

令和の時代となって、先の大戦勃発前に生を享けた人間として今さらのように「長く生き過ぎた」という感慨に捉われる。それにしても生前退位した上皇の胸中はいかばかりか。父、昭和天皇が終戦の詔勅をラジオで告げられた声を鮮明に記憶している私だが、敗戦の年に満一一歳の少年だった上皇は名状しがたい不安の中いたのではないか。当時、焦土と化した都市という都市に親を失った浮浪児が残飯を求めて彷徨っていた。両親とともに生き延びた私ですら始終、ひもじかったのである。存在そのものに歴史的に原罪を背負わされるという稀有な経験をした人物は回顧談すら残せずにやがて去るだろう。

敗戦の翌年、共産党員が米よこせメーデーのデモで「国体は護持された。朕はタラフク食っている。ナンジ人民飢えて死ね」というプラカードを携えて登場した時、皇統連綿たる君主一族は生存そのものを脅かされて震え上がったに違いない。いまだロシア革命でツアーリ一族が惨殺された記憶が生々しい時代であった。昭和天皇は占領軍総司令官のダグラス・マッカーサー将軍の温情に頼る他なかった。その将軍はスペインから奪った植民地フィリピンの経験から、日本を未開国とみなしていた。屈辱も感じたであろう。

以降、私たちの世代は敗戦で口を閉ざし、韜晦に身を任せた父や兄の世代を侮蔑し、戦争中のすべてを呪った。なにしろ天皇の写真を収めた奉安殿なる小屋に最敬礼を強いながら、戦い敗れると教科書に墨を塗らせて恥じない大人たちに敬愛の念など湧くはずもなかった。家庭内でも社会的にも父性に対する不信感を抱いて育ち、やがて私は全学連主流派として日米安保条約改定反対闘争に加わった。だが、階級が激突した炭鉱労働者の三池闘争には怖くて近づけなかった。政治の季節が終わると、公共性の場から去った。私たちの学友も企業エリートの卵として人生を韜晦したのではなかったのか。

そんな父性への反抗がさらに極まったのが全共闘運動だったかも知れない。やみくもな体制破壊の騒動が連合赤軍事件など喜劇的な様相を呈して収拾すると、アメリカの覇権を受け入れて経済成長路線を担ってひた走った。市場至上主義に浮かされながら、いつしかアメリカの新自由主義の罠にはまり、「失われた二〇年」に突入した。戦後日本の管理資本主義路線を巧妙に導入した鄧小平支配下の中国が高度成長を実現したのを羨みつつ、日本は欧米の金融帝国主義に屈して、情報資本主義の主導権をとることができなかった。八〇年代の米国でもてはやされたリヴィジョニズム（日本異質論）は中国にはなぜか適用されず、今や専制国家と開発経済主義のワンセットが世界の主流になり、米国のトランプ政権もそれに追随するかのようである。この間、日本社会は父権を主張しない男性が家庭での主導権を徐々に失い、子供たちはアイデンティティを求めて自室にこもるようになった。それは同時に公共性より個人の自由を優先する心性の優越を助長したが、国際社会の硬化に逆行する矛盾した現象であろう。

歴史の分水嶺は奇しくも元号が昭和から平成に替わった一九八九年である。天安門事件が起こって、中国における一党専制体制と市場経済の両立が既成事実となる一方、ベルリンの壁崩壊で冷戦構造が終幕を迎えたのである。ところが、一極支配を実現したはずのアメリカが世界経済のグローバル化を焦って世界経済の国家間格差、国内での貧富格差を拡大させ、特にイスラム圏の不安定化を招いた。テロリズムが世界中に蔓延し、欧米流の人権主義は普遍的価値観とみなされなくなった。そして米国ですらリベラリズムの理想を偽善的とみなす風潮が高まって、トランプ大統領のような鬼っ子を生み出してしまった。日本はようやくマシュー・ペリーの艦隊来航以来の米国の圧力から解き放たれる機会を得たのである。だが、その問題意識すら国民に共有されていない。

上皇夫妻は三〇年にわたって戦争に斃れた人たちの鎮魂を国民の象徴としての主任務と思い定め、内外で父天皇の贖罪に努めてきた。一面、それは国父としての父性を離れて、自らのアイデンティティを確立するための長い旅程でもあったろう。庶民である私ですら「なんで戦争中、幼児として苦難を潜った人間が戦争について謝罪し続けなければならないのか」と自問したことも少なくない。そんな時、日本の象徴たる方がどんな葛藤を胸に歩んできたかに想い到った。どうか、お二人で余光の中を静かに歩まれてほしい。

（二〇一九年五月記）

マンガチックな未来

私事で恐縮だが、インテリジェンス・レポート誌には改題前のエッセイ・シリーズ「海外見聞記」（ペンネームで寄稿）を含めて一〇〇本以上の時事感想文を掲載して頂いた。編集陣の人々ばかりでなく、読者諸兄姉にも心から感謝の意を述べておきたい。八〇歳の里程標を過ぎて知力、気力の衰えを自覚するようになり、「老兵は死なず、消え去るのみ」というダグラス・マッカーサー将軍退任時のセリフをしきりに想っていたが、はからずも雑誌自身が休刊ということで平仄が整った気がする。長かったアメリカの日本支配期も終わりを告げようとしている。

福沢諭吉は徳川幕府瓦解と明治維新を経験して「一身に二生を経る」と述懐したが、人類史未曾有の高齢化社会を生き延びた私の来し方を振り返ると、戦争中の皇国少年から戦後はマルクスボーイとなり、最近では保守主義者を通り越して国粋主義的な心情傾向すら深まっている。四生を経るというと聞こえはいいが、メビウスの輪を辿って振り出しに戻ったようである。

幼時に父から万葉集の手ほどきを受けたとはいうものの、伝統とか宗教とかとは無縁のように思い込んで生きてきた。しかし、通信社記者になった頃だろうか、親鸞の教問集「歎異抄」を読んで他力信仰の道理に深く納得した。そう言えば、本願寺門徒だった祖父母の生きていたころ、家族は朝、必ず勤行していたかすかな記憶がある。日本人が無宗教的に変わったのは、戦争の破壊があまりにも酷く、神や仏の存在が信じられなくなった敗戦以降からに違いない。

大学時代の初めはアンドレ・マルローの実存的行動美に酔い、レオン・トロツキーの華麗な革命歴に賛嘆し、ゼミでは「資本論」の原典に取り組んだ。好きな評論家は花田清輝、丸山真男、橋川文三、吉本隆明、柄谷行人たちだったが、いずれも難解ぶっていて、彼らの理屈と心情が正確に理解できたかどうか、甚だ心もとない。因みに私が長く籍を置いた共同通信社は戦後ジャーナリズムの聖地のように言われてきたが、その精神のありどころは一種のアナルコ・サンディカリズムであった。ジャーナリズムというものがブルジョワ階級の情報共有の場として産まれ、発展してきたのだから、アンシャンレジームの権力に反抗する空気をまとっているのは当然で、新たな権力志向イデオロギーとしての社会主義ともなじまなかった。私が入社したころ、新聞労連は日本共産党とその同伴者に牛耳られていたように記憶するが、傘下の新聞社、通信社の労働組合が企業意識を超えて団結するようなことは無かった。経営者に庇護されながら、それに盾突くという、ぬえ的な甘えの心情に安住し、やがて高度成長の波に呑み込まれて普通のサラリーマン化していった。アナルコ・サンディカリズムは国家権力の浸透を毛嫌いするなどリバータリアニズムと同根で、二一世紀のアメリカでネオコン一派を誕生させたと言えなくもない。これに対して、日本では戦略を持たない、あるいは心情的に戦略を拒否する全共闘運動が大学構内に不毛の騒擾を産み出しただけだった。つまり治められる側の論理として定着しなかった。今日のメディア沈滞の思想的理由だろう。

日本は東西冷戦の谷間をすり抜けるように経済発展を続けた。冷戦とは言いながら、朝鮮、ヴェトナムの熱い戦争では特需で荒稼ぎし、アメリカが提供した安全保障の囲いの中に安住しつつ、技術や経営手法を学び、和魂洋才の手法で日本化した。戦後日本の経済体制は終身雇用制度や企業グループ編成など戦時統制経済の鬼っ子とも言われるが、こうした手法を模倣して成功したのが鄧小平指導による中国の改革開放であった。資本主義化政策のカギを握るのは最新の産業技術の早急な定着と海外市場の存在で、日本はこの二点でアメリカに依存したが、中国は日本国民の親中意識と財界の地政学的関心を巧みに利用して、当初はこれらを確保したのである。しかし国民一般は偏見に満ちたメディアから中国全土を席巻した文革の様相すら正確に知らされず、その中には中国への工場移転に派遣され、両国の文化的差異に苦しんだ人も少なくなかった。

アメリカナイゼーションが浸透し、意識もされなくなった時代に、民族のアイデンティティーをもたらしたのは司馬遼太郎の歴史小説だった。戦中派として軍人や天皇制官僚の愚劣さに辟易した元戦車兵は幕末から明治にかけての開明期の日本人を明るく描いた物語を次々と紡ぎ出した。日本は侵略戦争の道に誤って踏み込んだが、本来は平和な生活を愛する素晴らしい民族だというロマンを蘇らせたのである。戦後の受験重点教育で近代史についての知識から遠ざけられていた世代にとって、司馬文学は大きなカタルシスであると同時に、現状を肯定する自信を与えてくれた。彼の歴史解釈、言われるところの司馬史観については史料選択の恣意性や取り扱い方に批判も多いが、彼の日本民族観は既に国民の骨肉化していると思う。描かれた歴史的人物は自分の目的意識をいささかも疑わず、首尾一貫した行動をとる。その潔さを日本文化の精髄とみているのではあるまいか。

もう一つ、戦後文化を代表するものは様々なジャンルの漫画であろう。通勤・通学列車の風景は「昔、少年漫画雑誌。今、スマホ」といったところだが、やがて日本人漫画家の感性が米国のアニメーション技術と接合して独特のアニメ作品を輩出、世界中で人気爆発となった。宮崎駿、庵野秀明、押井守らのアニメ・ビデオが現実世界とSFが描く未来のテクノロジーを奇抜なストーリーでつなげ、一方では魔物が生き生きと活動する異界へと誘う。キャラクターはこの国だけではなく、中国や欧州の民話や伝承、さらにはディズニー映画やSF小説の主人公まで借りてくる。二一世紀が「日本発グローバルミックス行」の列車に乗ったかのようである。その延長上にノーベル文学賞の呼び声高い村上春樹が立っている。村上は学生の頃からジャズ喫茶を経営し、現代アメリカ文学に傾倒して育ったという。まさに日米混淆文化、あるいは日本クローニー化の申し子である。それなのに、この国ではいまだに漫画は裏文化で、現代で最も創造的な漫画家たちの名前すら知られない。

最近、読んだ佐藤智恵著『ハーバードの日本人論』によると、アメリカの学者は、日本アニメが手塚治虫の

『鉄腕アトム』の昔からロボットを人間の友達のように描く特徴に注目しているという。ここに日本アニメが現代テクノロジー世界の最先端に登場してきたキモがある。私の素朴な考えでは、情報資本主義はマックス・ウェーバーの言う西欧型プロテスタンティズムの温床を離脱して、文化的限定性を突破してしまった。利潤創出の場が生産工場を離れ、パソコン工房に移って、インターネット・オブ・スィングス（ＩｏＴ）がモノの動きを司るようになると、人間と機械の関係を司った唯一神は姿を消し、全ての自然に宿る神々が復活する。そうなれば、日本人が古来から信じてきた汎神論が幅を利かす。欧米諸国からの観光客が神社仏閣に押し寄せ、おみくじを引いたりするのは、唯一神への反逆を示すものではないだろうか。

ちょっと脱線すると、その延長上に、韓国の国を挙げての反日意識の高まりがある。この国は意外にキリスト教徒、それもプロテスタントの勢力が強く、それがアメリカの原理主義勢力と通底している。信仰の危機感が高まり、日韓併合時代にのしかかった国家神道の悪夢が蘇ったとしか思えない。

ともかく、この国は敗戦後、アメリカの植民地化政策を逆手にとって発展し、そのユニークな多神教文明は担い手に意識されないまま、情報資本主義の舞台で注目されている。二〇年余り前、サミュエル・ハンチントンが名著、『文明の衝突』の中で現存文明の一つとして日本を数え上げた時、この国の識者たちは嘲笑で応えたが、今はどうだろうか。むしろ中国南部から東南アジア一帯に広がるアニミズム文化の凝集点として重視した卓見ではなかったろうか。

だが、自然科学の発展はこうした神々にも死を宣告しているように思える。リチャード・ドーキンスの『利己的遺伝子』の仮説は生命の主役にＤＮＡを指定した。これによって古代ギリシャ以来のビオス（個体としての生命）とゾーエー（個体を超えた存在としての生命）の存在が統合されることになった。ヒト（ホモサピエンス）集団が環境に起因する個体の優劣をヒエラルヒー化して、権力関係が発生するカラクリが合理的に説明され、進化心理学がサル社会の解明で実証した。神は退場し、ミーム（文化的遺伝子）が登場したのである。最近の遺伝子工学は、人間がＤＮＡを簡単に編集する方法を提供し、ヒト（ホモサピエンス）が主役に返り咲いたかに見える。しかし、ヒトは生の継続というＤＮＡが与えた宿命、つまり、ヒト集団が互いに相争うことから逃れられない。やがてロボットが人に代わってミサイルを撃ち合うことになるのだろうか。

唯一の救いは、ヒトのＤＮＡに自分を犠牲にしても他の個体を助ける要素が組み込まれていることだ。世はますますマンガチックになっていく。ああ、漫画を読まぬ世代は退場するほかはない。（二〇一九年九月記）

第二章　内部告発者は踊る
ウィキリークス狂詩曲

*本章は二〇一一年五月号の「インテリジェンス　レポート」誌に掲載した論文だが、本書の第一章の「ウィキリークス」（40ページ）の参考資料として掲載した。

二一世紀のキャッチボール

二〇一〇年二月、米国務省の外交電報二五万通以上が情報暴露サイト、「ウィキリークス」の手に落ちて公開され、それがチュニジア、エジプトにおける長期独裁政権の崩壊につながったことは記憶に新しい。まさに史上最多量の情報漏洩だったが、スパイ活動とは違って、入手された秘密情報がそのまま生で意図的に公開され、それが不特定多数の人間に起爆剤として作用したという意味では歴史上、類を見ない。イデオロギーやカリスマに依拠する指導集団の政治的媒介なしに大衆（マス）が動き出している現象は二一世紀的である。

従来型メディア、特にプレス（活字メディア）による調査報道では取材目的が意識的に選択されていたが、ウィキリークスの場合、「始めに情報ありき」で情報の中身は問われず、秘匿されていたかどうかが判断基準になっている。これも新しい特徴である。情報の使用価値が捨象されることによって、情報マーケットを飛躍的に増大されたとでも解釈すべきだろうか。情報がまるで貨幣のような役割を果たしている。

情報（インテリジェンス）というものは過去の出来事を現在に持ち込み、将来の行動に一定の根拠ないしは影響を与えるものであって、因果サイクルとしてはごく当たり前のことが短期に発生し、激流（カスケード）を形成したとも言える。これまでの情報戦の主流は各国情報コミュニティー間の戦いであった。情報が漏れると都合が悪くなる方は必死に隠そうとし、逆に有利になる方は何が何でもこうした情報を入手して、相手にインパクトを与えようとした。ただし、入手された情報の拡散と一人歩きを阻むため、伝達範囲は関係者（ニード・トゥ・ノウ）に限定され、相手との交渉で小出しに使われるか、謀略活動のネタに変わる。古典的なインテリジェンスはそうやって当事者同士の情報のキャッチボールをしていたと言っても良いだろう。

ところが、ウィキリークスが登場して情報漏洩のありようが大きく変わった。いわばキャッチボールの最中、突然、カラスが飛んで来てボールをくわえ込み、そのまま観客席に落としたようなものである。ボールはグラウンドに戻らず、観客の間のキャッチボールに使われお祭り騒ぎに発展する。

ウィキリークスは装置産業

ウィキリークス公式サイトの説明を読むと、「われわれの目標は重要なニュース、情報を公開することである」とし、国連の世界人権宣言一九条[*1]（表現の自由）を正統性の根拠に挙げている。そして「情報公表活動（パブリッシング）は透明性を向上させるが、透明性はあらゆる人間にとってより良い社会を生み出す。情報内容が精密であればあるほど腐敗を減らし、政府、企業、その他の組織体を含む全ての社会的機構の民主主義を強化することになる」と敷衍する。すべての情報は原則として流通すべきであって、秘密情報が悪の根源だと単純明快である。

ウィキリークスが既存メディアと決定的に異なるのは、自ら情報取材に当たらず、自主的な提供者による情報漏洩とその安全を保証する電子的な情報送受信に依拠する点である。同公式サイトは「ウィキリークスはジャーナリズムと倫理的諸原則を最新鋭の秘密保全テクノロジーと連結させてきた。調査報道に従事しているメディア諸機関と同様、われわれは匿名の情報ソースを受け入れる（ただし、そそのかすことはない）。これは情報源に対する極限的な防護を提供する」と述べている。つまりウィキリークスはその高度のインターネット操作能力や暗号能力を使って情報提供者の匿名性を完璧に防護することを売りにして、秘密情報が飛び込んで来るのを待つという一種の装置ビジネスなのである。

ウィキリークス公式サイトは既存メディアについて、「（二〇〇七年の）事業開始までの数年間、ウィキリークスは世界の情報公開メディアが次第に独立性を失い、政府や企業、その他の機構に対して厳しい問いかけをしたがらないようになるのを観測してきた」と批判した上で、「新しいタイプのジャーナリズムを提供することにした」と述べているが、情報の信憑性、プライバシー、あるいはニュースヴァリューについての判断能力が不十分であった。このため、主宰者のジュリアン・アサンジは欧米の有力活字メディア、英ガーディアン紙、独シュピーゲル誌、仏ルモンド紙、スペイン、エル＝パイス紙との提携に成功、米公電を同時公表することで情報の効果を高めた。

しかし、米ニューヨーク・タイムズ紙とは米政府などとの情報確認作業などで意見が分裂し、対立した。[*2] ウィキリークスが秘密情報の公開に力点を置き、既成メディアが情報の質的価値を重視するために起きたズレである。いわば大新聞は高級品を精選して陳列するデパートだが、ウィキリークスはポイント・オブ・セールスのような情報管理手法を駆使して、売れ筋の商品を大量に集めるスーパーマーケットに似ている。ただし、ウィキリークスは原則として情報にカネは払っていない。組織は基本的にヴォランティアで構成され、運営資金の多くは個人、支持団体からの献金によって維持されている。インターネットの普及によって、情報流通が市場における等価交換の成立を媒介せずに行われ、非営利組織（ＮＰＯ）が運営資金を寄付によってまかなう状況は非常に重要だが、ここでは論じない。

市民権を得た内部告発者

当然、ウィキリークスにとっての情報価値は秘匿性と正比例することになり、最も重要な情報提供者は組織の奥深くに隠された秘密情報にアクセス可能な内部の人間、あえて組織の機密を外部に漏らそうと決断した人間、いわゆるホイッスルブロワー（内部告発者）である。ウィキリークスの事業はホイッスルブロワーの存在がなければ成立しないことになるが、逆に言えば、少なくとも欧米諸国ではこうした体制内不満分子が相当数、存在し、少しずつ市民権を獲得していることの証明でもある。

ウィキペディアを探すと、「ホイッスルブロワーのリスト」という未完成項目が見つかる、このリストには一九六六年から二〇〇九年までの四三年間で、政府、企業の秘密を公に暴露した九六人の氏名と事件の概略が説明されている。欧米諸国がカバー範囲である上、情報機関の内幕を暴露した人物が漏れているので、今後、このリストはどんどん増えていく可能性がある。

最も有名なホイッスルブロワーは一九七一年、ヴェトナム戦争の戦史的分析を行った米国防総省機密文書をメディアに流したダニエル・エルズバーグだろう。歴代の米政権がいかに国民にウソをついていたかを暴露し、内部告発行動が正当化されるきっかけになった。謀反人とかスニッチ（垂れこみ屋）と非難された行動が社会的に是認された始まりであった。

翌年、ウォーターゲート事件が発生し、ホワイトハウスの権力濫用と醜い工作が暴かれ、ニクソン大統領が辞任に追い込まれていくが、事件報道で大活躍したワシントン・ポスト紙の謎の情報源、「ディープ・スロート」が重要な舞台回しだった。同紙に内部情報を同時進行的に与え続けた人物は三三年後の二〇〇五年、事件当時のウィリアム・マーク・フェルトFBI副長官とわかったが、高齢になっていたフェルトは情報リークの動機についてははっきりしたことを明かさずに死んだ。

マニング上等兵の場合

ウィキリークスが放った数々のスクープの情報源はイラクで勤務していた米陸軍兵士、ブラドレー・マニング（二三歳）であった。ウィキペディアなどによると、マニングは二〇〇七年一〇月入隊、基本訓練課程を終わると、コンピューター操作能力を買われたのか、すぐ情報部門での技能兵（スペシャリスト）に抜擢された。二〇〇八年一〇月、イラク派兵の第一〇山岳師団第二旅団戦闘チーム支援大隊に転属となり、首都バグダッド近郊のハマー前進作戦基地に勤務した。しかしマニングは同僚兵士に乱暴したかどで上等兵に降格となり、軍隊生活に不満を抱き始めていた。

二〇一〇年一月、マニングは休暇で本国に戻り、ゲイ・パートナーだったブランダイス大学神経科学専攻学生のテイラー・ワトキンス宅に滞在した際、「機密情報を握っているが、リークするかも知れない」と漏らしたという。彼は情報兵として自分のワークステーションで米国防総省の情報ネットワーク、「SIPRNet」や「合同世界情報通信システム」[*3]（JWICS）にアクセスしていたが、軍情報だけではなく米国務省など他官庁の内部情報も閲覧可能だった。二〇〇九年一一月、ウィキリークスが九・一一テロ事件当時のページャー・メッセージを大量掲載した際、マニングは初めて同サイトとコンタクトをとったと言われている。

二〇一〇年二月、ウィキリークスは在アイスランド米大使館の公電を掲載、四月にはバグダッドでロイター通信記者を含む民間人をヘリからの銃撃で殺傷したビデオテープが公開、さらにアフガニスタン戦争関連文書などが続くなど、矢継ぎ早にスクープを放った。マニングは同年五月、逮捕されたが、一一月に公表された米国務省公電もマニングが提供したものである。

マニングは逮捕された後、ヴァージニア州クワンティコ海兵隊基地に隔離され、自殺を怖れた軍当局がシーツすら与えない非人道的扱いが非難されたが、二〇一一年四月、カンサス州の陸軍フォート・レヴェンワース基地内の未決囚収容施設に移送された。現在、最高刑が死刑の利敵行為を含む二五前後の罪状で軍事裁判を待っているが、米国政府はマニングをウィキリークスのアサンジ代表を刑事訴追するための重要証人と見なしていると伝えられる。

平凡な高卒の若者がなぜ、世界を驚かせる内部告発者に変身したのだろうか。

マニングは、元米海軍兵士の父が英国ウェールズ在勤中に知り合った母との間に生まれ、オクラホマ州で育った。両親の離婚でしばらくウェールズで学校生活を送ったが、女性的な性格や態度でクラス内でいじめの対象にされたといわれる。帰国して父と一緒になったが、同性愛者であることを忌避されてテキサス州に移り、やがて陸軍を志願した。成人しても身長一五七センチ、体重五〇キロ以下という小柄な身体もコンプレックスの原因だったと思われる。

マニングが政治的に目覚めたのはイラク派遣直前、テイラー・ワトキンスと愛人関係に入ってからのようだ。ワトキンスはボストン近郊に所在するブランダイス大学のハッカー仲間をマニングに紹介、そこで「情報の自由」という思想を吹き込まれたらしい。名門大学、MITのコンピューター研究者で拘置中のマニングとの面会を許された唯一の友人、デーヴィッド・ハウスともそこで知り合った。

マニングの情報漏洩をFBIに通報したのはホームレス・ハッカーの名で知られたエイドリアン・ラモ（三九歳）だが、マニングは二〇一〇年五月、軍務不適格として除隊処分を待つ身の上となり、孤独に耐えかねてラモをメル友に選んだ。彼はラモへのEメールで「レディー・ガガの『テレフォン』を聞き、口ずさみながら、僕はおそらくアメリカ史上最大のデータ量を抜き取っているんだ」と告白した。[*4] 訴えの内容は当初、「お粗末なサーバー、お粗末なロギング（データの追跡保存）、お粗末なセキュリティ、お粗末なカウンター・インテリジェンス、無神経な信号分析。完敗だ」というような軍組織批判だったが、やがて感情的になり、「もし私がもっと邪悪な人間だったら。どうなったのだろう」とか「ロシアか中国に売って金もうけができたかも」と書き送ってきた。ラモはここで愛国主義者に様変わりして、密告に走った。

マニングは情報リークの直接の動機としてこんな告白もしている。

イラク警察が反イラク的文書を印刷した容疑者一五人を拘束した際、上司が主犯を見つけるように命じた。マニングが調査すると、この文書は単に同国内閣の汚職を学術的に批判したもので違法性はほとんど無かった。ところが、報告を聞いた上司はマニングの意見に耳を貸さず、イラク警察がもっと多くの人間を拘束するのを支援すればよいのだと言った。その時、マニングは「自分がどうしても反対せねばならないことに加担してしまった」と自己嫌悪に陥ったのだという。

マニングがホイッスルブロワーになった理由には、育った家庭環境、小柄な身体へのコンプレックス、同性愛者に対する差別、父親への反感などが複雑に絡み合っているだろうが、ラモへの告白を信用すれば直接の動機は素朴な戦争への疑問、背景に自分を受け入れなかった軍隊への反感であったことがわかる。

イスラエル核武装を暴露

アムネスティ・インターナショナルが「良心の囚人」に指定したモルデカイ・ヴァヌヌ[*5]は現代史で最も重い意味をもつホイッスルブロワーと言えるかも知れない。イスラエルの核武装をほとんど完璧に証明する内部情報を暴露した人物である。

ヴァヌヌはイスラエルの原子力技術者だったが、一九八六年、英紙サンデー・タイムズにイスラエル南部ディモーナにある核兵器製造工場の内部写真を提供して同国の核武装計画を詳細に暴露した。しかし、同紙が特ダネ記事を掲載する寸前、ローマでイスラエルの情報機関、モサドに捕まり、本国に拉致された。禁固一八年の刑を受け、二〇〇四年に釈放されたが、その後もイスラエル国外への渡航を禁じられるばかりか、外国人との接触も禁じられている。

ヴァヌヌはモロッコのマラケシュの敬虔なユダヤ人聖職者(ラビ)の家庭に生まれ、九歳の時にイスラエルに移住した。兵役を済ませた後、ネゲヴ砂漠に設置されていたディモーナ核研究センターに技術要員として就職したが、勤務のかたわらベングリオン大学で地理学と哲学を学び、パレスチナ民族に同情する急進的な平和主義者に変わっていった。[*6] 非欧米系のユダヤ人（セファラディ）としては考えられるプロセスの一つだろう。

一九八五年、予算縮小を理由に解雇されるとアジア旅行に出かけ、腰を据えたシドニーでキリスト教に改宗した。アングリカン教会の平和研究サークルで核問題について優れた意見を述べていたのをコロンビア人のフリージャーナリストに知られ、ロンドンのサンデー・タイムズ紙との関係が生まれた。ヴァヌヌは同紙の要請で核専門家との討議に参加するため、英国に渡った。

ヴァヌヌの動きは同紙の取材活動などからイスラエル当局に察知された。シンディと名乗る米国人女性がロンドンに現れ、ヴァヌヌは彼女に夢中になってしまう。シンディの誘いに乗ってローマ旅行に出たが、彼女の姉の持ち家という住宅に着いた途端、待ち受けたモサド要員に拘束され、貨物船でイスラエルに連れ戻された。シンディはフロリダの裕福なユダヤ系ビジネスマンの娘で、モサドの秘密工作員であることが後に判明した。イスラエルは英国政府への配慮から、「ハニートラップ」を仕掛けてヴァヌヌをローマに連れ出すことに成功したのだった。

イスラエルは一九六〇年代、フランスから原子炉を輸入して核兵器の開発に乗り出し、米科学者同盟（FAS）の見解では、遅くとも七〇年代前半には航空機搭載の核爆弾を保有、核ミサイルの開発、保有にも成功した。しかしイスラエルは核武装に関して「否定も肯定もしない」という曖昧化戦略（strategic ambiguity）を採用、国際的な批判を長年にわたってくぐり抜けてきた。同国は核拡散防止条約（NPT）に加入しておらず、国際原子力機関（IAEA）の査察も拒否している。米国は少なくとも七回、査察チームを派遣したものの、周到な隠蔽工作が保施されたディモーナのプルトニウム生産、貯蔵を確認できなかった。米国政府が大量破壊兵器保有を理由にイラクに侵攻したり、イランや北朝鮮に対して核査察受け入れを強硬に求めているのに比べれば、イスラエルの核武装に微温的だったことはもちろんである。

サンデー・タイムズに掲載されたヴァヌヌの証言と写真は衝撃的であった。彼はイスラエル当局が地下に秘密工場を建設、核兵器用のプルトニウムを年間約四〇キログラム生産していること、さらには一般に水素爆弾、熱核爆弾と呼ばれている核分裂・融合装置に必要なトリチウムの生産素材、リチウム6も備蓄されていたことを暴露した。彼は核爆発装置一発当たりのプルトニウムは約四キログラムとも証言、これにより専門家はイスラエルの核兵器保有数を一〇〇～二〇〇個と推定した。ヴァヌヌ証言の弱点は唯一、彼の職能が原料素材関係だったため、製造関連の技術情報が欠けていたことだった。

ヴァヌヌの受難は釈放で終わらない。イスラエル政府は彼の国外移住を認めないばかりか、外国人との接触、インターネットのチャット・サイトへの参加などを禁止した。彼は東エルサレムのアラブ人居住区に住んだが、二〇〇七年、ヨルダン川西岸占領地のベツレヘムに出て外国人ジャーナリストと接触したなど命令違反の罪に問われて二〇〇八年には三カ月の禁固刑を受けた。ヴァヌヌはイスラエルの核に関する秘密を知っているだけ暴露してしまったはずだが、当局は国家に対する重大脅威という見方を捨てなかった。国防省保安部門、MALMAB[*7]のヤヒール・ホレヴ長官はヴァヌヌを「情報という名の地雷」と呼んでいる。

なぜイスラエルがヴァヌヌの自由を奪ったままなのか。さまざまな説があるが、最も有力なのは米国の援助がらみである。米国の議会には核拡散防止条約（NPT）未加盟諸国への軍事援助には批判的な意見が根強いが、イスラエルは米国から巨大な軍事援助と新鋭兵器の有償供与を受けている。もしヴァヌヌが国外でイスラエルの核武装政策に対する批判活動を行えば、米・イスラエル関係を根底から揺るがしかねない。米紙、ワシントン・タイムズは二〇〇九年五月、米・イスラエル両国は一九六〇年代にイスラエルの核武装を隠蔽する密約を結んでいたことが米政府が公表した文書などから明らかになったと報道していた。

ヴァヌヌが内部告発に踏み切った四半世紀前とインターネットが世界的に普及した現在では信頼性の高い暴露情報の影響力は決定的に異なる。ヴァヌヌの情報を再検証する作業が始まるだけでも、国際情勢は大きく変わってしまうだろう。

ＣＩＡの手ごわい敵たち

ＣＩＡなど米国の情報機関では激烈な内部告発者がしばしば出現することに触れておかねばならない。ＣＩＡ最初のホイッスルブロワーは一九五〇年代から六〇年代にかけてソ連担当の情報分析官として勤務したヴィクター・Ｌ・マーチェティ（一九三〇年生まれ）だろう。彼は一時、ヘルムズ長官の特別補佐官まで務めたが、ＣＩＡの秘密作戦重視の体質に疑問を感じて退職、一九七四年、元国務省職員、ジョン・マークスとの共著で「ＣＩＡ　インテリジェンスの秘教集団」を出版した。ＣＩＡは雇用契約に基づいて検閲権を主張して法廷で争ったが、削除されて空白だらけの本がベストセラーになった。

ＣＩＡ最大の敵手になったのはフィリップ・アギー（一九三五～二〇〇八）である。アギーはＣＩＡの現地工作官として中南米諸国で活動していたが、米国が軍事独裁政権を支援することに疑問を抱き、左翼系の反政府勢力に同情するようになった。一九六八年、任地のメキシコシティで起きた反政府デモ隊大量殺害事件を契機に退職、一九七五年、ＣＩＡによる欺罔（ぎもう）工作、陰謀、盗聴、贈賄、暗殺、脅迫などを徹底的に暴露した著書、「カンパニーの内側で　ＣＩＡ日記」を出版、世界的なベストセラーになった。アギーは著書の付録でＣＩＡ工作員、外国人協力者二五〇人の実名リストを公表、ＣＩＡばかりか英情報機関、ＭＩ５などの活動に大きな困難を招いた。

一九七〇年代半ばにＣＩＡ長官を務めたブッシュ・シニア大統領は、一九七五年にギリシャの極左組織にＣＩＡアテネ支局長が殺害されたのはアギーの情報暴露[*8]によるものだと非難した。

アギーはさらに、ＣＩＡの謀略作戦を暴くことを主旨とする情報誌、「秘密作戦情報ブレティン」を発行、悪名高い米陸軍野戦マニュアル「ＦＭ３０―３１Ｂ」[*9]の存在を暴露した。この文書は米陸軍野戦マニュアルの機密付録として「カウンター・インテリジェンス（防諜）」を扱っているが、同盟国との結束を固めるため、外国左翼グループの陰謀をでっち上げて、攻撃するなどの非合法の謀略行為を詳述していた。

アギー[*10]はその後、キューバ政府の支援と庇護を受けるようになり、死んだのも同国の首都、ハヴァナの病院だった。本人はＣＩＡに反逆するに到ったのはカトリック教徒としての良心の呵責だったと述べている。彼の時代は冷戦と重なっており、良心的なホイッスルブロワーとして理解されることが少なかった。

カント哲学に救い

内部告発者たちの多くは暴露衝動と所属組織への忠誠義務の間に挟まれ、心の葛藤に苦しんでいる。その内面劇を暗示するのは彼らの読書傾向だろう。

マニングが独房に差し入れてもらった本には左翼系歴史家、ハワード・シンの「米国人民の歴史」、英遺伝学者、リチャード・ドーキンスの「利己的遺伝子」、クラウゼヴィッツの「戦争論」、「孫子」などに交じってイマヌエル・カントの「純粋理性批判」「実践理性批判」の二冊があった。また、ヴァヌヌは一一年以上にわたって刑務官との会話すら禁じられる独房生活を送ったが、その間、カント、ニーチェ、さらに実存主義哲学者、キエルケゴール、サルトル、カミュなどの著作に親しんだ。世代が異なる二人のホイッスルブロワーが共にカント哲学に関心を示しているのが興味深い。なぜだろうか。

カント倫理学の基本は「義務論（デオントロジー）」と呼ばれ、「結果いかんを問うことなく、道徳的原理に基づく行為はなすべき義務として履行しなければならない」と説く。自他の利益になることが正しいのだという目的意識を排除し、行為の純粋な動機と心情のみを重視するのである。

行動原理とされる「定言」は極めて簡明で、

①自分の行為原則が万人に適用できる普遍的な法則になるようにせよ

②自他の人間性を平等に目的として扱い、手段としてのみ扱わないよう行為せよ

の二つに尽きる。

カントの教説に従えば、ホイッスルブロワーは自分の情報暴露が普遍的に見て人類にとって利益になると確信し、その行為が他人を手段として扱うことにむしろ抵抗していると確信すれば、「内面の法廷」で背信のやましさから免罪されるのである。

これに対して政府に代表される国家機構は一八世紀末以来、功利主義（ユーティリタリアニズム）を原理としている。国家の責務は国民大多数の最大幸福を実現することであって、その実現のためには一部の人間を手段に使うことも辞さない。戦争になれば国民を戦場に連れて行き、敵を殺害し、破壊することすらやむを得ないと考える。

国家機構の中でも情報機関ともなれば相手を騙し、盗み、必要ならば個人を拉致し、監禁し、最終手段としては暗殺すら実行する。しかも職務に忠実な模範的な人間だけではない。公に顕彰もされず、報われることの少ない「ダーティーワーク」のため、職員の間にシニシズムやサディズムが広がりやすい。

加えて、情報活動は現場の裁量や判断に依存する面が多い。現場の工作員は急変する事態から脱出するため、暴力的に対処せざるを得ないこともある。そうした事件が起きた場合、非公然集団としての身内意識（フラタ一ニティ）が強く働き、公共の利害を無視する対応がなされる。こんな事態に直面すれば、潜在的ホイッ

スルブロワーは心理的に疎外されているため、組織に対する反感が抑えようがなくなる。公共善を実現するために非合法手段を辞さないどころか、濫用する組織のありようが良心を揺さぶり、厳しい選択に迫られることになる。

内部からの反逆を防止するため、情報機関に採用されているのが雇用契約上の禁止条項である。職務上得られた秘密事項を外部に洩らさないのは公務員の義務だが、その保秘義務を契約終了後も長期間、継続させるのだ。しかし、これだけで功利主義的な組織がカント流の良心的反逆を抑え込むことは難しい。このため組織はしばしば予防的な倫理規定を設け、その文言の中に普遍的な正義と人間尊重を盛り込もうとする。つまり組織と個人の倫理的な要請をシンクロナイズさせようというのだ。

だが、ホイッスルブロワーに変身しやすい潔癖で神経質な性格の持ち主は、もし上司や同僚が倫理的に破綻をみせた場合、急速に組織離れを起こすだろう。マニングと上官との挿話は一例にすぎない。

こう考えると、内部告発は市民社会を形成する個人の内面独立性を強く意識するカント流のリベラリズムと国家を支える功利主義との原理的な相克関係を反映している。特に米国ではこうした原理の対立が政治化しており、ホイッスルブロウイングは今後ますます盛んになるのではなかろうか。情報漏洩がビジネスになる下地ができている。

尖閣ビデオ事件は日本的現象

二〇一〇年一一月、日本政府が対中関係を顧慮して公開を渋っていた尖閣諸島水域での中国漁船衝突事件の記録ビデオがインターネットの映像サイト、ユーチューブに掲載されて大きな話題となった。実行したのは神戸海上保安部に勤務していた一色正春航海士（同年一二月二二日依願退職）。日本ではまだ珍しいホイッスルブロワーの出現であった。

一色氏は二〇一一年二月、東京外国人特派員協会で講演と質疑応答を行ったが、国家公務員法による守秘義務を無視してビデオ・クリップを投稿した理由は明快に説明されたとは言えない。彼の動機には、菅民主党政権が対中関係を慮って公開をためらったことへの不満があったようだが、政治的というよりも危険な国境警備任務を背負わされながら報われない海上保安官の素朴な怒りの表明という要素が強かったと思われる。欧米のホイッスルブロワーが反逆者、組織の裏切り者として疎外され、生命までも脅かされながら、国家権力と自己の良心を対峙させようとしたのとはやや異質な感じであった。

一色氏の行動には、国家と激しく対立するウィキリークス的ホイッスルブロワーの発想は見つけることができない。むしろ海上保安庁という組織の身内意識（フラータニティ）が増幅して、政府対所管官庁、言い換えれば「政対官」の対立関係に一石を投じた行動ともいえ、日本の特異状況を反映しているような気がする。日本には、個人と組織が徹底的に対立した時、隠された関係を不特定多数の中に投げ込むことによって事態を変えるという意識が成熟していない。五箇条の御誓文にある「万機公論に決すべし」の精神はまだ実現途上にあるのかも知れない。

〈注〉

（1）世界人権宣言一九条は「すべての人は意見および表現の自由に対する権利を有する。この権利は干渉を受けることなく、自己の意見を持つ自由、あらゆる媒体を通じ、かつ国境の有無にかかわらず、情報と思想を求め、受け、かつ伝える自由を含む」と述べているだけで、あらゆる情報が公開されるべきかどうかについては言及していない。ウィキリークスの主張は、秘密情報の暴露も表現の自由のための最も重要な闘いだということなのだろう。

（2）この間の事情については、ガーディアン紙チームがまとめた「ウィキリークス　アサンジの戦争」（講談社刊）に詳しい。

（3）ＪＷＩＣＳは国防総省が運用する国務省との共用インターネット・システム。トップシークレット級の情報が送られ、メールにも使えるという。米政府は九・一一テロ事件の計画にかかわる情報を入手していたが、共有されなかったため、有効に利用できなかったことを反省、情報アクセスの重点を「ニード・トゥ・ノウ（知る必要のあるグループ）」から「ニード・トゥ・シェア」（共有する必要のあるグループ）」に拡充していた。安全保障関係機関の間で情報を共有するため、情報流通ネットワークを採用した、ＳＩＰＲＮＥＴもその一つである。

（4）レディー・ガガは当代超一流の米ポップシンガーで一九八六年生まれ。「テレフォン」は二〇一〇年リリースの第二アルバム「モンスター」に入っている。ガガは裕福なＩＴ事業家の娘としてニューヨーク市郊外に生まれたが、自分の成功には同性愛者の強い支持が貢献したと語っている。東日本大震災では直ちに義援活動を表明した。

（5）ヴァヌヌは何回もノーベル平和賞の候補に挙がっている。オノ・ヨーコさんが二〇〇四年、ジョン・レノンにちなむ平和賞を贈った。

（6）ハーレツ紙の報道によると、イスラエルの防諜機関、シンベトはヴァヌヌの大学での過激な言動を探知し、秘密工作員に任命して懐柔しようとしたが、失敗に終わった。

（7）ヤヒール・ホレヴは別名、シルバーマン。一九四四年生まれ。七五年、国防関連の施設全般を監視するＭＡＬＢＡＢの責任者となり、特にデモーナ核施設とテルアヴィヴ近郊のネオシオーナ生物学研究所の機密保持に従事した。釈放後のヴァヌヌを行政的に監視し続けることを強硬に主張したといわれる。二〇〇八年退役。

（8）米議会は一九八二年、「情報機関関係者身元保全法」を制定、国家の情報活動に従事する者の氏名公表を禁じた。二〇〇三年七月、人気コラムニストがジョセフ・ウィルソン元駐ガボン大使の妻、ヴァレリー・プレイムがＣＩＡ工作員であるという記事を発表、情報源はアーミテッジ国務副長官であることが判明した。「身元保全法」に明白に違反する動きの背景は、ウィルソン元大使がＣＩＡの依頼でイラクがニジェールから密かに濃縮ウランを買い付けようとしているという情報について調査したが、否定的な結論を出したことをニューヨーク・タイムズに寄稿、これに対してイラク戦争の正当性を主張し続けていたチェーニー副大統領が激怒していた経緯があった。同大統領のリビー首席補佐官がこの事件に関連して名誉棄損などで有罪判決を受けた。

（9）米政府当局は偽造文書だと強く否定してきたが、近年になって本物という認識が高まっている。

（10）アギーは旧ソ連の諜報機関と接触があったとされるが、本人は否定している。

第三章　インドシナ難民の実相

初出　「世界」第四〇二号（一九七九年五月）

チュオンソンの青い山なみが南シナ海になだれ落ちる海雲関を越えて陽炎にかすむ野の果てまで、ありとあらゆるたぐいの車両がひしめき合い、遠い砲声に追われて来た数万人の重い歩みが続いていた。四年前、私の目の前を通り過ぎて行ったこの悲しい隊列は、ダナンで無数の屍を落ちこぼし、瓦解したサイゴンの阿鼻叫喚を増幅させ、いまも木の葉のような難民船が洋上に飢餓地獄を現出している。抗仏、抗米、そして火を噴いたばかりの抗中と気の遠くなるような戦火の断続は、ベトナム人の宿命なのだろうか。

いまはどうなっているのか知らない。旧サイゴン軍人墓地の林立する墓標の少なからぬ部分が華僑出身者のものであった。その特徴は死者の肖像写真を墓石にはめこんであることで、祖国が支援した解放戦争に刃向かわざるを得なかった若い華僑たちの恨みの眼差しすら感じた。北の兵士も同様だった。パリ会談成立（一九七三年一月）の前後、激戦地となったアンロク近郊で入手した戦死者の写真には漢字の署名があった。ベトナム在住一三〇万人といわれる華僑とその末裔がベトナム分裂の悲劇を、ベトナム民族とともにくぐり抜けてきたというのに、その代償は何であったのか。華僑を含めて、豊かなインドシナの地から限りなくあふれ続ける難民の群れこそ、ベトナムに出兵した中国の鄧小平副首相の言葉を投げ返すように、民族主義という不滅の〝神話〟を崩壊させ、社会主義体制に無言の〝教訓を学ばせ〟ようとしているはずである。

インドシナ難民戦争

ベトナム難民史は一九四六年、旧植民地宗主国フランスが武力でインドシナ回復に乗り出した時に始まる。当時、ホー・チ・ミンの呼びかけに応えて、ラオス、カンボジアにいたベトナム居留民の多くが抗仏闘争に立ち上がったが、やがて進駐するフランス軍に追われ、東北タイに逃げこんだ。その数はタイ側推計によると約一万三〇〇〇家族、四万六七〇〇人であった。一九五九年、タイ、北ベトナム（当時）両国赤十字がラングーンで送還協定に調印し、一九六四年に入って北ベトナムが米国の北爆開始を理由に受け入れを中断するまでに約四万人が帰国した。

一九七八年九月、ファン・バン・ドン首相初の訪タイで、両国は難民送還の再開で基本的に合意、一〇月からバンコクで事務折衝が始まった。この時点でベトナム難民数は自然増で再び推定七万人以上に増加していた。ベトナムは帰国を希望する者だけを受け入れたいと要望したが、タイ側はまずラングーン協定当時、帰国する意思を明らかにした三万九六二二人全員を送還したいと主張し、交渉はまもなく暗礁に乗り上げた。

異郷に三〇年以上を過ごしたこれらベトナム難民はメコン川沿いのタイ諸県を中心に強固な共同体を形成し、移動の自由を厳しく制限されながら、華僑をしのぐ富裕な商工業者にのしあがった者も少なくない。しかし共産主義の浸透を極度に恐れる歴代タイ政府は厳しい監視と抑圧の政策で臨み、一九七六年一〇月の軍部クーデター前後には、タイ右翼分子による迫害事件が多発した。

国境地帯を遥か離れたナコンラチャシマ県シーキョウには、ベトナム戦後の難民収容所に隣接して有刺鉄線を高く張りめぐらし、軍と警察が見張りする囲い地がある。タイ陸軍の反共作戦中枢といわれる「国内治安作戦司令部」（ＩＳＯＣ）の特別収容所で、容共不穏分子とみなされたベトナム旧難民が刑期も不明確なまま監禁されているのだ。一九七六年当時、ベトナム特有の円錐形の編み笠をかぶった老婆は、既に八年も収監され、裁判もないと訴えたが、こうした事態はタイ国内ですら知る人が少ない。

北部から南部へ、農村から都市部へと、戦火に追われて逃げ惑った難民の苦難もいまは忘れられようとしている。国内難民の最初の大きなうねりは、一九五四年のジュネーブ協定成立によって湧き上がった。同協定は北緯一七度線で国を南北に分かち、住民に南北いずれかの国を選択するよう求めた。北からはカトリック教徒七九万二〇〇〇人を主体とする約九〇万人が南下、南部からは約一五万人が北の社会主義建設に参加したが、当時のハノイ指導郡は南部解放闘争に備えて、北への移住はあえて奨励しなかったという。

ジュネーブ協定の前後、北ベトナムでは急進的な農地改革が遂行され、地主、富農層に対する厳しい弾圧政策が採用された。一説によると中小地主を含む一万人から一万五〇〇〇人が処刑され、投獄者は一〇万人に及んだといわれ、遂には大規模な農民暴動まで発生した。この過激な農業革命の嵐を逃れたカトリック難民たちが、その後二〇年にわたって南の反共政権の最も強固な支持基盤となったのであった。これらカトリック難民たちは、社会主義体制下で大々的に実施された「新経済区」という名の開拓運動の隠れた先駆者でもあった。ゴ・ジン・ジェム政権は彼らに土地を与え、三一九の開拓村が出現したが、その多くは解放勢力の武装闘争が激化するとともに解散し、サイゴンの過密化に最初の拍車をかけたのだった。

ベトナム戦争は別名、難民戦争ど呼べるほど、人為的な難民づくりが戦略の基礎に据えられ続けた。一九五九年、ジェム政権は「アグロビル」計画(後に戦略村計画と改称)を発動、農民を要塞化した居住区に囲い込んで共産ゲリラとの接触を物理的に断ち切ろうとした。この戦略はマレーシアで英国が成功させた対ゲリラ作戦の粗雑な焼き直しであったが、やがて本格的な介入を開始した米軍は農民を囲い込むのに、原始的な柵や濠に代えて、無差別砲撃地帯を設定し、一一五〇万トンの爆弾を落とし、七五〇〇万トンの枯れ葉剤が不毛の無人地帯をつくり出した。当時、南の住民で一時的にも難民となった経験のない人など見つけるのが困難で、難民収容所に登録された人は延べ七〇〇万人を超えるだろう。

一九七五年春、最後の破局が来た。バンメトートの砲声は南ベトナム軍を崩壊させ、ダナンやフエの外港には難民の溺死体が流木さながらに浮き沈みした。追いつめられた人々はロケット弾が炸裂するタンソンニュット空港で、サイゴン川の埠頭で、米国大使館の周囲で、国外脱出のつてを求めてあてどなくさまよった。ＣＩＡ首席情報分析官として、四月三〇日の南ベトナム滅亡の朝までサイゴンにとどまったフランク・スネップ氏の回想録によれば、南ベトナム最後のマーチン米国大使は、同月中に米軍機で脱出したベトナム人を含む外国人は四万五一二五人と議会で報告し、米国大使館がなんらかの形で関与した引き揚げ者数は六万五〇〇〇人以上だという。

他の報道によると、一九七五年六月一五日までに米国にたどり着いたベトナム人は総計一三万一三九九人（うち三七五六人は他国へ転出）に達した。フォード米大統領は五月、ベトナム、カンボジア難民一五万人の定住計画に四億五〇〇〇万ドルの特別支出を議会に要請、こうした難民受け入れ活動は翌年一二月二〇日まで続いた。

ベトナムほど劇的なエクソダスではなかったとはいえ、ポル・ポト政権による強制下放と血の粛清が荒れ狂ったカンボジアや、ビエンチャン政権関係者の僻地労働キャンプ送り込みが続いたラオスからも、難民の列が途絶えることなくタイに押し寄せた。一九七九年一月末現在、タイの一六の難民収容所で再定住国に向かう日を待ちわびる難民の総数は一三万九〇八六人。その内訳はラオス難民一二万三一七一人、カンボジア難民一万四六七八人、ベトナム難民一四四五人で、ラオスの難民が八八％強を占める。

同月末現在で、再定住国へ出発した難民は八万三三九五人という国連難民高等弁務官事務所（ＵＮＨＣＲ）の公式統計があり、その八八％をラオス人とし、これをタイにいる難民に加えると、同国から流出した難民総数は約一九万七〇〇〇人。メコン川を渡って同一民族のタイ社会にまぎれ込んでしまったラオス人は推定二万人を下らないとされ、人口わずか三〇〇万人の小国ラオスから実に一四人に一人の割り合いで難民が流出している計算だ。史上最高といわれた革命後のキューバ（人口九〇〇万人）からの亡命者六〇万人という記録を対人口比では更新する勢いである。

このためラオス政府は行政経験者や技術者の欠乏に悩んでおり、消息筋は国防ばかりか経済政策面でもベトナムへの依存度が高まっているとしている。その半面、享楽都市バンコクではラオス難民娘が人身売買の対象となり、娼婦に転落するなどの悲劇が現象している。

インドシナ戦争で最も悲惨な運命をたどっているのが、山岳地帯に住む少数民族である。中国とベトナムの国境武力紛争で居住地を戦火で焼かれ、戦闘に狩り出されたのも少数民族だったが、ラオスのメオ族は一九六〇年代に米国ＣＩＡの工作で、ラオス愛国戦線に敵対する傭兵として利用された。司令官だったバン・パオ将軍は米国に亡命したが、残されたメオ族は新革命政権の低地移住奨励政策に反発してゲリラ活動を続けた。このためラオス軍は一九七八年六月から北部シェンクァン地区などのメオ族根拠地に討伐作戦を展開、敗北したメオ族推定四万人がタイ領内に逃れてきた。独特の民族文化と阿片栽培で知られるこの種族が、欧米諸国への移住に適応しにくいのは当然で、前途は全く暗い。ハノイ放送は一九七八年九月一四日、カリフォルニアに住むバン・パオ将軍が北京に秘かに招かれたとの報道を伝え、中国を非難した。中国との不和がラオスにまで拡散した今日、ラオスの山々への帰郷を夢見るメオ族難民が戦争の新たな火ダネになる懸念すらある。

ボート・ピープル

カンボジアからの難民はベトナムやラオスに比較すると比較的小規模である。前述の元ＣＩＡ機関員スネップ氏が述懐しているように、米国はプノンペン放棄に際して現地人雇員などの国外大量脱出に失敗した。このため民主カンボジア政権は米国の残置諜報網に極度の警戒心を抱いていたようで、こうした心理状態が旧体制関係者に対する狂気の処刑と追放を強行する結果を招く一因となったのではなかろうか。ともかくポル・ポト政権は一種の労働兵営国家をつくり出した。国民皆農の集団生活は常に厳しい監視下に置かれ、タイ国境沿いの警備も厳重で、脱出の機会は極めて少なかったようだ。難民の大多数は逃亡の途中で、行をともにした家族や友人を失っており、捕まればその場で殺害されたと証言している。内外の情勢についても全く無知で、アランヤプラテートの難民収容所で出会ったある老教師は、合作社と合作社の間には検問所があり通行が極めて制限され、隣りの合作社のうわささえ一〇日近く遅れて伝わってくるありさまだった、と語った。

他方、カンボジアとベトナムとの国境紛争が激化する過程で、一九七七年末からカンボジア難民がベトナム領内に流入し始めた。UNHCRが一九七八年六月、現地調査してまとめた報告によると、民主カンボジアからの難民はカンボジア系三万五〇〇〇人、華人系二万五八〇〇人、ベトナム系一七万三〇〇人など約三〇三万一七〇〇人で、このうち一五万人が食糧などの緊急援助を必要としていた。同報告は特に最近、到着した難民の七〇%が児童で、栄養不良の状態だったとしている。

だがUNHCRだけでなく、それら難民施設を訪れた西側諸国ジャーナリストが一様に不審感を抱いたのは、難民の中に壮年男子が極めて少なかったことで、一部の記者たちはベトナム当局がポル・ポト政権に対抗するカンボジア人組織をつくるため、別の場所で政治・軍事訓練を行っているのではないか、と疑念を抱いた。こうした推測を裏づけるかのように、ベトナム通信（VNA）は一九七八年一二月三日、「カンプチア救国民族統一戦線」の結成を報道した。議長に就任したヘン・ザムリン氏はカンボジア共産党東部大地方区書記兼第四師団長・政治委員というベトナムに近い地域の幹部であり、一九七七年末のベトナム軍の越境作戦が難民流出の激化と時期を一にしていたことから、難民は実は反政府軍の兵員集めと関連しているのではないか、との印象が深まった。

こうして出現した救国戦線軍は一九七九年一月七日、ベトナム軍の明白な支援を受けて首都プノンペンを奪取、「カンプチア人民共和国」政府を樹立した。しかしポル・ポト政権軍は意図的に首都から撤退した後、農村部で執拗なゲリラ戦を展開、戦闘は泥沼化の様相を深めている、このためタイ領には戦火を避ける農民やポル・ポト軍の敗残兵が間欠的に流入、新しい難民の数はタイ国軍当局によると、一九七九年三月中旬現在、二八〇〇人となった。ちなみにベトナムはポル・ポト政権が華僑、僑生を虐殺、迫害しているのに、中国がこれを黙視していると非難している。カンボジア難民の人種別統計は非常に少ないが、一九七八年五月、東部タイのチャンタブリ県ボン・ナム・ロン収容所で入手した資料によると、同月現在の収容人員六二八家族一八二五人のうち華人系は六四家族一七九人で、単身脱出者が非常に多かった。東北タイのスリン県の収容所でも海外の親族と連絡がついたのか、身なりの格段に良い華人系の若者が多く、彼らは親たちが資本家として迫害されたと訴えたが、人種差別は受けなかったと話していた。

激動するインドシナ情勢の震度計のように増減を繰り返す難民の流出にあって、国際政治の非情なあり方に最も深刻な問いを投げかけたのが、ボート・ピープルと呼ばれるベトナムからの漂流難民だった。陸の国境を社会主義国に囲まれ、西側世界へは南シナ海からシャム湾に至る公海を渡らなければ到達できない地理的理由から、ベトナム難民は小船をあやつって大洋に乗り出してきた。

サイゴン陥落からわずか一二日後の一九七五年五月一二日、米国船グリーン・ハーバー号が漂流難民九人をひろいあげて、日本の千葉港に運んできた。もともとベトナム官憲の目をくぐっての逃避行だけに、航海のための万全の準備は無理で、河川用運搬船、はしけ、小漁船、あるいは一九七五年九月、日本船が救助したグエン・バン・フォンさん（五一歳）一家のように、手製のいかだで荒海に漂い、初期はタイを目指す船が多かった。だがタイ当局の対応が冷淡なうえ、シャム湾には凶暴な海賊が出没し、カンボジア沿岸警備部隊が発砲すること——などから、難民たちは次第にマレーシア東海岸へ向かうか、商船航路上に出て救助を求めるか、の方法をとるようになっていった。大洋航海には適さない小船を使っているのだから、目的地に到着する確率は当然、小さく、難破し、沈没する船は少なくなかったであろう。

難民の遭難をいくらかでも防ごうと、食糧や医薬品を積んで南シナ海を巡航するオーストラリア人道主義団体の船アクナ号の経験によると、ボート・ピープルの遭難率は四〇~五〇%にも達するといわれ、東南アジア各国の外交筋の見解と一致している。一九七八年一二月一〇日、ギリシャ船が救助して四日市港に上陸させた旧サイゴン軍のレ・バン・トン陸軍中尉（三八歳）と義姉のグエン・チ・マイさん（二六歳）の場合、ボートがフィリピン沖で座礁、一カ月余りの漂流で同行の一四一人のうち二人だけが生き残った。一九七九年二月、フィリピン沖の珊瑚礁で発見されたベトナム人少女は五カ月間、死んだカモメや貝で餓えをしのいでいたが、家族ら四九人は次々と死んでしまったという。

悲惨なことに、難民たちの遭難を人為的に増やす要因すらあった。東南アジアの非共産諸国は当初、軍事強国として出現した統一ベトナムへの思惑から、一九七六年以降は西側再定住受け入れ国が減少したことも重なって、難民を救助した貨物船やタンカーからの引き取りを拒否するようになった。このため一般商船は難民救助が、企業採算上、無視できない航海の遅延や停泊日数の増大をもたらすため、難民船を発見しても見過ごす傾向が顕著になった。上智大学アジア関係研究室が一九七八年三月に実施した「在日ベトナム難民実態調査」によると、救助されるまでに一七隻以上の船に見捨てられた難民が回答者一〇八人中、三四例を占めたほどである。

これほどの危険を冒しながら、ベトナム人はなぜ統一事業を達成した祖国を見捨てるのだろうか。
最も大きな原因は、三〇年戦争、特に米国がいどんだ巨大な物量戦がベトナム革命の風土を根底から歪めてしまったことであろう。米軍とＣＩＡに援護された旧南ベトナム政権は環境破壊とフェニックス計画に代表されるテロ、暗殺によって、土地なし農民と地主との階級的敵対関係をテコとする解放路線は窒息させられ、人民の下からの主体的参加の道は封じられてしまった。チュー政府は一九七〇年農地改革法（法令第００３／70号）を制定して、不在地主を追放し、農民に土地を分配した南ベトナム民族解放戦線の闘争の成果を横どりした。このため解放勢力は北ベトナムの軍事力を盾として支配権を確立した解放区の死守とその拡大、競合区での二重権力樹立を目指し、革命戦略の純軍事化を余儀なくされた。

人民戦争は敵戦力の撃滅を目指す総力戦に変貌し、ハノイの指導者たちは戦争遂行に資源を最高度に動員するため、権力の集中をおし進め、北部では公安警察機能が肥大化し、南部解放区は軍の策源地としての戦時体制づくりが優先した。南ベトナム政権下の地域住民は、かつて人民蜂起の主体として主要な役割を与えられていたのが、南ベトナムが軍事的に攻略された時には、たんなる被占領地人民として取り扱われることになった。不屈で楽天的なベトナムの人々はいつのまにか服従を美徳とする無告の民に変わっていたのである。

戦後、ハノイの南部における指導方針は寛容に富むといわれていたものの、地域主義が伝統的に強いベトナムで北部の優越は否定できなかった。戦時中、消費財の慢性的供給不足にあえいでいた北の購買力が南に殺到し、一〇〇万人規模で移住したといわれる北部出身者が働き口を奪う結果になった。

政府は「新経済区」への移住を奨励したものの、基礎投資を欠いた荒野は都市生活者のクワを受けつけなかった。ファン・バン・ドン首相は一九七七年の移住者が計画のわずか三分の一の一二万人だったことを「イデオロギー分野における努力不足」ときめつけたが、一九七八年の達成率も推定約一九万人で、計画の四七万五〇〇〇人に遠く及ばなかった。旧南政権に奉仕した分子の人間改造も、再教育機関から帰らない人が三〇万とも四〇万ともいわれて、待ちわびる家族や友人にむしろ新社会へめ帰順の意思を弱めさせる逆効果すら生んだ。

加えて一枚岩の体制に官僚主義の弊害が現われ、腐敗が行政機構を蝕んだ。かつて第三勢力の闘士としてチュー政権に抵抗し、現在は国会議員であるゴ・バ・タン女史は一九七八年一二月、フランス共産党機関誌ユマニテ記者に「毎日、あらゆるレベルで民主的諸権利の侵害と制限についての訴えがあり、報道機関も地方レベルでの権力の濫用と官僚主義を非難する記事や投書を掲載しています。過ちや自由の欠如を認めなければなりません。抵抗戦争中は英雄的だった幹部のなかにも、腐敗に身を委ねてしまった人がいるのです」と率直に述べている。こうした祖国では発言権もなく、絶望した人々が、病葉のこぼれ落ちるように、海に漂い出てゆくのである。

海に落ちた華僑たち

だが一九七八年四月ごろから、海を渡る決死の難民は急激に数を増し始めた。例年一二月から三月まで南シナ海はモンスーンの影響で時化るのだが、マレーシアには一月に入っても難民船が跡を絶たず、沿岸諸国は不吉な予感をおぼえていた。四月のマレーシア、タイ両国への到着難民数は前月の二倍にはね上がり、次の五月、ボート・ピープルは五五六九人と、過去二年間の総到着者数に一カ月で匹敵するという爆発的な増勢を示した。そして同年一一月には二万一五〇五人という空前のラッシュを記録したのである。

それまではASEAN諸国のなかで難民に最も寛大な態度をとってきたマレーシアに焦燥の色が濃くなった。同年七月まで無人の島だったプラウ・ビドン島には二万二〇〇〇人の難民があふれ、沿岸住民たちは難民向け物資調達によって物価が騰貴することに腹を立て始め、難民船が岸に近づくと投石で追い払った。一一月二二日、クアラトレンガヌ川口で、地元民に接岸を拒否された難民船がその目の前でまっ二つに裂けた。満載の難民二五四人は一瞬のうちに波にのまれ、二〇〇人以上が水死した。この船は不運にもプラウ・ビドン島でも上陸を拒否されていたのだった。

「海康（ハイホン）」号がこつぜんと姿を現わしたのはちょうどそんな時だった。同年一一月九日、西海岸ボートクラン沖に投錨した船齢三〇年の老朽貨物船は一五八〇トンの船腹いっぱいに二四五〇人の難民を詰め込んでいた。マレーシア政府は不法移民であって難民ではないとの厳しい姿勢で臨み、上陸を許さなかったが、それも当然だった。

この船、実は同年九月中旬までシンガポール船「ゴールデン・ヒル」だったが、香港の海運会社がスクラップとしてわずか一一万ドルで買い入れたうえ、洋上で「海康」と塗り替え、一〇月二四日、ホーチミン市の外港ブンタウで難民という名の船荷を積みこんだのだった。香港の英字週刊誌「ファー・イースタン・エコノミック・レビュー」の暴露に端を発して、マレーシア、オーストラリア両政府の調査が進み、海康号事件はベトナム当局が介入した華僑難民の〝輸出〟策謀という国際的なスキャンダルに発展した。

難民たちは一人当たり二〇〇〇ドル相当の金の延べ板をベトナム国内の代理人に支払っていたが、その代金の一部は出国黙認料として行政幹部——省の党委員会書記や公安機関の長——の手に渡っていたという。ベトナムは既に三月から南部の流通部門の社会主義化に乗り出し、また南北通貨の統一によって華僑資本家の事業を停止させ、その資産を封鎖していた。解放後も香港ルートを通じて、海外からの秘密送金さえできる組織網をほこった不死身の華僑たちも遂に屈服し、隠していた金塊を使って海外脱出を図ったのだが、その華僑から法外な報酬を受け取るのがまた海外の華僑であり、背後で甘い汁を吸うのが権力という東南アジアでは昔ながらの筋書だった。

同誌は難民からの情報として、こうした華人難民輸出組織は五つあり、それぞれ南部デルタのキエンジアン、ミンハイ両省、ミト、カント両市とブンタウ港に本拠があると述べ、ベトナム政府の最高責任者はファン・バン・ドン首相直属のグエン・バン・リン党政治局員であるとしているが、もちろん確証はない。オーストラリアのマッケラー移民相は年が変わった一九七九年一月四日、ベトナム政府は一九七八年六月から外国海運業者と結託して難民の組織的な積み出しを開始し、華僑難民一人につき二七〇〇ドル、ベトナム人からは四〇〇〇ドルの金を取り立て、国庫収入に繰り入れていると公然と非難、援助の打ち切り措置を講じ、やがて二月には英国もこれに続いた。

海康号と同じころ西インドネシアに難民一二五〇人を送りこんだイラン人所有の「サザンクロス」、一〇月七日、プラウ・ビドン島に着いた漁船TV148号も同じ仕掛けの棄民船とわかった。激怒したマレーシア政府は軍、警察を動員して難民船追い払い令を発動し、難民たちはマレーシア沿岸に近づくと、船のエンジンを破壊し、故意に浸水させて上陸を哀願するようになった。

国際世論の非難に対してベトナムは有力な反論を打ち出せず、パリの大使館員が「難民たちは国際反動勢力（中国を指す）の宣伝に惑わされた犠牲者たちである。ボート・ピープルのなかには中国のために破壊工作を行い、身の危険を察知して脱出した者もいる」と中国に矛先を向けた。押し寄せる難民の大群を前に、西側諸国の受け入れは遅々として進まず、到着難民一九人に一人の割り合いでしか引き取られないとマレーシアはじめASEAN諸国は難民の滞積に不満を噴出させ、ベトナムの信用は地に落ちていった。

こうしたなかでUNHCRは一九七八年一二月一一、一二の両日、ジュネーブに関係三七カ国を招いて「東南アジア難民対策緊急会議」を開催した。ベトナムのボ・バン・スン代表（駐仏大使）は「華僑難民の問題は故意に生み出され、ベトナムを中傷するために使われている」と暗に中国を非難、第二日目の発言では「わが国は戦争に続く自然災害で困難な時期にあり、国民が国を離れることを望んでいない」と強調したうえ「三二〇〇キロの海岸線を持ち、ベトナムを敵視する者たちが絶えず（脱出を）そそのかしている状態で、どうして難民を食い止められようか」と主張、逆に経済援助の必要性を訴えた。

公平に見て、ベトナムの主張は説得力に欠けていた。華僑難民の流出は、北部華僑の中国への大挙帰還とともに一九七七年の南部社会主義化政策の実施と期を同じくしている。自然災害に苦しんでいるのはベトナム公民ならだれしも同じで、ボート・ピープルの七〇〜八〇％を華僑およびベトナム国籍の華人が占める説明にならない。

ベトナムは千年以上にわたる中国の直接支配を脱することによって民族的自立を達成したが、同時に言語、宗教、政治制度にいたるまで深く中国文化の影響を受け、中国に対して近親憎悪のような二律背反的な民族感情をはぐくんできた。中国人の流入と同化は歴史のなかにいくつかのうねりを記録している。一三世紀の蒙古王朝の大陸制覇、一七〜一八世紀の明の遺臣団コーチシナ入植、一九世紀にはフランスが労働力として南部を中心に華僑の大流入を促し、今世紀に入ると日中戦争を避けて、約四〇万人がベトナムに逃げこんだといわれる。

一九七八年春、にわかに重大化したベトナム華僑の大量出国問題は、中越両国間の関係悪化を明るみにさらし、同年七月三日、中国が対ベトナム経済技術援助を全面停止、次いで一九七九年二月一七日には社会主義国間では初の大規模局地戦争にまで発展した。両国間の紛争と華僑問題の関連について、菊地昌典東犬助教授が克明な分析（「アジア・レビュー」一九七八年冬期号）を発表しているが、ベトナムは一九七六年二月から在住華僑に国籍取得による法的同化を急がせる政策を採用、北部からは一九七九年二月の中国当局声明によると華僑約二〇万人が国境を越えて、祖国へ帰った。一九七八年三月以降、南部では資本主義的商工業の社会主義への改造が予定を早めて、強制的に実施され、南部流通機構を牛耳っていた華僑たちは新経済区へ移って農民となるか、あるいは国外へ脱出するかの選択を迫られた。

ベトナムで発生した華僑排斥の動きは、同じ社会主義圏のソ連、東欧諸国で戦後、繰り返されたユダヤ人に対する迫害と排斥の事件を思い出させずにおかない。一国社会主義の党、支配機構は経済危機あるいは下からの民主化運動によってその存命が危うくされると、資本主義世界の陰謀の手先としてユダヤ人を槍玉にあげ、反対派をユダヤ人出身者と関連づけることによって、国民感情を揺さぶり、粛清と弾圧の口実に利用した。「莫談政治」(政治を語る莫かれ)を処世訓としてきた華僑社会と知識人社会に広く根を張るユダヤ人とを同一に論ずることはできないが、ベトナムの指導者たちが反中国の民族感情を利用し、資本主義的残滓=華僑というイメージをつくりあげて、社会主義経済政策のつまずきを覆い隠し、国民総動員体制を強化しようとしたと推測しても、的はずれではあるまい。

日本に滞留中のベトナム人難民の話によると、社会主義体制下のベトナム南部では、華僑に対する一般市民の印象は、中越対立が公然化する前からかなり悪化していたという。富裕な華僑たちは、賄賂を使って行政幹部を堕落させ、労働奉仕を逃がれたり、新経済区への移住の目こぼしにあずかったりしていた。このためベトナム人たちは「華僑は金で自由を買っている」と批判的だったというが、同時にこうした支配層の腐敗が社会主義的統制経済のガンにもなっていた。ベトナムを含め東南アジアの米作国家にとって、国家が米の流通を支配または制御できるか、否かは死活の問題である。しかし南部における農業集団化は互助組による共同労働の段階にとどまっているといわれ、国の集荷機構をはずれた米が華僑系流通商人に取引され、闇市経済を形成していたことが想像される。

ヤミ流通市場の残存と恒常化は政府の労働力再配置計画の妨げとなり、行政機構の腐敗を拡大生産すると同時に、社会主義経済体制を下から掘り崩す。ベトナム指導者の危機感は一九七七年の段階で、深刻な農業災害と中国の食糧援助の停止によって増幅され、華僑の切り捨てに走らせたのではないだろうか。だがこうした急進的社会主義政策が実効性を発揮するかどうかには疑問が残っている。ビルマのネ・ウィン軍事政権は一九六〇年代、ビルマ農村の流通経済を独占していた数万人の印僑を国外に追ったが、その後は今日に至るまで農民の米供出拒否と生産意欲減退の問題を解決できずにいる先例があるからである。

難民受け入れの実態

ともあれUNHCRの緊急会議では、西側一二カ国が計八万二二五〇人のインドシナ難民新規受け入れを、一〇カ国が総額一一五〇万ドルの援助資金拠出を約束して、ボート・ピープル救済にやっと前途が開けた。ハートリング国連難民高等弁務官は閉会に当たって「さらに多くの国々が難民を迎え入れて欲しい」と要望、会議の同意事項として①漂流難民を必ず救助するよう呼びかけたUNHCRと政府間海事協議機構（IMCO）のアピールの実行②定住先での自立計画の促進③離散家族の再結合④インドシナ地域への経済援助などが要約された。他方、マレーシアのガザリ内相はUNHCRの管理する「難民一時待機センター」設置を提唱、この提案はその後、ASEAN諸国の合意を経てインドネシアが、西側諸国の保証と協力を前提としてマラッカ海峡に近いリアウ諸島の島の一つを提供する方向で具体化しつつある。

この会議にはUNHCR未加入の日本も招かれた。沢木代表（ジュネーブ常駐代表部大使）は「日本は条件付きで難民の再定住を認めているが、難民の大多数はそれを望んでいない。むしろ救援資金、技術援助面で貢献したい」と演説したものの、諸外国からは非情なゼロ回答と受け取られた。結局、日本は人道上からの国際的義務分担を主張する米国やアジア諸国の圧力もあって、一九七九年一月一六日のベトナム難民問題非公式会合で、一九七九年度に一一五五万ドルの拠出を申し入れ、米国（一九七八年度一三五〇万ドル）に次ぐ第二位の資金援助国としての地位を確保した。だが、もとはといえば福田前首相が訪米した一九七八年五月、米国の要請で当初の援助額一七三万ドルに一〇〇〇万ドルの追加援助を約束したのが金を出すきっかけで、最も今日的な問いかけである難民問題を札束でごまかしている印象はぬぐい切れない。

三七カ国代表が重い心でジュネーブを去ってまもなく、またも大型難民船が水平線上に姿を現わした。一九七八年一二月二三日、難民三三八三人を満載したパナマ船籍の滙豊号（二二九〇トン）が香港沖合に停泊、それを追って二七日、同じ船籍の東安号（一六〇〇トン）が二三一八人を家畜用飼料と一緒にマニラ湾にもたらした。

香港政府は滙豊号は「当初の目的港である台湾・高雄港に向かえ」と入港を許さず、フィリピンも第一目的港主義を楯に、香港行きを指示した。難民たちの必死の歎願で、フィリピンは遂に一週間ごとの停泊許可更新に切り換えたが、両船には海康号と同じ疑惑が垂れこめていた。東安号の船長は一二月六日、海上で難民を救助し、その際二〇〇人が水死したと申し立て、滙豊号の許文善船長も同月一七日、九隻のジャンクから救ったと釈明したが、同船の場合、バンコクからわずか四、五日の航海ですむはずなのに、香港まで二七日間もかかっており、難民待ちの形跡ありありだった。

一九七九年一月五月、パナマ政府は法定乗船者数を超過していた両船を除籍処分にすると声明、登録手続きが簡単で、税金が安いパナマ、リベリアを名目上の所属国とする国際海運業界の悪習が改めて非難を集めた。ＵＮＨＣＲ本部は改めて両当事国に受け入れを要請したが、フィリピンはファベラ難民収容所に余裕がないと拒絶した。ただでさえ人口過密な香港の事情はもっとひどかった。

一九七八年中だけで七万一五二〇人（一九七七年は約二万六〇〇〇人）という大陸からの移住者に加え、べトナム北部からの中国経由難民七三四人も滞在中で、すでにたどりついていたボート難民は収容所からはみ出して、ホテルまで占領していた。このため香港政府は同月一〇日、難民密輸阻止特別立法に踏み切り、正当な理由のない不法入港船費任者には最高四年の禁固刑と四万ドルの罰金を科すことにした。

二隻の船上では誕生と死がかわるがわる訪れ、寒さと孤独感が熱帯から来た人々を襲った。一九七九年一月二〇日、香港当局は遂に人道上の立場から上陸許可を下した。滙豊号上の二九日の忍従が本国の英国政府を動かし、向こう一二〜一五カ月間に香港、マレーシア、タイから難民一五〇〇〇人を受け入れると決定したからであった。許船長らはただちに逮捕され、船の機関室からは時価一〇〇万ドル相当の金の延べ板が押収された。三二万ドル分の金を隠し持っていた華僑六人も取り調べを受け、クオク・ワ・ルンと名のる乗船者は難民ではなく、香港公民とわかった。

だが東安号難民の受け入れは遅々としてはかどらず、洋上生活は一〇〇日を越えた。フィリピンのロムロ外相は同年二月四日「わが国はベトナム難民の屑籠ではない」と怒りの声をはりあげ「このできごとは共産主義に対する最良の反論であり、人民を国から追い出すなど非人間的そのものだ」とベトナムを罵った。同国海軍が領海に厳重な警戒網をはっていたのに、三日、「キイルー」という名の貨物船がマニラ南西パラワン島近くのボアヤン島に難民六〇六人をまんまと置き去りにしたのだから、怒るのも無理はない。

残りの三〇〇〇人余りを乗せた当の難民船は八日夜、滙豊号騒ぎがまだおさまらない香港水域に忍び込み、船の名を「KY-LU」から「スカイラック（AKYLUCK）」と書き換える悪どさだった。香港海務当局者が上船すると、台湾人船長は舵輪を握ったまま、刃物を持った難民にとり囲まれていた。航海日誌も難民の手で海中に捨てられたと証言したが、擬装は明らかだった。今回は香港政庁も冷たく上陸を許可せず、難民たちは漂えるオランダ人のように、むなしく救いの手を待つばかりであった。

ベトナムのグエン・ズイ・チン副首相兼外相は一九七九年一月一二日、ＵＮＨＣＲに対し「兵役該当者、国家機密に携った者、公判中あるいは刑余者を除き、国外へ出る希望者は正規の手続きで出国を認めたい」と初めて収拾策を提案、三月に入ってデハーン難民副高等弁務官がハノイ入りして、具体化について協議、作業部会がハノイに設置された。だが、その間も難民を乗せたボートはひっきりなしに隣接国に到着し、「中国やカンボジアとの戦争にひっぱり出されるのはいやだ」という徴兵忌避者の群れが南部タイに漂着するケースも報道された。

「ベトナムが難民から賄賂としてとりあげた金額は三〇〇〇万ドルにのぼる」（ホルツマン米下院司法委移民・難民小委員長）といった発言もまだ続いているが、各国の受け入れ努力は少しずつ進んでいる。ＡＳＥＡＮ諸国からベトナム戦争の当然の償いとみなされている米国は、カーター大統領の人権外交の立場からも、積極的である。

一九七八年一二月一六日付ニューヨーク・タイムズ社説は「ボート・ピープルに対する米国の義務」と題して、「ほとんどの他国はインドシナ難民を米国の問題とみなしている。米国は一国でもこの要求にこたえてゆくことを恐れるべきではない。一九七九年夏までに戦後のベトナム難民受け入れ数は二三万人に達しようが、清教徒ですら恥じ入るような彼らの勤勉さと生産的な態度をみれば、ベトナム難民は負担ではなく、むしろ国家の財産である」と述べた。既に一九七九年四月までの年間受け入れ枠は二万五〇〇〇人から四万七五〇〇人に倍増されたが、カーター大統領は一九七九年度の受け入れ数を八万人とする意向である。しかし一方では、ジェームズ・レストン記者のように、難民は受け入れれば、受け入れるほど流出すると、政治的、経済的限界に注意を払うよう警告する声も出ている。

米国に次ぐ救済国はフランスで、同国はもともと今世紀中の定住外国人が約五〇〇万人といわれるほどの亡命者のメッカである。フランスは①フランス語ができる②肉身が既に定住③植民地時代にフランス当局と関係があった者――など受け入れ資格に厳しい基準を適用しながら、月平均一一〇〇人を入国させている。ベトナム当局に批判的なオーストラリアも一九七九年二月初め現在、難民一万六四七四人（うちボート難民一七一九人）を引き取り、月平均八〇〇人のベースで流入している。カナダは一九七九年中に五〇〇〇人受け入れを約束、西ドイツ、イスラエル、スカンジナビア諸国なども受け入れ数を漸増させている。

UNHCRが一九七九年一月一五日、発表したところによると、同年中の再定住可能な難民の数はようやく八万七五〇〇人に達したが、東南アジア全域に散らばるインドシナ難民は二五万人を超えるといわれている。こうした難民全員が希望する国で新しい生活を始めるには、まだ三年以上もかかる計算なのだ。

貧弱な日本の受け入れ体制

日本政府は一九七七年九月、総理府に各省庁連絡機関として「ベトナム難民対策連絡会議」ならびに同対策室を初めて設置した。だがこの機関設置にあたっての閣議了解は「人道問題に関する国際協力の一環として①難民収容施設の確保と運営②緊急医療供与などの援護措置③難民の職業、技術訓練④日本赤十字その他関係団体との協力――などの対策の推進を図る」としているだけで、主体的な取り組みの姿勢はみられない。むしろ、難民救済に自力で奉仕してきたカトリック団体「カリタス・ジャパン」など民間の収容能力が不足してきたため、国の監督能力が及ぶ日赤に業務委嘱し、補助金（一九七九年度一億四一〇〇万円）を支給するための予算執行機関を設けたという感じさえある。

日本への難民上陸数は、一九七五年、九回一二六人、七六年、一一回二四七人、七七年、二五回八三三人、七八年、二二回七一二人、七九年一月まで二回一八人の計六九回一九三六人（他に四三人が日本で誕生した）

だが、米国などに一三九七人が出国し、二月一日現在、五七七人（死亡二人定住許可三人を除く）が永住の地の決まるのを待っている。一九七八年四月二八日の閣議で、初めて定住許可の方針が打ち出されたが、定住者は北九州市の工場に勤務するマイ・フー・ロイさん（三五歳）一家三人にすぎない。日本定住には「確実な身元引受人がいること」という条件が障害になっているためである。難民にとっては日本語の修得が困難で、せっかく就職口がみつかっても雇用主や職場の同僚との意思の疎通が容易ではない。

日本政府はこれまで定住を求める難民が少ないと国の内外に主張してきた。総理府難民対策室ではUNHCRが実施する難民の意向調査を主張の根拠として、日本に滞在中の難民約五〇〇人のうち、定住希望者は三〇人程度で、その意思も固いものではないと説明している。だが難民を実際に世話している有志の人々は、こうした結論の出し方に疑問を感じている。もし難民に言葉を含めて日本について十分な知識を与え、外国人としての法的地位を安定させ、さらに失業保険、厚生年金など社会福祉制度の適用などで生活の不安をなくす行政措置をとれば、欧米諸国より文化的親近性がある日本の方が住みやすいと内心考えている難民は少なくないという。

一国の政治的、社会的成熟度を占う尺度として、政治、宗教的異端者への寛容をあげることができるならば、亡命者を受け入れ、庇護してゆく心をまさしく、日本人も持つべきではないのか。また難民を含む亡命者の受け入れによって起こり得る他国との摩擦を毅然として処理する威信と外交的力量は逆に国家の成熟を示すことにもなる。日本政府は、国際法制史上の金字塔といわれる国連の「亡命者の地位に関する条約ならびに議定書」（一九五四年四月二二日発効）にいまだに加入しておらず、その理由として亡命者（refugee）の定義が明白でないからとしている。しかし専門家によれば、同条約は亡命者の認定について各国の判断の余地を残しており、むしろ政府・自民党は近隣諸国すなわち韓国と台湾からの外国人大量流入を恐れているのが真の思惑だとみられている。現行の出入国管理法では亡命者、難民救済の法的根拠は法務大臣の上陸または在留の特別許可のみであり、恣意的な判断によって人権が損われる可能性が強い。一九六八年、台湾独立運動に参加していた柳文卿さんの場合、法務省がなんと迫害者となるべき国府（当時）の駐日大使の安全保障を理由に強制送還してしまったのである。

その約一〇〇年前の明治五年（一八七二年）、清国人苦力が横浜に停泊したペルーの奴隷船マリア・ルース号から脱出、英国船を通じて日本政府に保護を求めてきた。時の外務卿副島種臣はこの清国人を本国に送り返してやり、国際仲裁裁判では司法卿江藤新平が人権擁護を主張して譲らず、遂に勝訴した。近代日本のれい明期における画期的な事件だったが、現代日本もアジアを揺さぶる戦争と革命の嵐の中で、新しい発想を求められている。

＊本稿に用いた難民に関する数字は主として国連高等難民弁務官事務所の統計、タイ国軍司令部の難民統計、新華社電等の外国通信社に拠った。

第四章　逃れられない米国のくびき
七〇年目の一二月八日に想う

初出　「インテリジェンス　レポート」二〇一一年一二月号「特集　開戦から70年—残された課題」

遠くならない昭和の時代

米国命名の「太平洋戦争」も死語と化した「大東亜戦争」も使う気がしないので「先の大戦」と呼ぶことにしたい。その開戦の時から七〇年を閲することになったが、いまだに「戦後」という時代感覚の呪縛から脱却しきれないのはなぜだろうか。

「降る雪や明治は遠くなりにけり」と中村草田男が詠んだのは昭和六年（一九三一年）のことで、明治天皇の死去から一九年後、日露戦争からは一世代を経ていた。草田男は母校の小学校を訪れ、恩師に叩きこまれた「恥を知れ」の武士道精神が失われたことの嘆きを句にこめたと述懐している。今の日本人にとって昭和の戦争はもっと昔のことで、社会構造も人倫のありようも変わり果てているのに、「昭和は遠くなりにけり」という感慨が湧いて来ないのはなぜだろうか。

もちろん戦争の記憶は時の流れとともに薄れ、歪んできてはいるものの消えるどころではない。なにしろ、先の大戦では沖縄を最悪として国土の大半が破壊され、世界唯一の核兵器被爆国となり、民間人を含め三百万人に及ぶ死者を出したのである。しかも敗戦の産物ともいえる米軍基地が現前し、活動している。

それだけではない。現憲法が日本占領軍最高司令官だったダグラス・マッカーサー将軍（一八八〇〜一九六四）の指示によって作られたことは誰にも否定できない史実であって、日本の政治社会が昭和、平成を通じて米国の世界戦略の埒内に閉じ込められ、そこから一歩も踏み出していない。昭和が遠くならない最大の所以だろう。

この国は国家としての威信回復、民族の誇りを取り戻すといった硬いナショナリズムの構築には向かわず、アメリカに「抱きしめられた」（ジョン・ダワー）軟性国家として現在に至っている。「強兵抜き富国主義」で世界第二の経済大国まで登りつめたのだから当然といえば当然だが、冷戦を経て統合された世界形成になだれ込むという一時の思惑は完全にはずれた。冷戦は終わったものの、中国が思い切った重商主義政策を成功させて覇権国家として登場してくる一方、米国は圧倒的な軍事力による資源の確保と金融・情報の支配によって単一超大国の座を安定させるどころか、国としての政治経済の劣化、空洞化が進み、ドルの威信が急速に劣化して来たからである。

日本はパクス・アメリカーナを信じ切って対米従属を一種の国是にしてきたが、これからもそれでやっていけるのか。TPP（環太平洋パートナーシップ）への参加は国際力学的に不可避なのか。そして、時代に逆行するとはいえ、本当は独自の核武装が必須ではないのか。そんな疑問が心にわだかまる中、東日本大震災と未曽有の大津波は「安全」、すなわち生存が基本的に保障されていることがいかに重要であるかをあらためて思い知らせた。そして日本人にとって先の大戦を想い起こさせる契機にもなったのである。

だが「戦争を知らない子供たち」が育って、そのまた子供たちが四〇歳代に達している。見回せば人類がいまだ集団的な殺し合いに明け暮れているというのに、日本の若者たちは戦争の実相を知らず、平和が貴重なものであることを意識しなくなっている。しかし、戦争は平和と切断された事態ではない。平和な社会の中に育まれる閉塞と頽廃が戦争を呼び込むのだ。

石原莞爾の預言

草田男が「明治は遠く」と詠んだ年の一年前、犬養毅、鳩山一郎率いる政友会がロンドン軍縮条約にからんで民政党政府の統帥権干犯を言い立て、浜口雄幸首相を追い詰めた。軍部の政治介入に道を開いた犬養首相が皮肉にも翌年、一部軍人の小規模クーデターである五・一五事件で殺された。統帥権濫用の蛇口をひねったのが実は政争に目が眩んだ政党指導者であり、その党利抗争が大正リベラリズムを扼殺したことを忘れてはならない。しかし海軍の艦船比率を定めた条約を主導したのは米英両国であった。

西欧のファッシズムでは、カリスマ的な政治家が大衆の不満を煽りたて、幻想を抱かせて権力の座に登り詰め、一気に独裁政権を構築したのとは異なり、日本の軍国主義は憲兵隊と思想検察、特高を中心とした左右の反政府勢力の弾圧を下地として民意上達の細々としたルートすら圧殺して覇権を握った。その手口はファシズムよりもむしろ旧ソ連のボルシェヴィキ政権の手口と類似していた。

陸軍切っての戦略家といわれた石原莞爾中佐（一八八九〜一九四九）は早くから世界最終戦争、つまり東西の覇権国家としての日米決戦を予測し、その戦争準備として満蒙（中国北東部）の軍事的占領と開発を唱え、ついに関東軍司令部を説伏して満州国を実現させてしまった。しかし、彼が書いた文書、「国運転回ノ根本国策タル満蒙問題解決案」（一九二九年四月）には不吉な預言的言説が残されている。曰く、

若シ戦争ノ止ムナキニ至ラハ断乎トシテ東亜ノ被封鎖ヲ覚悟シ適時支那本部ノ要部モ我領有下ニ置キ（中略）東亜ノ自給自足ノ道ヲ確立シ長期戦争ヲ有利ニ指導シ我目的ヲ達成ス。対米戦争ノ覚悟ヲ要ス。若シ真ニ米国ニ対スル能ハスンハ速ニ日本ハ其全武装ヲ解クヲ有利トス。

石原は後年、満蒙（中国北東部）から中国全土への武力進出を時機尚早として反対、軍部中枢から追放されてしまったが、彼の脳裏にどうして自ら否定すべき日米戦争の陰画が焼き付いたのだろうか。あたかも憲法九条の出現を言い当てているようである。

空回りの聖戦意識

帝国海軍連合艦隊による真珠湾（パールハーバー）奇襲の大戦果を背景に、一九四一年（昭和一六年）一二月八日、対英米宣戦布告の詔勅が発せられた。しかし満蒙の植民地化を経て、日本軍が独断専行して中国全土に戦線を拡大していたため、社会体制はすでに総力戦モードに完全に切り替わっていた。三七年の日独伊防共協定締結、三八年の国家総動員令公布と東亜新秩序声明、四〇年の大政翼賛会発足と続いて、反戦など口走れば国賊として糾弾され、生命の保証すらない息苦しい世の中になっていたのである。

知識人の多くは事大主義的にアジアから白人植民地主義者を駆逐する意義を強調し、聖戦遂行への献身を誓ったが、本当に戦勝を信じていたのかどうかは疑わしい。保田与重郎（一九一〇～八一）ら「日本浪漫派」のみならず、斎藤茂吉、高村光太郎、北原白秋、三好達治、大木淳夫らの戦争詩歌はなべて神助を強調して悲壮に満ちており、オプティミスティックな祝祭感覚は見出し難い。当時、欧州ではナチドイツが空前の機動戦略で破竹の進撃を果たしていたにもかかわらず、勝利への強固で現実的な意志は伝わって来ないのである。石原莞爾の危なっかしい戦争観を裏打ちしているかのようだ。

開戦期の日本人の心情をよく伝えるのは中国文学研究家、竹内好（一九一〇～七七）らの雑誌、「中国文学」一九四二年一月号に掲載された巻頭文、「大東亜戦争と吾等の決意」だと思う。竹内らは「支那を愛する者」として、支那事変（日中戦争）について「わが日本は東亜建設の美名に隠れて弱い者いじめをするのではないかと今の今まで疑ってきた」が、対英米開戦では「東亜に新しい秩序を布くといひ、民族を解放するといふことの真意義は、骨身に徹して今やわれらの決意である」と支持表明した。「東亜から侵略者を追ひはらふことに、われらはいささかの道義的反省も必要としない。敵は一刀両断に斬って捨てるべきである」「大東亜戦争は見事に支那事変を完遂し、これを世界史上に復活せしめた。今や大東亜戦争を完遂するものこそ、われらである」……要は、日本の中国侵略はともかく、対米英決戦ならばアジアの民族解放という大義に基く正義の戦争として胸を張れるという歴史の筋道を捨象した空回りの芸当であった。ともあれ、同じ時期に発表された座談会「近代の超克」や京都大学グループの「世界史」論説と同工異曲だが、それらよりも鋭く簡明だと思う。

日和見主義の開戦

実は治者の懸念と被治者の高揚の間に奇妙なねじれ現象が生じていたのだが、巧妙に隠されたままであった。国民はアジア解放の大義に興奮したが、昭和天皇（一九〇一～八九）を頂点とする政治指導部はむしろ戦争回避に傾いていた。しかし軍部は欧州でのナチドイツの連戦連勝に浮かれ、火事場泥棒的にフランス領インドシナ（現ヴェトナム）の武力進駐を実現させた。しかし、米国がこれに強く反発、経済封鎖を強化したのである。東南アジアの石油、錫、コバルト、ゴムなどの資源を狙った南進政策が発動早々、逆に経済的ボトルネックを背負い込んだ。

対米戦争回避に傾く近衛文麿首相を追い落とした軍部の代表、東條英機陸相（一八八四～一九四八）が後継内閣首班に任命されると、彼は意外にも対米交渉で中国（満蒙を除く）撤兵の受け入れを含めて譲歩に譲歩を重ねた。前後相矛盾した動きは昭和天皇の逡巡を反映したともみられるが、要は政治中枢に対米戦争で勝利する自信が欠けていたのである。一方、ルーズヴェルト米大統領は対日戦争が好戦的な国民感情を盛り上げる必要上、必至の段取りで動いており、開戦は時期の問題とみなしていた。

自信の無さは、開戦詔勅が久しく大スローガンに掲げていた「八紘一宇」「東亜新秩序」どころかアジア諸国、民族に対する呼び掛けを一切含めなかったことにも露呈している。詔勅は「帝国の自存自衛のため」と戦争理由を説明し、英米両国による中国の重慶（国民党）政権援助を非難しただけであった。東条政権は同盟関係にあるドイツ、イタリアへの配慮もあったか、あるいは人種的偏見の強い米世論の反発を顧慮したのか、「人種戦争」イメージを極力避けようとした。日和見主義の典型である。国民が熱狂したアジア解放のイメージは現実政治としては虚妄であり、日本の正戦論などアジアの民族主義者に理解されようもなかった。

生き延びる天皇制官僚

大戦中に三〇～四〇歳台だった世代層の指導者たちが戦後、ほとんど戦争を語らなかった理由は敗戦を招いた恥辱意識とともに、「最初から勝てるとは思っていなかった」と告白することのやましさからではなかったろうか。勝てそうもない戦争になぜ踏み込んだのか、東京裁判でA級戦犯八人が処刑されたが、国民の間で主体的な戦争責任論議はついに起きなかった。そして吉田茂首相（一八七八～一九六七）とその弟子である官僚出身の池田勇人、佐藤栄作ら戦争中のエリート官僚が親米政権を仕切り、さらに元戦犯、岸信介（一八九六～一九八七）が自由民主党総裁として復活した。

新憲法下で象徴天皇制に変わったとはいえ、行政の心臓部は明治以来の絶対天皇制が育てた官僚たちに握られ、政党が代表する有権者の特殊利害を見下ろす超然的な態度を維持して隠していた。天皇を取り囲む元老・重臣はいなくなったが、エリート官僚たちは占領軍司令部（GHQ）の意向を読み切り、政治家を智慧をつける形で骨抜きにし、操縦することによって戦後型民主主義体制を作り上げた。

民主主義（デモクラシー）とは多数の意思が正しい全体意思を正確に反映するという一種の信念だが、現実として議会における多数派政党が常に正しい政治判断を持つとは限らない。行政を握るエリート官僚たちが政党指導者の参謀となり、その影に隠れて実質的には政治を動かしてしまったのである。

軍事的に見れば、開戦前後には英米両国は欧州戦線での対応に追われ、アジア戦役に対する準備に欠けていた。このため真珠湾を始め日本の先制攻撃は海陸で成功を収め、無防備に近い東南アジアのほぼ全域を占領したが、勝勢はそこまでであった。

一九四二年六月、日米両海軍はハワイ北西のミッドウェー環礁付近海域で激突し、日本は空母四隻と搭載航空機の多くを失った。以後、日本軍は戦争の帰趨を決する航空優勢を全く保持できず、次第に制海権も失っていった。戦争の帰趨は早くも開戦から半年後に決まったが、大本営はこの敗勢を国民からひた隠しにした。実は日本側のミッドウェー作戦計画は日本の軍事暗号が米軍にほぼ解読され、作戦意図や艦隊の動きがほぼ筒抜けになっていたのである。情報戦での完敗はミッドウェーから一年も経たないうちに山本五十六連合艦隊司令長官のソロモン諸島視察旅行を探知され、戦死させてしまった。以後、ガダルカナル、アッツ、サイパン、テニアンと太平洋の島々で孤立した日本守備隊は次々と玉砕した。

日本の軍部は「生きて虜囚の恥を受けず」という戦陣訓によって、将兵が捕虜になる道を閉ざしていた。このため当時、戦争の最前線に立たされた当時、二〇歳代の青年たちは戦争を美学に直結させる文学運動、「日本浪漫派」の言説に強く魅せられたようだ。彼らにとって戦争は抗えない実存的条件であって「夭折」が運命として自覚された。三島由紀夫（一九二五〜七〇）も同じ世代に属していた。

この世代は敗戦後、自分たちを死地に赴かせた支配階級への怨念から社会主義革命運動に傾斜したが、冷戦下での非情な東西対決を冷静に分析する力を欠いていたようにみえる。

皇国幼年の思い出

戦前、モダニズム短歌の旗手として脚光を浴びながら、戦争協力者として長く歌壇から追放されていた前川佐美雄(一九〇二〜九〇)にこんな作がある。

戦争の世にありて何もまだ知らぬ
わが子の声のとほる冬空

(歌集「日本し美し」より)

開戦の日、私はまさに佐美雄の子息と同じように頑是ない「少国民」だった。戦時体制が深まる中で言葉を覚え、「少年倶楽部」のページを飾った樺島勝一(一八八八〜一九六五)、伊藤幾久造(一九〇一〜八五)、小松崎茂(一九一五〜二〇〇一)らの軍艦や零戦の挿絵に夢中になった。宣戦の詔勅は記憶にないが、朝な夕なラジオから流れる勇壮な軍歌と大本営発表の重々しい戦果ニュースに耳を傾けながら幼時を過ごした。「ガダルカナル」「ラバウル」「サイパン」などの地名はどこにあるかも知らないまま耳に親しかった。「鬼畜米英撃滅」という戦争スローガンも覚えた。

戦争にまつわる最初の悲劇の記憶は、父の町工場で働きながら専門学校に通っていた台湾人の青年が帰省のために乗った輸送船が撃沈されて亡くなったことだった。陳さんとしか覚えていないが、私は懐いていた。

父は戦時企業整備で工場を失い、北関東の一都市に女学校教師の口を見つけて一家で疎開した。父たちが小学校の校庭に集められ、木銃をかついでどかどか走っていた姿、間もなく硫黄島で戦死した叔父が軍刀を下げて挨拶に来た姿などが心に刻み付けられている。国民学校一年生になったころには地方都市にも米軍機が飛来して地上目がけて機銃掃射を浴びせ、空襲警報が鳴るたびに防空頭巾をかぶって、浅い防空壕に潜り込まされるのだった。やがて一夜の爆撃で都市は焼け野原に変わった。父を残して母と兄の三人で草深い村落に再疎開した。村人は異邦人のように冷淡で、わずかな畑地を借りて甘諸を収穫し、芋柄を食べ、田んぼの畦にタニシやザリガニを探した。母が食事を抜くこともしばしばだった。校庭などにはトウゴマやヒマワリをたくさん植えており、航空機用の油脂を取るのだと教えられた。母は私たち兄弟に「こんなに物資が無ければ戦争はもう負けだ」と言い切っていた。

八月一五日の玉音放送はなぜか、はっきり覚えている。「敵ハ新ニ残虐ナル爆弾ヲ使用シテ頻ニ無辜ヲ殺傷シ」……「堪ヘ難キヲ堪ヘ、忍ビ難キヲ忍ビ」……と奇妙なアクセントの声が流れると、母や叔母たちが「戦争が終わったんだよ」と言いながら泣きじゃくった。

戦争で戦争を養う

一九七〇年代に入り、通信社の記者として韓国や東南アジア各地で取材の仕事をするようになったが、日本軍による暴力と抑圧の残響が到るところにあった。軍国主義日本にからめてあからさまに非難されることは予想より少なかったが、それでも先の大戦に話が及べば、「日本が加害者であったことを忘れない。アイム・ヴェリー・ソリー」と詫びねばならなかった。日本が勝手な論理で他民族の土地に戦争を持ち込み、「八紘一宇」の皇民教育を施す一方で、食糧、資源を簒奪していた罪は別だった。

横道に逸れるが、日本軍の戦地における暴虐は南京大虐殺などの規模の議論はともかく存在した。アジアの朋友であるべき現地の住民を迫害し、略奪し、強姦し、時には命を奪ったことは確かである。

黒沢明と並んで日本映画史上で最高の地位を占める位置にある小津安二郎（一九〇三〜六三）は三〇歳を過ぎて徴兵され、南京攻撃作戦に参加した。彼の従軍日記やメモが二〇〇四年から〇五年にかけて公表されたが、三九年ごろに書かれたと推定されている「撮影に就いての《ノート》」の一節にこんなエピソードが書きつけられていた。
支那の老婆が部隊長のところへ来て云ふ〈自分の娘が日本のあなたの部下に姦された〉
部隊長〈何か証拠でもあるのか〉
老婆　布を差し出す。
〈全員集合〉
部隊長は一同を集めて布を出し、〈この布に見覚えがあるか〉
〈ありません〉〈次〉〈ありません〉
一人づつ聞いてまわる。
最後の一人まで聞きおわると静かに老婆に歩みより〈この部隊には御覧の通りいない〉
老婆領く。
抜き打ちに老婆を切りすてる。おもむろに刀を拭ひ鞘に納める。
全員に〈分かれ〉。
シナリオ風に書かれているが、おそらく経験が結晶した描写だろう。
（注）田中真澄『小津安二郎と戦争』（みすず書房・二〇〇五年）から引用。

戦場における軍隊の非戦闘員に対する人権侵害行為は旧日本軍の専売特許ではない。ヴェトナム戦争ではヴェトナム中部クアンガイ省ソンミ村で一九六八年、米軍部隊が無抵抗の村民五〇七人を惨殺、妊婦を含む女性や子供が二六〇人以上含まれていた。私はこの村を事件の四年後に取材で訪れたのだが、思い出話をする人々の顔が段々ひきつってきたのを覚えている。他にも、戦場で殺した北ヴェトナム兵士の耳を切り取って乾燥し、ネックレスにしている米兵がいるという嫌な噂話を聞いたこともある。韓国のヴェトナム派遣部隊の掃討作戦は米軍より猛烈だという評判であった。

しかし旧日本軍の暴虐の特殊な背景は現地調達主義であったと思う。再び石原莞爾を引用すると、「我等ノ戦争ハ『ナポレオン』ノ為シタルカ如ク戦争ニヨリ戦争ヲ養フヲ本旨トス」(「現在及将来ニ於ケル日本ノ国防」)、「即チ占領地ノ徴税物資兵器ニヨリ出征軍ハ自活スルヲ要ス」(同) が基本方針だったのである。戦闘部隊にすら食糧も燃料も自給せよと言うのが暗黙の指令であれば、略奪が正当化されたに等しい。

小津の従軍日誌を読むと、南京攻撃の大作戦に加わった彼の分隊は空き腹を抱えながら行軍し、捕らえた犬や猫を殺しては煮て食っていた。一九三九年一月一三日付け日記には「今日から城外に慰安所が出来る。……慰安券が二枚、星秘膏、ゴムなど若干配給になる。半島人三名、支那人一二名……応城野戦倉庫之印の捺印がある。……兵ハ一時間一円五〇銭　高橋伍長試みに出かける」と記されている。性欲の対象も現地調達だった。

先の大戦で欧米諸国では最大の非人道的行為とされたフィリピン戦での「バターン死の行進」も似たような状況であった。降伏した米軍、フィリピン軍の捕虜の群れを炎天下、食糧も水もろくに与えず長距離を徒歩移動させたため、多くの死傷者を出したのだが、実は勝ち戦の日本軍将兵も糧食は支給されたものの、捕虜たちと大差なかった。初めから捕虜を虐待する意図があったのではなく、大量に発生した捕虜を扱える兵站ルートが確立されず、収容計画も前もって無かった結果の非道であった。

対照的に、戦後、日本に進駐してきた米軍部隊は物資を奪うどころか、食糧やタバコを人々に恵んでくれた。私たち「皇国幼年」は一転、米兵たちのジープを追って「ギヴ・ミー・チョコレート」と叫んだのだった。

私たちが受け入れたのは米国のヒューマニズムではなく、その国の想像もできない富の力であった。米兵たちは強いドルを使ってセックスの相手も自分で探した。しかし戦争の最終幕で対日宣戦したソ連軍の兵士たちは旧満州で日本人女性に暴行の限りを尽くしたのである。

世代間の反目

国民学校二年生で終戦を迎えた私に戦争責任を問う人はあるまい。たとえ「東條大将」を尊敬し、「チャーチル、ルーズベルト」の模像を棒で突いたり叩いたりしたとしても、それは大人の価値判断を刷り込まれ、追随したにすぎない。「戦争孤児」を大量に生んだ世代としてはむしろ「被害者」であった。

日本人としての戦争責任と言っても、戦争遂行の立役者たち、軍部の戦争政策に言われるままに従い、本心はいざ知らず戦争を賛美し、鼓舞し、外地に戦禍を撒き散らした戦前世代、兵役適齢期にぶつかり、死を強要された戦中派世代、そして幼少で戦争＝「戦災」であった戦災派世代では体験の中身が違い過ぎる。

ドイツ国民の戦争責任について明快な発言をしたことで知られる同国のワイツゼッカー第六代大統領（一九二〇〜二〇一五）は一九六〇年代の欧州を席巻し、フランスで「五月革命」の引き金を引いた学生の反乱について「新しい世代が反逆したのは、彼らが過去にかかわる父親たちの沈黙に我慢ならなかったからで、彼らは歴史的判断を我と我が身に引き受けたのだ」（一九九二年のハイネ賞受賞講演）と語ったが、日本の一九六〇〜七〇年代の学生運動も極左的な偏向を伴いながら、日本政治、経済の戦中、戦後を通じての連続性に抗議したのだった。

当時、日本共産党の対米従属反対路線に対して、六〇年安保闘争の一翼を担って暴走した全学連主流派は「日本帝国主義の独自の復活と強化」を強調する反帝・反スターリニズムの立場をとったが、それは形を変えた世代批判であった。東條戦時内閣の商工相を務め、戦犯から一転して日米軍事同盟の深化を図った岸信介首相が格好のターゲットになったのは言うまでも無い。

しかし、この世代の若者たちは自分たちが強調した日本資本主義の高揚に巻き込まれ、多くは「カイシャ人間」や「社畜」となって戦争責任の追及など忘却してしまった。いや、日本の対外経済進出の尖兵となって、高度成長と消費社会の到来、ひいてはアメリカニズムの礼賛者に変わったのである。その後に来たいわゆる「全共闘世代」はエスタブリッシュメントに対する徹底的な反抗を示したが、具体的な改革目標を提示できずに解体されてしまった。三島由紀夫が「盾の会」の若い同志とともに戦後日本の自立性喪失に憤死したのも孤立した行動にすぎず、その思想の理解は長く進まなかった。

米国追随の道は続く

一九八〇年代、日米間に広範な貿易摩擦が起き、一九八五年のプラザ合意による人為的な円高ドル安を招来した。これがバブル景気とその崩壊、さらには「失われた一〇年」につながった。プラザ合意前後、日本企業幹部やエコノミストの中には、そんなにややこしい話になるなら、アメリカ合衆国の五一番目の州になってしまった方が良いと言う悪い冗談が広がったことがある。対米従属の論理が行き着いた果てであった。

九〇年代になると、クリントン政権と宮沢政権の間で日米間の経済政策調整の合意が生まれ、悪名高い「日米改革要望書」(日米規制改革と競争政策イニシアティヴに関する要望書)が交換されるようになった。米国の政策介入が半ば制度化して、日本はアメリカのグローバリゼーション戦略に完全に乗せられた。

民主党の鳩山由紀夫政権はこの改革書システムに批判的で、二〇〇八年から公表されなくなったが、菅内閣に変わり、二〇一一年年三月から「日米経済調和対話」という名前で装いを改め、再開された。野田政権も米国のくびきを逃れられず、ＴＰＰ（環太平洋パートナーシップ）参加の道を歩むだろう。一〇月には同対話の上級会合のため、西村伸一外務審議官がワシントン入りしたと伝えられた。

思えばペリー提督の黒船が江戸幕府に開国を迫って以来、日本は太平洋の向こうの国の影に怯え、時に抵抗しながら生きてきたとは言えないだろうか。先の大戦が日本人に残した教訓は、石原莞爾がいみじくも提示した通り、国力の差がありすぎる米国と対決する愚は二度と侵さないということだった。

国策としての親米戦略は確かに過去六〇年以上有効に作用し、この国に未曾有の繁栄と富をもたらした。だが、その代償は大きかった。外国から見れば、日本は米国の国際戦略に一切逆らわない従属的な国家であり、政治家や官僚は往々にして国益よりも対米関係の安定を優先してきたかに見える。このため、日本は誠実に国連中心主義を順守し、国連財政に大きく寄与してきたにもかかわらず、国際的な地位を築くことができず「田舎成金」的な扱いを受けてきた感が深い。

国のために何ができるか

もっと憂うるべきは、日本が民族国家としての歪みを修正できないまま年月が経ち、結果として国民の公的精神が弱まったことであろう。戦時中の超国家主義は民族のトラウマとなり、戦後は一貫して個人の自由が最も重要視された。日本人の公共心は長く社会全体を対象とせず、主として労働現場で発揮され、仕事仲間との友愛として機能してきた。しかしバブル以後、米国流の短期利潤至上主義経営が持ち込まれ、企業内人間関係が乾いて無機的なものに変わった。あらゆるノウハウは人格から切り離されたマニュアルに集約され、無機的な機能に転化した。雇用はグローバル化した労働市場での競争激化によって不安定化し、能力評価で容赦なく解雇されたり、配置換えになった。非熟練労働者は臨時化・低賃金化し、外注化された。日本人の公共心はますます行き場を失った。

職場での人的交流の機会が失われると、多くの若者たちはインターネットで展開する仮想空間での対話に心の渇きを癒すようになった。それは現実生活が充実している、あるいはそのように見える人々が「リア充」として嫉妬の対象にされる所まで来ている。

こうしたネット世代になると、現実の社会もインターネットと同じような共有された自動システムとみなされ、個人が勝手に利用すればよい場とみる。つまり社会は成員の積極的な協働によって運用されているのではなく、あくまで一定のネットワークに組み込まれた有償労働の集積にすぎないと見なされることになってしまう。

東日本大震災では多くの若者たちがヴォランティアとして救援活動に従事したが、次第に集まらなくなっているという。彼らの活動は同情心を動機としており、復興を支えるのがコミュニティの創造的、継続的な作業であると認識する人が多くないからであろう。

被災地の地方自治体や企業などにも同じように情緒的で非合理的な依存傾向がみられる。人災的な要素が多々ある原発事故を別とすれば、東日本を襲った大地震と津波は予想を大きく超える天災であって、基本的には自立自助の心構えでゆく他はない。ところが被災地では政府の支援を当然のように要求する傾向が出ているようにみえる。あいにく政府財政は火の車で、支援事業の財源確保すら容易ではない。災害からの復旧、復興には限られた資源を有効利用するための冷静な理性がまず必要なのである。

自由主義経済といえども、その活動基盤を確保するのは国家である。しかも現代では消費社会の要求する製品、サービスの開発・供給には巨大な資本が必要となり、国家の信用と保証がますます重要になっている。EU（欧州連合）の最近の経済危機を見るまでもない。国家の経済活動介入を当然とする重商主義大国を近隣に持つ日本としては今後、国家の役割はますます大きくなるはずだ。

こうした時、先の大戦の悪しき記憶を不必要なまでにクローズアップすることで米国の庇護を正当化していれば、やがてこの国は新たな「戦前」の苦難を迎えるだろう。もちろん相手は米国ではない。

米国は自由主義の国だが、かつてジョン・F・ケネディ第三五代米大統領（一九一七〜六三）は国民に「人類共通の敵である圧制、貧困、疾病、そして戦争と戦おう」と訴え、こう呼びかけた。

「祖国があなたのために何ができるかと問いかけるのではなく、あなたが祖国のために何ができるかを問いなさい」と。

あとがき

新型コロナウイルスの世界的蔓延は、資本主義といえども、行政権力によって囲われる範囲を超えられない限界を露わにしてしまった。いずれの国家権力も億兆の数字の貨幣を刷り出し、天文学的な信用という名の幻影を生んで、それをもって困窮した人民の自暴自棄によるシッチャカメッチャカを回避しようと図っている。財政学的な思考ゲームなどどこかへ消し飛んでしまった。残るのは民族国家の中での治者と被治者の社会的距離である。そして、それを担保する国民の相対的知力である。

このエッセイの集積がこうした事態を予測できたとは言うまい。わずかに南シナ海を占有しようと試みる中国と漢民族の危うさをセンザンコウの密輸事件で警告したのが、今日のウイルス事態を占っていると指摘したい。このまま憲法を改正せず、国際的現実を直視しないなら、日本人はますます茹で蛙に堕すだけである。

この文章の大半は公安調査庁ＯＢが主力になった月刊情報誌「インテリジェンス・レポート」に寄稿したエッセイ並びに小論文である。同誌は二〇〇八年に始まり、二〇一九年九月号を最後に停刊した。いわゆる諜報専門家向けの刊行物であったが、約十年、たゆみなく掲載され、それなりに好評だった。若干、批判の表現を弱めてくれという注文がくることもあったが、それ以外は自由に書かせてもらった。

時折、一橋大学時代の仲間に見せることがあり、出版社を長く経営してきた酒井武史君が本にしてやろうと言ってきた。資金支援をしてくれる話もあり、老いた白鳥の歌を読んでもらうことになった。振り返れば、振幅の多い思索遍歴だったが、敗戦という幼少期の異常体験をどうのり超えるかの、もの狂しいタンタラスの踊りでもあった。

私の世代では自死した著述家、西部邁氏、好著、「日本の近代とは何であったか」を書いた歴史学者、三谷太一郎氏と問題意識を共有しているが、もとより二人のようなアカデミックな蓄積はない。広く世界を旅した経験に支えられ、自分の言葉で語れる思いのみ大切にしてきた。

時代は変わり、「ポスト真実」とやらが幅を利かせるようになった。だが、人間は思考を紡ぐ動物である。そして己の思考に殉じるのが日本人の美意識である。そのメッセージが周囲の心ある人々に伝わるように祈りたい。

著者紹介

水藤　眞樹太　　（すいとう　まきた）

1937年生まれ。一橋大学経済学部卒業。愛知県蒲郡市は実父の生れ故郷。

共同通信社の記者として国内では警視庁公安・警備部担当、防衛庁（現防衛省)、外務省詰め。1972年、1975年にベトナム戦争を現地で取材、1977年、福田赳夫首相がアジア外交政策の基軸として「福田ドクトリン」を発表したマニラ訪問に随行した。バンコク、テヘラン、ニューヨーク支局長。(株) 共同通信社常務取締役、(株) 共同通信会館監査役。退社後、日本大学の学生新聞、「日大新聞」社長を務めた後、2004年から2008年まで、マニラ新聞副社長（編集担当）としてマニラに在住。一般社団法人　総合政策研究所刊の月刊誌「インテリジェンス・レポート」誌に定期寄稿。

訳書にミャンマーの新聞経営者、ウ・タウンの自伝、「将軍と新聞」（新評論、 1996年)、フィリピン人の戦争体験集である「日の丸が島々を席巻した日々」(柘植書房新社、2015年) など。2018年、元生活の党幹事長の政治家、鈴木克昌氏の半生記、「青蛙つくばいつつも虹を追う　蒲郡と鈴木克昌の軌跡」を公刊 (2018年)。

「ポスト真実」時代の実像を求めて
一老記者の思索10年ー

2020年　7月1日　第1刷発行
著　者　水藤　眞樹太
発行人　酒井 武史
発　行　株式会社 創土社
〒189-0012　東京都東村山市萩山町5-6-25-101
TEL　03（5737）0091
FAX　03（6313）5454
http://www.soudosha.jp

印刷　株式会社イニュニック
ISBN:978-4-7988-0236-7　　C0031
定価はカバーに印刷してあります。